DE VREEMDE ZAAK VAN DE COMPONIST EN ZIJN RECHTER

DE VREEMDE ZAAK VAN DE COMPONIST EN ZIJN RECHTER

PATRICIA DUNCKER

the house of books

Oorspronkelijke titel
The Strange Case of the Composer and His Judge
Uitgave
Bloomsbury Publishing, London, Berlin and New York

Vertaling
AnneMarie Lodewijk
Omslagontwerp
Loudmouth, Utrecht
Opmaak binnenwerk
ZetSpiegel, Best

ISBN 978 90 443 2823 3
D/2011/8899/109
NUR 332

www.thehouseofbooks.com

Voor S.J.D.

I saw Eternity the other night,
Like a great ring of pure and endless light,
All calm, as it was bright;
And round beneath it, Time in hours, days, years,
Driv'n by the spheres
Like a vast shadow moved; in which the world
And all her train were hurled.

Henry Vaughan

Gelobt sei uns die ew'ge Nacht...
Laat ons prijzen de eeuwige nacht...

Novalis

I

JAGERS IN DE SNEEUW

De lichamen werden gevonden op de middag van nieuwjaarsdag. Jagers in het bos verzamelden hun honden, trokken hun mutsen ver over hun oren tegen de vorst en keerden huiswaarts. Die nacht was er een paar centimeter sneeuw gevallen en toen ze er bij het aanbreken van de dag op uit waren getrokken, sneed de lucht in hun longen en gezichten, vlijmscherp en hard. De paden op de lagergelegen hellingen bleven sneeuwvrij, maar die op hoger gelegen grond waren onbegaanbaar geworden door smeltende sneeuw en ijs. Ze vingen twee hazen en zagen de herten door het groen rennen en over de door de stormen ontwortelde boomstammen springen, maar lieten ze lopen. De jagers waadden door de sneeuw, ontmoedigd door het verwoeste landschap en de onbegaanbare paden. Elke poging om een open plek over te steken werd belemmerd en gedwarsboomd. Nieuwjaarsdag. Iemand kwam met het voorstel een slokje *eau de vie* te gaan halen, met hete koffie en de chocoladecake van zijn vrouw. Nog ter ere van het nieuwe jaar. Laten we naar huis gaan. Ze riepen naar een van hen die tegen een stapel bevroren boomstammen stond te pissen. Maar hij verroerde zich niet en keek niet om. Hij had iets vreemds gezien op de open plek voor hem.

Deze man, die slechts een kilometer of acht van de witte plek woonde waar de lichamen werden ontdekt, had de vijf auto's al in eigenaardige hoeken rond het vakantiehuisje zien staan waar het gezelschap, naar werd aangenomen, zijn laatste nacht had doorgebracht. Hij had de kentekens gezien – niet één uit de directe omgeving – en de rijkdom waarvan de wagens getuigden: twee Land Cruisers, 4 x 4's, een Renault Espace, een dure zwarte Mercedes. Grote, glanzende wagens uit Parijs, Nancy, Lyon. Een van de wagens kwam uit Zwitserland. Hij had de CH-sticker op de kofferbak gezien. Maar op dat moment, toen hij opkeek van de dampende straal van zijn eigen pis, associeerde hij het patroon in de sneeuw vóór hem niet met de bezoekers van de bergen. Hij tuurde voor zich uit, niet zeker van zijn zaak. Waren dat boomstammen, die al waren omgehakt en klaargelegd, in afwachting van transport? Hij verbeeldde zich toch zeker de kale plekken in de schors, die eruitzagen als gezichten en de versplinterde takken, als omhoog gekeerde handpalmen? Twee van zijn vrienden kwamen naast hem staan en volgden zijn blik langs de rotswand omlaag naar de open plek in het bos.

Plotseling drong het tot hen door dat dit mensen waren, echte mensen, sereen, mooi, neergelegd in een symmetrische halve cirkel, daarbeneden in de sneeuw, en dat ze allemaal dood waren.

Wanneer de dood ons voor is geweest is er geen reden tot haast. Toch haastten zij zich en klauterden snel en zwijgend langs de gladde spleet in de rotswand naar beneden, geweren op de schouders en met hun handschoenen over het gesteente schurend. Snel! We moeten naar hen toe. We moeten hulp halen. De honden jankten en keften en kozen vervolgens voor de langere, hellende weg tussen de bomen, met hun neuzen snuffelend over de bevriezende sneeuw. Ze haastten zich angstig naar beneden. Maar toen zij hijgend en verbijsterd voor de roerloze, bevroren gestaltes stonden, omringd door verse sneeuw, verging hun elke neiging om iets te zeggen of te doen. Zij hielden hun honden in bedwang en spraken op fluistertoon.

'Bel de hulpdiensten. En de politie. Waar wacht je nog op? Schiet op.'

De handen van de jager, die vele malen gedood hadden en nooit trilden op zijn geweer, gleden nu onhandig over de toetsen van zijn mobieltje. Zijn hond liep om de lichamen heen, voorzichtig en op zijn hoede.

Maar de verbinding was slecht. Hoeveel? Waar? Ik versta u niet. Kunt u mij precies vertellen waar u zich bevindt? De jager gebaarde hulpeloos naar zijn vrienden en opeens had iedereen een mening. Dit is de gemakkelijkste manier om ons te vinden. Deze weg moet u nemen. Nee, geef mij het mobieltje! Stuk voor stuk kenden zij het lichaam van het woud als een minnaar, die al haar geheimen had gevoeld en betast. Zij hadden alle paden bewandeld, in elk seizoen; ze kenden het struikgewas, de verscholen kloof met het zacht stromende water, de diepe plassen. Het instinct waarmee zij de geuren van het woud volgden was al net zo buitengewoon en subtiel als dat van hun honden. Ze kenden elk geluid, elk spoor en roken de aarde net zo duidelijk als de wezens waarop zij jaagden: mos, water, angst. Soms stonden ze uren achtereen roerloos naar hun prooi te turen en te overwegen hoe zij hem zouden doden, met de hartstochtelijke concentratie van een bruidegom die afwacht tot zijn geliefde zich verroert. Nu stonden zij dicht bij elkaar aan de rand van de open plek en dienden elkaar van advies, verbijsterd, onzeker, met gedempte stemmen, niet uit respect voor de bevroren doden, maar voor het geval zij hen konden horen.

Uiteindelijk werd besloten dat een van hen de honden zou meenemen en zou afdalen naar de lagergelegen paden, waar de mobiele telefoon een beter bereik zou hebben en waar hij de hulpdiensten kon opwachten bij de kruising waar het asfalt ophield en waar hun achtergelaten wagens met de neus naar het bos geparkeerd stonden. Hij kon dan de politie, de pompiers, de *premiers secours,* die hele noodzakelijke stoet hulpverleners die niet langer nodig was, de weg wijzen. Terwijl hij wegliep in het nevelige, afnemende licht, bleven de anderen bij elkaar staan, als eerbiedige wachters bij datgene wat was voorgevallen op de open plek aan de rand van het ravijn. Ze bekeken de lichamen niet van dichtbij, maar keken uit over de besneeuwde heuvels en de verwoeste tunnels van afgeknapte bomen. In de dalen in de verte dampte de nevel; het witte licht, langzaam overlopend in blauw, versluierde de horizon.

De dag liep ten einde.

Ze begonnen de doden te tellen.

De lichamen lagen dicht bij elkaar, verweven in een patroon. Negen volwassenen, gedeeltelijk zichtbaar onder het dunne laagje sneeuw, languit liggend op hun rug, in een kalme, serene, gebogen houding. Hun ellebogen waren naar achteren gebogen, hun handen geheven, met de palmen omhoog, alsof ze allemaal net een ingewikkelde dansbeweging hadden gemaakt en tijdens het uitvoeren daarvan waren overleden. De jagers kwamen niet te dichtbij, maar bleven geboeid staan kijken, want zij waren gewend aan de dood. De dood en momenten van sterven vergezelden hen door het woud, als dagelijkse metgezellen, die geen geheimen voor hen hadden. Maar dit was een gebeurtenis van een andere orde. De zwarte, starende ogen keken omhoog naar de winterhemel, de wimpers en wenkbrauwen wit van de vorst. De jagers bleven op afstand, niet uit angst, maar omdat ze geschokt waren door de lichamen van de kinderen.

De kinderen vormden een kleinere groep, neergevlijd aan de voeten van de volwassenen, als trouwe windhonden die waren uitgehouwen op de graftombes van helden. De opgekrulde figuurtjes droegen pyjama's onder hun winterjassen en waren in dekens gewikkeld; hun armen en vingers diep weggestopt in handschoenen en wanten. Twee van hen hielden half stukgeknuffelde pluchen dieren in hun armen, een panda en een klein, grijs koalabeertje. Het jongste kind zag er heel klein uit, en was niet veel ouder dan een jaar. Wie vermoordde er nu kleine kinderen en legde hen vervolgens met zoveel zorgzame tederheid aan de voeten van hun ouders? Het bos kraakte en fluisterde van de naderende vorst. Terwijl het licht zich terugtrok tussen de pijnbomen, hoorden de jagers het geronk van dieselmotoren en ten slotte, links van hen, stemmen en het knerpen van zware laarzen in de bevroren sneeuw. Donkere gestaltes, beladen met zware apparatuur, schijnwerpers, camera's, op sleeën gebonden grijze plastic lijkkisten, kwamen langzaam tussen de bomen door in hun richting gelopen.

De politieman die de leiding had over het onderzoek zocht in de zakken van zijn jas met capuchon. Het was nog licht genoeg om de sporen rond de halve cirkel van lichamen te kunnen onderscheiden. Hij begon op een blocnote te tekenen.

'Hebben jullie de lichamen echt niet aangeraakt?' Hij beschuldigde de jagers zonder hen zelfs maar aan te kijken.

'We zijn niet naar de lichamen toe gegaan.'

'Van wie zijn deze sporen dan?'

Bij de buitenste cirkel waren drie stel afdrukken zichtbaar. Het meest recente was van de honden.

'Herten. Dat zijn hertensporen.'

De herten waren heel dichtbij geweest. Ze moesten met hun koppen boven de doden hebben gestaan, waarna ze zich weer kalm hadden omgedraaid, terug in de schaduwen van het groen. De oudste sporen waren half gevuld met verse sneeuw. Naast een van de lichamen was een wirwar van sporen. Dit lichaam nam een centrale plek in binnen de cirkel en ze zagen nu dat het gezicht dat van een vrouw was, bleek en verschrikt door haar plotselinge dood, met een mond die een beetje openstond, haar witte tong nog net zichtbaar. Ze was niet jong, maar haar gezicht was vertrokken in krachtige, scherpe lijnen en haar donkere haar waaierde uit naar achteren, ontsnapt uit de met bont beklede capuchon van haar jas. De commissaris bleef een hele tijd naar haar gezicht staan kijken, blies toen zijn vingers warm en ging verder met het schetsen van het tafereel, terwijl zijn in witte pakken gehulde mensen, met eerder verwonderde dan geschokte blikken, de cirkel inclusief de sporen afbakenden. Niemand onderwierp de kinderen aan een nader onderzoek.

'Komt de rechter er al aan?' vroeg de commissaris op bitse toon. 'Ik heb haar een uur geleden gebeld.'

De jagers voelden zich buitengesloten van hun ontdekking.

Niemand vroeg wat zij ervan vonden. Waarom waren zij geen verdachten? Ze hadden op tv genoeg misdaadfilms gezien om te weten dat degene die het lijk vond meestal ook de moord had begaan, behalve wanneer het om dode echtgenotes ging, want in dat geval was de man, of hij nu aanwezig was of niet, altijd de enige met een motief. En hier stonden ze dan, tot aan de tanden gewapend, met genoeg munitie om het hele bos om zeep te helpen, en niemand informeerde zelfs maar naar een alibi. De jagers waren geen onnozele mannen. Ze waren erop getraind om sporen te lezen, zelfs heel kleine, een gebroken tak, een geknakt twijgje, een beroering in het water. Zij keken toe hoe de witte geesten van het forensisch team snel rondliepen, de lichamen afbakenden, en een voor een alle gezichten fotografeerden, waarbij de flits de sneeuw telkens in een plotselinge witte gloed zette. Opeens realiseerden zij zich wat er op de gezichten van de mannen ontbrak. Niemand schrok terug voor de rand van de cirkel, zoals de jagers dat wel hadden gedaan. Ze liepen heen en weer als veroveraars, wankelend onder het gewicht van hun apparatuur. Ze hadden precies de juiste spullen bij zich. Ze hadden verwacht deze vreemde verzameling doden te zien, uitgestald op exact deze manier, voor de rest van de wereld verborgen op een afgelegen plek in het bos. Ze hadden allemaal geweten wat hun hier wachtte. Zij hadden dit eerder gezien.

'U kunt gaan. Kom morgenochtend om negen uur naar het hoofdbureau om uw verklaringen te tekenen. Deze agent zal uw naam, adres en telefoonnummer noteren. We willen u voor het eind van de week opnieuw spreken. Identiteitsbewijzen? Dank u. En praat alstublieft niet met de pers. Is dat begrepen? Geen woord tegen de journalisten.'

Ze konden gaan.

En toch waren deze mannen de eerste getuigen van de gebeurtenissen in het bos, de eersten die vragen stelden over de onafgemaakte cirkel en de lichamen van de kinderen. Deze drie mannen waren de eersten die zich afvroegen of de leden van dit gezelschap vermoord waren of hun eigen dood hadden gekozen, de eersten die zich afvroegen waarom de cirkel niet af was, de eersten die zich verwonderden over de kinderen, zorgvuldig neergelegd in de ruimte die was gemaakt onder de voeten van de mannen en vrouwen die hun het leven hadden geschonken en die vervolgens, zo vermoedden de jagers, hadden toegekeken hoe zij stierven. De jagers liepen omlaag over de bevroren paden en hun laarzen lieten volledige afdrukken achter in de modder onder de brekende ijslagen. Ze liepen langs het houten chalet dat nu omgeven was door gele tape en bevolkt door gendarmes en donkere mannen zonder uniform die het huisraad doorzochten en in koffers spitten. De auto's stonden allemaal open en werden in de felle gloed van kunstlicht nauwgezet onderzocht door mannen met soepele witte handschoenen, alsof de auto's zelf kadavers waren die geheimen verborgen. Alle deuren en ramen van het chalet stonden open om de gemene kou binnen te laten.

De jagers liepen weg, hun geweren in hun handen geklemd, en terwijl zij de berg afdaalden lichtte hun adem wit op in de schemering. Ze klauterden over de omgevallen boomstammen om de politie te ontwijken die, gewapend met kettingzagen, de paden vrijmaakte. Lang voordat de half verborgen busjes tussen de naaldbomen opdoemden, konden zij het gedempte gejank van de honden die erin opgesloten zaten al horen. Een grote donkere wagen, waarvan de banden door de zachte sneeuw ploegden, passeerde hen op weg naar boven. Ze gingen ervoor uit de weg en knikten naar de vrouw die erin zat. Zij beantwoordde hun knikje met een effen, strakke blik. Ze vreesden dat zij een van de familieleden was, iemand die al was gebeld, die het al wist. Het hele bos gonsde inmiddels van de stemmen en de machines. De jagers glipten weg.

De winterhemel ging net van ijzig blauw over in een allesomvattende duisternis toen de auto van de rechter, een geleende Kangoo, een van de laatste modellen, uitgerust met vierwielaandrijving, slingerend het pad op kwam rijden. Ze reed langs de mannen die in de schaduw stonden, allen gewapend met geweren, ogenschijnlijk gevangen in het proces van verdwijnen. De wagen kwam glibberend tot stilstand aan de rand van het tafereel rond het chalet, dat inmiddels veel weg had van een filmset, compleet met kronkelende kabels, schijnwerpers en camera's en acteurs die druk aan het repeteren waren. De rechter droeg modderige laarzen, een oude bruine overjas en roodleren handschoenen. Iedereen deed eerbiedig een stapje naar achteren terwijl zij een ogenblik met een naar binnen gerichte blik buiten de cirkel bleef staan wachten. Ze droeg een bril met een zwart montuur en dikke glazen die schitterden in het licht. Niemand zei iets. Iedereen wachtte tot zij iets zou zeggen. Zij was nu de belangrijkste speler in dit mysterieuze drama. Een van de mannen kwam naar voren.

'Madame de rechter? Monsieur de commissaris verwacht u. Ik zal u naar hem toe brengen.' Hij droeg een lange zaklantaarn, die nog niet echt noodzakelijk was om in het schemerlicht de sporen van de jagers tussen de pijnbomen door te volgen. Onder hen werd de aarde hard. De rechter kon ruiken hoe het ijs zich vormde, een doordringende, frisse geur van vochtige, druipende hars en natte aarde.

'Achter hen bevindt zich een steile rotswand,' zei de agent, 'dus ik zal u eromheen leiden. Dat is een omweg, maar wij hebben er met ons allen al genoeg overheen gelopen.'

De rechter knikte.

'We zullen hen op stretchers naar beneden moeten dragen. Er liggen te veel omgevallen bomen op het pad voor de brandweer om hier te kunnen komen. Bovendien is de sneeuw te diep,' voegde hij er even later aan toe, alsof deze gedachte net bij hem was opgekomen.

De rechter glibberde een beetje in de modderige sneeuw. Hij stak een arm uit om haar te helpen. Zij wuifde hem weg. Ergens boven hen hoorden zij het flauwe geroezemoes van menselijke activiteit. Hij knipte de zaklantaarn aan. In de omgewoelde sneeuw voor hun naderende laarzen verscheen een gele cirkel van licht. Het flauwe knerpen van de eerste ijslaag begeleidde hun tred.

'Van monsieur Schweigen mochten we hen niet aanraken voordat u hier was. Hij zei dat u het patroon zou willen zien dat zij in de sneeuw maken.'

De rechter knikte opnieuw, maar zei niets. Het witte pad vibreerde en trilde in het schijnsel van de zaklantaarn en veranderde toen in een brandgang die de verticale helling doorsneed. In de diepe sneeuw schoten ze niet meer zo snel op. De agent wachtte terwijl zij met de neuzen van haar laarzen in de poedersneeuw zocht en vaste grond onder haar voeten probeerde te vinden. Ze spreidde haar armen als een koorddanseres, aarzelde even en hervond toen haar wankele evenwicht. In de open ruimte vernieuwde het licht zichzelf tot een duidelijk, helder en dieper wordend blauw; maar de bergflank vervormde de ruimte boven hen en ook de geluiden die soms naar buiten, de vallei in, leken op te zwellen. Ze kon duidelijk de individuele stemmen herkennen, die vervolgens weer wegstierven in fluisteringen en echo's die dof tegen het dichte, beladen groen beukten.

'Ze is er!'

Schweigen tuurde omlaag langs het donkere klif, waar de ijspegels van de overhangende rotsrand dropen, en zag haar aankomen, een tenger, donker figuurtje dat achter een van zijn agenten aan liep. Hij zag haar gebogen hoofd en behoedzame tred, triomfantelijk en opgelucht. Ze was in Straatsburg geweest, bij haar broer en zijn gezin, een uur hiervandaan, en had zonder commentaar naar zijn opgewonden verhaal geluisterd – de jagers hebben de lichamen gevonden in de sneeuw. Vervolgens had ze alleen maar gezegd dat ze onmiddellijk zou vertrekken. En nu was ze hier. Hij keek hoe zij zich aan de voet van het klif aan de rotsen vastklampte om haar evenwicht te bewaren in de diepe sneeuw. Rode handschoenen. Hij herinnerde zich die rode handschoenen van dat lange onderzoek in de winter in Zwitserland. Ze droeg dezelfde rode handschoenen en ze stond pal onder hem. Alsof zij zich bewust was van zijn starende blik, keek zij omhoog en hief haar gezicht op naar het zijne. Hij stak een groetende hand naar haar uit, alsof hij haar omhoog wilde trekken. Ze glimlachte flauwtjes, maar haastte zich niet. Het licht was nu bijna verdwenen. Ik wil dat zij ze ziet voordat het licht helemaal weg is, voordat we de generator aanzetten en de hele plek eruitziet als een belegerd fort.

In een wolk van natte aarde, krakende takken en bevriezende sneeuw gleed hij naar haar toe.

'Gelukkig Nieuwjaar, madame de rechter!' Er verscheen een spottend lachje in haar ogen. Hij stond zo dicht bij haar dat zijn adem haar bril deed beslaan. Ze zette hem af en veegde hem schoon aan haar sjaal.

'Gelukkig Nieuwjaar, André. Hoewel gelukwensen hier enigszins ongepast lijken.'

Opgewonden als een schooljongen die vol is van zijn eigen moed, stond hij voor haar; hij had haar ontboden en zij was naar hem toe gekomen.

De rechter stapte in de blauwe cirkel van het laatste licht op de bergen en overzag de waaier van lichamen in de sneeuw voor hen. De kleumende gendarmes, menigeen nog enigszins beneveld van de millenniumviering, schuifelden gespannen en ongemakkelijk heen en weer in de sneeuwbrij, gehinderd door de kleine, ingepakte lichaampjes van de kinderen die zij van Schweigen niet hadden mogen aanraken. De commissaris bazelde in het oor van de rechter.

'Ze hebben hun vertrek gevierd. We hebben de restanten gevonden van hun laatste maaltijd, champagne, *bûche de Noël*, kerstcake, extra cadeautjes voor de kinderen. Ze hadden nota bene het hele chalet versierd.'

De rechter zei niets. Ze trok haar schouders hoog op en kroop weg in de capuchon van haar winterjas, rillend en huiverend van de kou. Ze stond een tijdje zwijgend het tafereel in zich op te nemen, haar laarzen zachtjes wegzinkend in de smeltende sneeuwlaag die langzaam verkruimelde onder haar hakken. Toen begon ze om het met tape afgezette terrein heen te lopen, André Schweigen zacht babbelend aan haar zij.

'De jagers hebben overal voetafdrukken achtergelaten. Net als hun honden. Dat gekrabbel in de sneeuw is ook van de honden. Er waren ook hertensporen, maar die waren al bijna verdwenen. Waarschijnlijk heeft het in de loop van de nacht ook weer gesneeuwd. De jagers zeggen dat ze de lichamen niet hebben aangeraakt en ik denk ook niet dat ze dat hebben gedaan. Het is moeilijk te zeggen welk vergif het is geweest.

Cyaankali, denk ik. Net als in Zwitserland. Maar luister, er is er één – een van hen... '

Schweigen kon zijn opwinding niet langer verbergen. Hij kwam voor haar staan.

'Dominique, luister goed naar me.' Zijn stem werd een fluistertoon. 'Een van hen is neergeschoten. De vrouw in het midden. Net als in Zwitserland. En er is geen vuurwapen. Dat is weg. We zullen elke vierkante centimeter uitkammen. Ik zal de sneeuw door een zeef halen als het moet, maar volgens mij is het wapen echt verdwenen. We zullen natuurlijk het ballistisch rapport moeten afwachten, maar ik durf er wat om te verwedden dat het om hetzelfde vuurwapen gaat. Ook al zijn we zes jaar verder. Iemand is hier gisteravond van de berg weggelopen. En dat is geen zelfmoord, dat is moord.'

'Rustig,' antwoordde de rechter zacht. Ze bleven staan en keken naar de halve cirkel geëxalteerde doden. 'Natuurlijk is het moord. Hoe hebben die kleine kinderen in kunnen stemmen met hun dood? Wat we hier hebben is een plaats delict, André, wat de uitkomst van jullie ballistisch onderzoek ook mag zijn.'

Hij hield op met praten en pakte haar arm. Wat er ook gebeurde, dit was nu hun onderzoek. Ze dreven niet langer mee in het kielzog van de Zwitsers, die het laatste vertrek, en de doden, hadden begraven in een sarcofaag van platitudes: een tragisch verlies, onbegrijpelijk en hartverscheurend. Maar voor madame de rechter bleef niets onbegrijpelijk of buiten het bereik van gezond verstand. De mysteriën van deze wereld besmetten de heldere schittering van de eeuwigheid. Haar methode, beproefd en consequent, bestond eruit die smetten te analyseren. Ze sjokten verder en de sneeuw zoog aan hun laarzen. De rechter keek onbewogen naar de witte gezichten van de doden en nam elk afzonderlijk gezicht in zich op, alsof elk detail voor altijd in haar herinnering moest blijven. De kleinste kinderen waren in coconnetjes van bont gewikkeld, hun gerimpelde gezichtjes nauwelijks zichtbaar. Ze stond minutenlang over het gezicht gebogen van de oudere vrouw in het midden van de halve cirkel.

Schweigen boog zich naar haar toe.
'Dat is haar, hè? De zuster?'
'Ja. Dat is Marie-Cécile Laval.'
Ten slotte bleef de rechter staan, roerloos, en hief haar blik op naar het verwoeste bos op de omringende heuvels; de machtige bomen, als gevelde reuzen, over elkaar heen, hun wortels, naakt en onwaardig, slordig alle kanten uitstekend, de ondiepe gaten reeds gevuld met sneeuw. De naakte welvingen van de berg strekten zich tegelijkertijd prachtig en troosteloos uit naar het Rijndal en de schaduwen van het Zwarte Woud in het zuiden van Duitsland. De lichamen lagen allemaal met het gezicht naar het oosten, om de opkomende zon te begroeten. Ze waren 's nachts gestorven, in de overtuiging dat één korte ademtocht, verspild in deze tijdelijke wereld en het raadsel van de tijd, het voorspel was tot hun eeuwig ontwaken, zoals het geschreven stond in de sterren.

Ze keek nog eens naar de in elkaar gedoken, stille kinderen, liefdevol ingepakt in capuchons, sjaals en wanten. Welke redelijke gedachtegang bracht een vrouw ertoe haar kind eerst tegen de nachtelijke kou te beschermen en vervolgens zijn mond vol te stoppen met vergif? Ze dook diep weg in haar jas en huiverde in de stille, invallende nacht. Dit had niets met redelijkheid te maken. Hier vóór haar, op de vloer van het bos, lag een uitzonderlijke getuige van passie, die instinctieve daad van liefde. Ik zal je nooit verlaten; ik zal je nooit achterlaten in het koninkrijk van deze wereld, verstikt door tijd, ouderdom, pijn, verdriet. Ik neem je mee. Heer, denk aan mij wanneer Gij in Uw koninkrijk komt. Heden zult gij met Mij in het paradijs zijn. De rechter staarde naar het roerloze, ijskoude gezicht van Marie-Cécile Laval. Haar onvoorstelbare daad vertegenwoordigde een laatste gebaar van grenzeloze liefde, de liefde die deze kinderen had opgetild en triomfantelijk had meegedragen.

De windstille, ijskoude lucht werd verstoord door het geluid van een zwaar voertuig dat ergens in de verte tegen de takken kletterde. De rechter keek op als een in het nauw gedreven hert. Schweigen keek haar nauwlettend aan.

'Heeft de pers er al lucht van gekregen?'

'We hebben één telefoontje gehad. De jagers hebben hen gevonden. Hoe vaak je mensen ook vertelt dat ze hun mond moeten houden, ze praten toch.'

'Laten we dan maar aan het werk gaan. Maar hou het zo lang mogelijk stil. Ik moet de mannen nog ondervragen die hen gevonden hebben. Dat doe ik morgenochtend vroeg. Voordat ze zich dingen in hun hoofd kunnen halen en zich details gaan herinneren die er helemaal niet waren. Heb jij alle foto's?'

'Ja. En ik heb zelfs nog iets beters.' Schweigen liet haar de tekeningen zien, waarbij de afstand tussen elk lichaam nauwkeurig stond genoteerd. Zijn weergave van de plaats van de misdaad maakte een ietwat sinistere indruk, want naast een zorgvuldig diagram waarin de positie van elk lijk was weergegeven stond een schets van het gezicht van de oudere vrouw, waarin hij de open ogen en de uitdrukking van schrik en verbijstering precies had getroffen.

'Dat is ontzettend goed,' zei de rechter, van haar stuk gebracht door Schweigens onverwachte talent en het groteske, verontrustende onderwerp.

'Ik had eigenlijk naar de kunstacademie gewild,' zei hij, met een spijtig schouderophalen. 'Het is veel moeilijker om gezichten te tekenen die je nooit eerder hebt gezien. Zij is de enige die ik kende.'

De eerste ploeg acteurs die om het schouwspel heen liep begon zijn spullen te pakken, klaar om de lichamen weg te dragen van de steeds donker wordende berghelling; de wagens van het mortuarium waren een eind lager op de heuvel vastgelopen. De tweede ploeg van forensisch experts stond al aan de rand van de cirkel, klaar om de sneeuw te doorzoeken, hun zoeklichten opgesteld in vreemde hoeken, zodat ze de witte, besneeuwde takken van de pijnbomen verlichtten. Schweigen was blij dat niemand van zijn team een van de doden kende en zei dit. De rechter hield toezicht op de mannen die de kinderen optilden, ogenschijnlijk om zich ervan te vergewissen dat zij heel voorzichtig waren met de stijve, kleine figuurtjes, maar in werkelijkheid om hen iets anders te geven om aan te denken, voor het geval iemand voor zijn taak terugschrok en zou breken. Ze keek zorgvuldig toe. Sommigen van hen leken te jong, veel te jong, om de doden aan te raken. Telkens wanneer een lichaam werd opgetild en behoedzaam in een gele zak werd geritst, werden de omtrekken ervan een ogenblik zichtbaar op de grond, om onmiddellijk weer te vervagen. De doden lieten nauwelijks een schaduw achter. De bijeenkomst aan de voet van de rotskliffen was al met het verleden versmolten.

'Vlak nadat jij me belde, kreeg ik een telefoontje van le Parquet,' zei de rechter, 'en dat was maar goed ook. Ik moest het allemaal opnieuw aanhoren en net doen alsof ik van niets wist. Jij bent niet degene die mij instructies geeft, André, dat doet hij. Als hij wist dat jij al contact met mij had opgenomen, zou hij denken dat je je eigen privéoorlogje voert tegen deze mensen.' Ze gebaarde naar de lege open plek, die nu baadde in een zee van licht waarin elk sneeuwvlokje werd omgekeerd.

Schweigen stak ongegeneerd zijn tekeningen in zijn jas en pakte opnieuw haar arm.

'Maar ben je blij dat ik het toch gedaan heb of niet?'

De rechter glimlachte en samen liepen ze, strak naar hun laarzen kijkend, de hoofden gebogen alsof zij rouwende familie waren, achter de trage stoet aan, de duisternis en het ijzige bos in.

De verwarming stond niet aan in het chalet en kon in geen geval worden aangezet voordat de boiler en alle elektrische apparaten in het huis waren gecontroleerd en vrijgegeven. Het onderzoeksteam werkte tot diep in de nacht, warm gehouden door dikke sjaals, hun gehandschoende handen zoekend, vastleggend, verzamelend. Dozen vol persoonlijke spulletjes, agenda's, notitieboekjes, portefeuilles, autopapieren, boodschappenlijstjes, afvalschema, stomerijreçuutjes, werden bekeken, genoteerd en meegenomen. Er was een moment van afschuw en opwinding toen de mobiele telefoon in een van de Land Cruisers opeens tot leven kwam en begon te zingen. De familie was nog niet op de hoogte gebracht.

'Laat maar,' snauwde de rechter, terwijl zij het nummer van de beller noteerde. De laatste klanken van het kerstdeuntje 'Jingle Bells' stierven weg. De rechter wendde zich tot Schweigen.

'We hebben nu alle identiteiten. Volgens mij kun je wel beginnen met het bellen van wat er over is van hun families. Laten we de lijst eens bekijken.'

Het chalet was privé-eigendom en was bezaaid met de persoonlijke rommeltjes die elk huishouden jaar in jaar uit produceert. Een prikbord van kurk, afgeladen met vakantiekiekjes, toonde een aantal van de dramatis personae – de betrokkenen – van de open plek op de berghelling, uitgelaten op ski's, of met geheven glazen rond met kaarsjes bedekte taarten. Achter de bank lag het plaatselijke gratis krantje. Schweigen controleerde de datum. Op de tafel stond een verlepte bos bloemen, verschrompeld van de kou. De lucht, ijzig en stil, ruiste als een gordijn toen de rechter zachtjes over de drempel de keuken in liep. De bezittingen van de doden lagen her en der verspreid in de vrolijke wanorde van een gezinskerstvakantie. Hier lagen nog in kerstpapier verpakte cadeautjes, de afwas stond keurig in het afdruiprek, maar was niet weggezet. Op het schermpje van de telefoon flikkerde nog een lichtje, spookachtig en vaag. De tekst was in het Engels: *U bent gebeld om 12.31 uur* en het rode lichtje verklaarde dreigend: *de beller heeft een boodschap achtergelaten.*

'Luister naar het bandje, madame de rechter,' stelde Schweigen in formele bewoordingen voor. In de keuken waren twee van zijn mannen bezig.

'Ik wil een foto van dat prikbord,' zei de rechter. 'We moeten iedereen die op die foto's staat en nog niet op een snijtafel in het Institut médico-légal ligt opsporen.' Ze keek Schweigen aan. 'Oké. Laat maar horen.'

Ze noteerde het nummer. Het was hetzelfde nummer dat ze had opgeschreven van het mobieltje in de auto. Een verdrietige huivering gleed over haar schouders. Ergens was er dus iemand die contact probeerde te maken en steeds weer terugbelde, iemand die het nog niet wist. Het bandje ruiste en klikte.

Toen hoorden ze de stem van een man, in het Engels, een korte boodschap inspreken.

'Cécile? Gelukkig Nieuwjaar. Bel me vandaag even.'

En de verbinding werd verbroken. Schweigen keek op zijn lijst.

'Hij wilde madame Laval spreken. De enige die kennelijk niet is vergiftigd. Eén kogel in de linkerslaap. Heel weinig bloedverlies. En de enige vrouw die haar kinderen niet bij zich had.'

'Neem het bandje in beslag. En ik wil een lijst van alle gesprekken van en naar het chalet, zover mogelijk terug. Wanneer zijn ze hier aangekomen? 23 december?' Ze schoof haar bril recht en bekeek de telefoonnummers nog eens goed. '0049? Dat is toch Duitsland?'

Schweigen knikte. Hij haalde het bandje uit het antwoordapparaat, plakte een etiket op het zakje en keek toen over haar schouder naar het nummer.

'Een mobieltje. Een Duits mobieltje.'

'Zoek uit van wie het is.'

'Misschien een familielid dat haar probeert te bereiken. We moeten haar kinderen bellen.'

'Dat was de stem van een man van haar eigen leeftijd. Of ouder. Zoek uit wie hij is.'

Op de open plek in het bos waren drie complete gezinnen, negen volwassenen en zeven kinderen, gestorven: Marie-Cécile Laval, een andere oudere vrouw, mogelijk een grootmoeder, een jongen van zeventien, drie echtparen en al hun kinderen, waaronder enkele peuters. Ze hadden hun kinderen meegenomen. Hier in het chalet, en anders in hun wagens, lagen al hun papieren, identiteitsbewijzen, rijbewijzen, autoverzekeringspapieren, creditcards. Het geld dat was achtergelaten in handtassen, lades en jassen bedroeg meer dan vijfduizend francs. De rechter ging aan de eettafel in de grote kamer van het chalet zitten. Ze droeg een paar handschoenen dat ze van de *police scientifique* had geleend. Haar rode leren handschoenen, het paar dat Schweigen had herkend, staken uit haar jaszak. Ze bekeek alle kaartjes aan de kerstcadeaus en ontcijferde de kerstwensen die met balpen op het vrolijk gekleurde cadeaupapier stonden gekrabbeld dat ze uit de prullenbak had gevist. Hadden er nog meer mensen aan de feestelijkheden deelgenomen en vervolgens de berg weer verlaten? De kamers lagen nog vol met cadeaus: een amberkleurige fles Coco van Chanel, een cd-rek in de vorm van een giraf, een vrachtwagentje met afstandsbediening voor een van de kinderen, een nieuwe dvd-speler en een stuk of wat oorlogsfilms. Wat ter wereld had hen ertoe gebracht vlak voor hun dood nog zoveel geld uit te geven? Ze begon een lijstje te maken van de namen, lieve woordjes, achternamen, koosnaampjes – wie was '*ma petite chouchoute*'? Mijn lieve vrouw? Dat kon ieder van de drie vrouwen zijn geweest. Voor haar lag een klein stapeltje mobiele telefoons. Ze zette ze een voor een aan en liep de uitgaande en binnenkomende gesprekken na en de hele lading sms'jes. Uren later keek ze, met haar gedachten heel ergens anders, André Schweigen aan met een strakke, starende blik.

'Ze zijn afgelopen nacht gestorven. Ze zijn ver na middernacht de berg op gegaan.'

'O ja?'

'Ja. Alle sms'jes op de mobieltjes die hun gelukkig Nieuwjaar wensten zijn gelezen.'

'Je kunt zo in mijn team komen werken.' Hij keek haar grijnzend aan. 'Wil je deze foto's nu bekijken, of zal ik ze inpakken?'

'Geef maar.'

Hij gaf haar een kleine halogeenzaklamp om haar wat meer licht te geven, want de lamp boven de eettafel was nog versierd met guirlandes van groene dennentakken en klimop uit het bos. In de kerstboom flikkerde vrolijke kerstverlichting, die de kleuren van de bungelende glazen kerstballen veranderde. Schweigen zette de flikkerende lichtslangen uit die om de schilderijlijsten en over de rechtopstaande oren van een everzwijn waren gewikkeld waarvan de opgezette kop boven de bank hing. De rechter begon de foto's te bestuderen. Twee mannen met een kano op hun schouders. Sportdag. Een kind met een veel te grote veiligheidshelm die de fietswedstrijd won. Een vrouw op een tuinpad die een klein speelgoedhondje omhooghield naar de camera. Er waren geen huisdieren achtergelaten in het chalet. Waar waren de dieren? Met de foto's nog in haar hand, stond de rechter op en liep naar de keuken om de vloer te bekijken: geen voerbakjes, geen kleedjes, geen mand, geen kattenluikje. Ze haalde haar schouders op en dook weer in al die verloren levens. De tropen. Hoogstwaarschijnlijk Martinique, alle uithangborden en opschriften in het Frans. Een zwarte man met een kalebas op een strand. De afbeeldingen waren van een gezin, feestjes, vakanties, belangrijke momenten. Maar wie neemt er dan ook foto's van zijn geliefden op een novemberavond om halftien, onderuitgezakt op de bank voor de televisie? Dit waren de mijlpalen van het leven: de trouwerijen, verjaardagen, sportdag, de pasgeboren baby in de armen van haar grootmoeder. En dit was madame Laval, hangend in een skiliftje, naast een van de vrouwen die in het bos was gestorven, met een ander jong meisje aan haar arm, lachend – diezelfde lach. Dit is haar dochter.

'Hoe heet de dochter van Laval? Laval is toch weduwe?' Schweigen raadpleegde een uitdraai en de rechter las de namen op.

'Een zoon, Paul, geboren op 15 oktober 1971, en een dochter, Marie-Thérèse, geboren op 2 november 1983. We hebben hen na het Zwitserse vertrek geen van beiden verhoord. Ze waren er niet. De jongen zat nog op de universiteit in Parijs en het meisje was te jong.'

Ze stak haar hand in de berg verzameld kerstpapier, overhandigde hem een verkreukeld hoopje groen met witte strepen en hield het bijpassende kaartje onder het licht. Hij las het krullerige handschrift. *Voor mijn lieve Marie-T, Je t'aime, ma petite chérie, Bisous, Maman.*

'Vind dat meisje voor me, André. Niemand anders in het vertrek van vannacht heet Marie-T. En dit cadeau, wat het ook was, is opengemaakt.'

Ze keek hoe groot het stuk pakpapier was en bekeek het patroon van de eerste vouwen. Schweigen draaide het kaartje om in zijn hand.

'Ja, maar horen ze bij elkaar? Dit papier en dit kaartje? Het kaartje zit nergens aan vast en de dvd's zaten in hetzelfde papier verpakt.'

'Dat moeten we controleren.'

Schweigen liep naar buiten om de radiowagen te gebruiken. De rechter spreidde een krant uit op de tafel en leegde er elke prullenbak op die ze, zowel beneden als boven, kon vinden. Vervolgens begon ze de berg rommel te bekijken en pakte alles op, elk onbekend stukje papier, papieren zakdoekjes, gebruikte balpennen, een leeg wc-rolletje, afgedankte plastic zakjes, een leeg blikje Coca-Cola light, een kapotte nietmachine en een geklapte ballon. Ze bekeek elk nutteloos, afgedankt voorwerp met een intense en tedere concentratie. De leden van het forensisch team liepen op hun tenen om haar heen; een wolkje van haar warme adem steeg op in de kou.

Om één uur 's middags werd Schweigen gebeld door de forensisch patholoog van het laboratorium van het universitair ziekenhuis. Iedereen keek verwachtingsvol op. Hij stond voor de verkoolde houtblokken in de enorme open haard van zwart vulkanisch gesteente met een grote plaat donker leisteen onder de ijzers, en luisterde alleen maar. Zijn mensen verloren hun belangstelling en gingen verder met hun *travail de fourmi*, hun geduldwerk, wat inhield dat zij alle dagelijkse voorwerpen die door de doden waren aangeraakt oppakten en bekeken. Schweigens team stond bekend om zijn grondigheid; een van hen stofte de plastic koelkastmagneten af, voor het geval die onbekende vingerafdrukken zouden onthullen en fotografeerde het vrolijke plastic alfabet dat op de koelkastdeur was aangebracht in een dwaas, fascinerend gedicht.

'En?' De rechter wierp hem een norse blik toe. Schweigen raadpleegde zijn aantekeningen.

'Precies hetzelfde patroon als het Zwitserse vertrek. Hij wil nog geen definitieve uitspraken doen. Je weet hoe hij is. En hij is erg terughoudend over het exacte tijdstip van overlijden. Kennelijk moet hij eerst het kaliumgehalte in het oogvocht meten. Alle lichamen waren even koud als de grond waarop ze lagen. Maar dit is waar het op neerkomt: met uitzondering van Laval, die is neergeschoten – en het ballistisch rapport daarvan hebben we nog niet binnen – zijn ze allemaal overleden aan cyaankalivergiftiging, behalve de kinderen, die eerst zijn gedrogeerd met een milde vorm van chloroform en vervolgens geïnjecteerd met natriumthiopental. Maar hij heeft nog maar twee kinderen onderzocht. We hebben de injectienaalden die we in de badkamer hebben gevonden naar hem toe gestuurd. De oude dame was diabetespatiënte en hij denkt dat ze van haar waren. Het lijkt erop dat ze hun kinderen in hun slaap hebben vermoord en hen vervolgens de berg op hebben gedragen.'

'Nee.' De rechter was het niet met hem eens. 'Zo hebben ze het vast niet gedaan. Ik denk dat ze hen hier in slaap hebben gebracht en hen ter plaatse hebben vermoord. Hoeveel van je mensen zijn nog op de berg?'

'Een stuk of vijf. Ik krijg het signaal van hun mobiele telefoons hier niet te pakken.'

Een jonge vrouw in een witte plastic overall en een rode sjaal kwam naar voren.

'Ik ga wel naar boven. We moeten nu dus uitkijken naar een of meerdere wegwerpnaalden? Ja?'

De rechter bekeek het gladde gezichtje dat haar aankeek. Dit meisje was toch zeker veel te jong om met deze afschuwelijke sterfgevallen in aanraking te komen?

'Ja, dat klopt. Ga maar en neem deze zaklantaarn mee.' De rechter stond op, rekte zich uit en vergezelde het meisje naar de deur. De vorst had de aarde inmiddels een glinsterende ijskorst bezorgd die in gemeen glooiende lagen over de moddersporen en de met modder besmeurde sneeuw lag te schitteren.

'Red je het wel?'

Het meisje glimlachte. 'Ik ben niet bang voor dode mensen en ik geloof niet in spoken.'

De rechter grijnsde terug, een warme, vrolijke glimlach, die de jonge forensisch deskundige niet van haar kende; de rechter keek nooit jeugdig of guitig en ze waren allemaal als de dood voor haar beruchte medusablik.

'Mooi zo,' zei de rechter, 'ik ook niet. Wanneer je terugkomt staat er hete koffie voor je klaar. André!' Ze riep over haar schouder het ijskoude chalet in. 'Als jullie klaar zijn in de ketelruimte en zeker weten dat we niet de kans lopen dat de hele boel de lucht in vliegt, laten we dan de centrale verwarming weer aanzetten.'

2

HET EERSTE VERTREK

André Schweigen had een vrouw en een kind. Zijn zoon was zes jaar eerder geboren, kort na het Zwitserse vertrek in de midzomernacht van 1994. Die nacht hadden negenenzestig mannen en vrouwen, van wie sommige maar net tieners waren, hetzij zichzelf van het leven beroofd, of waren een handje geholpen bij hun overgang naar de eeuwigheid. Het was een massale zelfmoordactie die het sluitstuk vormde van een grote bijeenkomst in een afgelegen vakantieverblijf in de bergen van Zwitserland. Ze hadden het vergif ingenomen in de vorm van een toost ter afsluiting van hun festiviteiten, en zelfs de rechter had bij het bestuderen van de macabere foto's van het Romeinse feest van de dood, een opmerking gemaakt over de stralende blik op elk gezicht, blikken vol onverholen, ongeremde vreugde. Ze waren in extase gestorven. De verstarde gelukzaligheid op hun gezichten gaf het gevoel weer van mannen en vrouwen die lang op zee zijn geweest en eindelijk in de verte de blauwe contouren van hun geboorteland ontwaren. Hun samengebalde, verstrengelde handen getuigden van de ongekende standvastigheid van hun Geloof. Het was de enige aanwijzing die de rechter uit het geheel kon opmaken over de aard van hun overtuiging, zelfs na jarenlang onderzoek, talloze verhoren die nergens toe hadden geleid en geheime sporen die waren gevolgd en weer opgegeven. Ze wist wie zij waren, wat ze deden, hoeveel ze verdienden, maar verder verdomd weinig. Niets kon het mysterieuze credo waarnaar zij leefden openbreken. Zij waren leden van het Geloof.

De jonge dode gezichten, waarvan er bij dat eerste vertrek heel veel waren geweest, zo leek het Schweigen althans toe, die op dat moment in de eerste bloei van het trotse vaderschap verkeerde, leken op die van leerlingen van een basisschool, een *école primaire*, die waren losgelaten op een vossenjacht, popelend om op de eerste aanwijzing te stuiten. Uit hun dode ogen spraken nieuwsgierigheid en opgewonden verwachting. Jubelend en hoopvol waren zij samen over de drempel gestapt. Vooral dit laatste trof Schweigen, van wie het pasgeboren zoontje met hartstochtelijke regelmaat om de paar uur liefde en voedsel verlangde, als bepaald weerzinwekkend. Hij liep, in een steeds kleiner wordend kringetje, rondjes door de werkkamer van de rechter, terwijl hij zijn standpunten uiteenzette. Die werkkamer, een enorme, hoge ruimte die uitpuilde van de dossiers, stellingkasten en archiefkasten en overwoekerd werd door wanstaltige planten, bevond zich ergens helemaal achter in het Paleis van Justitie. Half mei in de Midi, bijna een jaar na dat eerste massale vertrek en buiten was het al bloedheet; de schaduwen sneden de trottoirs in tweeën terwijl het licht tot aan de dakpannen reikte, drie verdiepingen hoog. Schweigen raakte van één ding steeds meer overtuigd: hun opzettelijke uitsluiting van elk aspect van de zaak.

'De Zwitsers hebben ons nooit toegelaten. We werden zelfs niet bij het onderzoek betrokken. Achtendertig van de doden waren Franse burgers. De meeste kinderen waren Frans. Sommigen kwamen uit Straatsburg. Ze hebben mij erbij gehaald omdat ik ook Duits spreek. En het plaatselijke dialect. Ik kan het *Schweizerdeutsch* aardig verstaan. Maar we hebben nooit toegang gekregen tot alle noodzakelijke bewijsstukken. De Zwitsers wilden de hele kwestie zo snel mogelijk afronden. Al die flauwekul in de kranten – een tragisch noodlot, onvoorspelbaar, niet te stoppen, een zelfmoordsekte, wat we inmiddels, godzijdank, wel achter de rug hebben. Maar het was moord, madame de rechter. En de Zwitserse rechercheurs weigerden verder onderzoek te doen naar het verdwenen vuurwapen. Het was hun goeroe, de Grootmeester, of hoe hij zich ook mocht noemen, die was neergeschoten. Of zichzelf had neergeschoten. Een doodgewone revolver, een .22, *double action*-wapen, waarvan alle sporen aanwezig waren op zijn rechterhand. Waar is dat verdomde wapen gebleven? Als iemand zichzelf heeft neergeschoten en het wapen is weg, dan heeft dus iemand anders die kamer levend verlaten. Wie? Ik ben de enige die zich dat afvraagt. Kunnen ze het wapen vinden? Nee. Maken ze zich daar druk om? Welnee! Ze kunnen aan niets anders denken dan aan hoe ze de pers tevreden kunnen houden en de familie op de hoogte moeten brengen. Smoor alle lastige vragen dus maar in de kiem. Negeer elk bewijs dat niet in het plaatje past.'

'En het geld dan? Hoe zit het met het geld?' Schweigen bulderde het bijna uit, verscheidene decibels harder dan noodzakelijk was, en merkte dat het kantoor een opera-achtige echo bezat. 'Ik heb de Brigade Financière de rekeningen laten nagaan van alle Fransen die zijn overleden. Ze waren stuk voor stuk steenrijk en de maand voordat ze op vakantie gingen en zichzelf van het leven beroofden hebben ze allemaal grote donaties gedaan aan de organisatie die als façade diende voor het hele gebeuren – Les Amis des Étoiles – meditatie, yoga, lezingen waarvan vooral vrouwen van middelbare leeftijd in vervoering raken, dat soort onzin. En waar is al dat geld gebleven op het moment dat wij beslag leggen op de rekeningen? Anton Laval heeft voor het vertrek tien miljoen franc van zijn bankrekening opgenomen. Een aan hem persoonlijk uitgeschreven cheque. Maar waarvoor? En waar heeft hij het gelaten? Al die contanten zijn verdwenen. Het is een cruciaal deel van hun imperium. Hij moet het aan iemand hebben doorgegeven. Waar hij nu is kan hij het niet uitgeven.'

'Wie heeft dat geld?' brulde André tegen de groteske bladeren van een dadelpalm die zich uit een blauwe pot in de vorm van een Griekse amfora wrong.

De griffier van de rechter, een piepjonge vrouw in haar eerste echte baantje en gekleed als een gothic in gescheurde zwarte kleren, met een ringetje met een groen steentje erin in haar neus en een ring met een doodshoofd aan haar rechterwijsvinger, staakte haar getik op het toetsenbord en keek Schweigen boos aan.

'Moet ik dit echt allemaal noteren? Het is lunchtijd.'

Dominique Carpentier schudde haar hoofd en keek op. Bij het zien van haar donkere ogen, die alleen maar groter leken door de dikke brillenglazen in het zwarte montuur, bleef Schweigen, midden in zijn dalende spiraal, staan.

'Nee, Gaëlle, ik denk dat monsieur de commissaris beter wat stoom kan afblazen zonder dat elk woord wordt vastgelegd.'

Schweigen begon zich onmiddellijk te verontschuldigen. Hij had bijna een uur lang aan één stuk door lopen tieren en nauwelijks aandacht besteed aan de zwijgende vrouwen die voor hem zaten. De rechter stelde voor om samen te gaan lunchen, zodat zij nog wat informatie konden uitwisselen.

'Kan ik dan weg?' Gaëlle adoreerde de rechter, maar was absoluut niet bang voor haar. Het eerste was bepaald niet ongebruikelijk, het tweede wel. Ze keken elkaar even aan toen Gaëlle naar de deur liep en daarbij een buitengewoon ongepast zwartleren minirokje onthulde, dat maar net haar kont bedekte, een paar lange, blote benen en zwartsuède veterlaarzen. Schweigen knipperde ongelovig met zijn ogen.

'Is dat uw griffier?'

De rechter glimlachte. 'Ze is heel erg efficiënt. Maakt er nooit een rommeltje van en ziet niets over het hoofd. En ze spreekt vloeiend Engels, wat heel goed van pas komt bij mijn werk. Ze moeten allemaal een taaltoets afleggen. Zij behaalde een maximale score.'

'Hoe is ze zo goed geworden?' Schweigen was met Engels nooit veel verder gekomen dan 'My tailor is rich', en een aardig mondje gangsta rap.

De rechter pakte een klein blauw notitieboekje om in haar aktetas te stoppen en een gele, strak dichtgebonden dossiermap.

'Ze heeft vergelijkend Europees recht gestudeerd aan de LSE in Londen en heeft haar studie zelf bekostigd met het uitlaten van honden. U kent dat wel, als u wel eens in Londen komt hebt u ze vast wel eens gezien. Ze lopen van 's ochtends vroeg tot 's avonds laat door de parken andermans honden uit te laten.'

'Maar mensen nemen toch juist een hond, of het nu een chihuahua is of een rottweiler, voor de lichaamsbeweging?'

'Ah, monsieur Schweigen, daar zegt u wat, dat is een van de uiterst irrationele aspecten van het moderne leven. Hoe dan ook, sommige mensen hebben bij elke jas en tas een bijpassende hond.'

De rechter stond op en Schweigen zag dat hij ver boven haar uittorende. Hij voelde zich opeens misvormd en bizar, als Polyphemus die voor Odysseus staat. Hoe oud was ze eigenlijk? In haar keurige witte blouse en beige pantalon had ze iets weg van een leerlinge van een kloosterschool. Schweigen begon onhandig deuren open te houden, een stapje naar achteren te doen, zich klein te maken. De ironie in haar toon bracht hem weer in het gareel. Ze haalde een grote bos oude sleutels tevoorschijn.

'Ik kan beter voorop gaan, monsieur Schweigen. U weet de weg niet.'

Schweigen staakte zijn pogingen zich een heer te tonen, probeerde zich niet langer klein te maken in zijn jas en volgde haar kordate, klikkende tred.

Lang voor die dag halverwege het voorjaar van 1995, het jaar na het bloedbad in Zwitserland, toen ze André Schweigen voor het eerst had ontmoet, was Dominique Carpentier al een beroemde vrouw. Ze stond bekend als *la chasseuse de sectes* – de sektenjaagster. Dat was de titel van de op de late avond op Antenne 2 uitgezonden documentaire over haar leven en werk waarin zij, geïnterviewd door Christine Ockrent, zo goed als iedereen beledigde die betrokken was bij alternatieve therapieën en zogenaamde wegen tot verlossing, zowel in deze wereld als in de volgende. Die naam en haar vreemde, knappe gezicht schitterden op de cover van *Le Nouvel Observateur*, die een uit twee delen bestaande reportage wijdde aan de eigenaardigste categorieën pseudogodsdienstige sekten. Dominique Carpentier stamde uit een grote, rijke familie van wijnboeren in de Languedoc. Zij had filosofie en psychoanalyse gestudeerd aan het Centre Michel Foucault in Parijs alvorens haar graad in de rechtsgeleerdheid te behalen en voor haar werk terug te keren naar de Midi, waar zij was geboren. Toen ze nog bij haar ouders thuis woonde, had haar moeder aanvankelijk geen kans onbenut gelaten om een lans te breken voor het huwelijk, kinderen en de dringende noodzaak van een eigen huis. De matriarch was soms hele maaltijden lang bezig haar te overreden, terwijl de plaatselijke *curé*, die beste meneer pastoor, die altijd aan het hoofd van de tafel werd gezet, zich intussen zat vol te proppen met vleeswaren, charcuterie. Dominiques manier om met haar moeder om te gaan, een combinatie van humor en hardheid, gaf, in elk geval voor haar collega's, blijk van een indrukwekkende en meedogenloze doeltreffendheid. Haar carrière als advocate was solide, maar niet spectaculair, tot zij te maken kreeg met haar eerste sekte. Zij kreeg de zaak toegewezen omdat het proces was aangespannen door een radeloze moeder. Carpentier is goed met moeders. Schuif die maar naar haar door. Maar deze ogenschijnlijk onbeduidende kwestie was nog maar het begin.

Madame Cordelier, Isabelle, meisjesnaam Varrière, geboren in Florensac, drieënveertig jaar, was de moeder van drie kinderen, van wie de jongste, haar enige dochter, tijdens haar laatste schooljaar in de klauwen was gevallen van een verderfelijke oudere vriendin. Eerst had de vriendschap heel onschuldig geleken – weekendjes naar het strand, doordeweekse bijeenkomsten waarbij zij stilletjes zaten te luisteren naar charismatische, bezoekende sprekers die hun vertelden hoe zij een volmaakte balans tussen werk en leven konden bereiken door geest en lichaam in eeuwige harmonie met elkaar te brengen. Het eerste waarschuwingssignaal explodeerde op een ochtend aan het ontbijt toen de dochter plotseling om een aanzienlijke lening – achtduizend franc – verzocht voor het bijwonen van een weekendcursus. Madame Cordelier had de informatiefolder zorgvuldig gelezen en was zich een beroerte geschrokken.

Le Corps Harmonieux deed zich voor als een kerk, compleet met alles wat daarbij kwam kijken: een boodschap, een profeet en een belofte. *Ons moment in de geschiedenis heeft ons op een punt gebracht waar we niet langer vooruit kunnen zien. Onze lichamen zijn vervreemd geraakt van onze zielen; wij bevinden ons in een gevaarlijke, onevenwichtige toestand. Maar zo is het niet altijd geweest, want eigenlijk komen wij niet van deze aarde. Oorspronkelijk zijn wij afkomstig van een verre planeet waar wij ooit een evolutionair niveau hebben bereikt dat ver boven het menselijke uitstijgt. Wij waren langer, mooier en onze hersenen waren er groter en werkten op maximaal vermogen; wij bezaten het vermogen de toekomst te voorspellen. En in die nu reeds lang vergeten tijd, dat gouden tijdperk dat in de vergetelheid is geraakt, maar waarvan de uitverkorenen nog een vaag besef hebben, verkeerden wij tussen de goden. Wij genoten een volmaakte gezondheid en werden nooit ouder. Door middel van het ogenschijnlijk wonderbaarlijke proces van klonen, een gave die wij ooit door een simpele handoplegging konden verrichten, zullen wij eeuwig leven en lichaam en geest ontwikkelen en verbeteren. De kloonmethode wordt op dit moment door de laboratoria van onze heilige beweging opnieuw geperfectioneerd* (en waarvoor wij grote bedragen bij elkaar moeten krijgen). *Wij zullen rusten in een steeds volmaaktere balans, terwijl de fysieke structuur foutloos wordt gerecreëerd, teneinde de ziel in zijn nieuwe onderkomen welkom te heten. Wij kunnen nog terugkeren naar deze buitengewone toestand, die in feite ons natuurlijke bestaansniveau is, wanneer wij ons vermogen om onszelf te genezen hervinden. Onze goddelijke plicht straalt ons toe: ons volle potentieel te bereiken door onze geest en ons lichaam terug te brengen in die harmonieuze en vreedzame balans die onze bovennatuurlijke krachten zal ontketenen en onthullen. Jezus zelf is een van onze grote leiders die ons de Weg, de Waarheid en het Leven toonde alvorens in Zijn ruimteschip terug te keren naar die verre planeet waar Hij zich blijft ontwikkelen naar volmaaktheid.*

Le Corps Harmonieux beloofde eeuwige gezondheid, eeuwig geluk en de kans om voor een luttele achtduizend franc een van de uitverkorenen te worden. De goeroe van deze sekte bleek een fascinerend type te zijn. Hij was halverwege de veertig en had zijn stempel op de wereld reeds achtergelaten als gemankeerde rockster, reclameman en verkoper van timeshare-vakantiewoningen in Florida. Hij was een uitstekende spreker, op een intense, overredende manier, waarbij hij op zijn cliënten neerkeek met een haviksneus en priemende blauwe ogen. Op het meer serieuze vlak vertoonde hij een grote behoefte om aan zijn pik te laten zuigen door adorerende tienermeisjes. Madame Cordeliers dochter trad toe tot zijn kleine kring van uitverkorenen die, met de hulp van zijn laboratoria, waren voorbestemd om volmaakte, beeldschone nimfen te blijven, voor eeuwig mooi en voor eeuwig jong.

Madame Cordelier trok haar toelage in en eiste dat zij alle banden met de goeroe en zijn discipelen zou verbreken. Prompt verliet haar dochter het huis, maar niet voordat zij haar moeders creditcard had gestolen en haar rekening had geplunderd. Ze trok in bij de goeroe, wiens constante aanvoer van zestienjarige, maar bij voorkeur nog jongere, meisjes een dagelijkse noodzaak bleek te zijn om zichzelf ervan te verzekeren dat zijn eigen lichaam en ziel in volmaakte balans en uitstekende conditie verkeerden. De dochter schikte zich gewillig naar zijn wensen. Madame Cordelier stormde naar de politie.

Het zit in de aard van de wet om verschrikkelijke situaties tergend langzaam te overdenken. Tegen de tijd dat de zaak voor de rechter kwam waren er drie jaar verstreken sinds de dag dat madame Cordeliers dochter van huis was vertrokken, met de bedoeling zich over te geven aan de vreugde van een evenwichtig lichaam en dito ziel, op dat hogere niveau verenigd in liefde en vertrouwen. De goeroe had haar afgedankt ten gunste van een dertienjarige en zij was huilend en gebroken naar huis teruggegaan, ervan overtuigd dat zij hem op de een of andere manier verschrikkelijk had teleurgesteld en daarom uit de selecte kring was gezet.

Dominique Carpentier nam de zaak aan. Uiteindelijk kwam zij er, tijdens het nauwgezet uitpluizen van zijn rekeningen, achter dat de vurige ogen van de prediker hun dwingende autoriteit te danken hadden aan blauwgetinte contactlenzen; zelfs voor de rechter gaf zij dat geheimpje niet prijs. De goeroe beweerde dat hij van buitenaardse afkomst was en dat de Franse belastingwetten voor hem dus niet golden. Dominique Carpentier voerde niet eens aan dat hij nog nooit een ruimteschip vanbinnen had gezien. In plaats daarvan viel zij hem op drie fronten aan: onzedelijk gedrag met minderjarigen, fiscale onregelmatigheden van een immense omvang en *publicité mensongère* – bedrieglijke publiciteit. Wanneer hij zijn werkzaamheden op aarde uitvoerde was hij onderworpen aan de plaatselijke wetten die in die bewuste uithoek van de planeet golden.

Gaëlle kreeg dit dossier jaren later onder ogen, toen zij zich vertrouwd wilde maken met de manier van werken van de rechter en de aard van de tegenstander van haar keuze. Zij stond na het lezen van de stoffige documenten versteld van de tientallen getuigenverklaringen, officiële verklaringen van trouwe leden van Le Corps Harmonieux, die er tot op de laatste man en vrouw van overtuigd waren dat hun nobele verlosser en hunzelf een groot onrecht was aangedaan. Zij wisten zeker dat hij zijn inspiratie kreeg van stemmen uit een andere wereld en dat hij hiernaartoe was gestuurd om hen te waarschuwen voor deze verdorven samenleving die niets anders te bieden had dan vervreemding, onderdrukking en de dood. Zijn woorden schonken hun leiding en troost. Hij wees hun de Weg. Hij zou hen voorgaan in een Utopia van vrijheid, schoonheid en licht. De afvalligen die zich tegen hun meester keerden waren op de vingers van één hand te tellen.

'Hoe hebben ze al die onzin kunnen geloven?' riep ze uit, met een van de kleine brochures zwaaiend waarvan de inhoud door de rechter was aangemerkt als één grote verzameling onzinnige beweringen. De aanwezigheid van de ziel, de exacte aard ervan en de praktische aspecten van zijn overgang van het ene lichaam naar het andere, konden niet worden aangetoond.

De ziel had in elk geval geen juridisch bestaansrecht. De laboratoria bestonden niet en het klonen van mensen was, hoewel zeker mogelijk, nog steeds verboden en onzeker. De rechter keek naar het in scherpe punten omhoogstaande haar van haar assistente, dat op zijn plek werd gehouden door een gel die nog het meest weg had van doorzichtig cement, en stak toen een van haar toespraken af. Gaëlle genoot altijd van de momenten wanneer de rechter haar toesprak alsof zij madame de presidente zelf was, met het hof in voltallige zitting achter gesloten deuren bijeen.

'We moeten niet al te haastig over hen oordelen, Gaëlle. We moeten deze mensen, hun beweegredenen en hun overtuiging trachten te begrijpen. Het zijn niet alleen maar misleide gekken, bedriegers en charlatans. Hun leiders geloven vaak oprecht dat zij een diepe waarheid of een uitermate belangrijke openbaring verkondigen. Maar wij moeten voorkomen dat zij gebruikmaken van de angsten van de meest kwetsbare leden van de samenleving – of ze dat nu met opzet doen of niet. Wij hebben een wereld gecreëerd waar heel veel mannen en vrouwen alleen leven; ze voelen zich niet langer onderdeel van een groep of een gemeenschap. Zij zien deze wereld als een eenzame plek. Zij verlangen naar steun in hun leven en naar de veiligheid van een systeem of een geloof, alles wat hun de illusie van zekerheid kan bieden, een manier om deze wereld te begrijpen en te kunnen hopen op een toekomst. Hun geloof is vaak onvoorwaardelijk. Wij moeten dat geloof leren begrijpen in plaats van het te veroordelen. We moeten die geestelijke nood doorgronden. Want wanneer de grote godsdiensten het laten afweten wordt de lege, vormeloze ruimte die zij achterlaten onmiddellijk ingenomen door de sekten. Lees verder, Gaëlle. Dan zul je zien hoe zij op elkaar lijken en van elkaar verschillen. Mijn enige wapen is de wet. En die zal ik gebruiken om onze burgers te beschermen.'

Gaëlle stond op en klapte in haar handen. De rechter glimlachte.

'Juich maar niet te snel, *ma belle*. Kijk eens naar de data op die dossiers. Le Corps Harmonieux is een klassieke sekte uit de jaren zeventig, want hij berust op buitenaardse wezens en vliegende schotels. Het logische slotstuk is Spielbergs *E.T.* In die kast rechts van je staan de dossiers van veel duisterder sektes, met militaristisch-fascistische connecties. Een zo'n groep was verantwoordelijk voor het schenden van een joodse begraafplaats. Die lach je niet zo gemakkelijk uit.'

'Maar wat is er met de goeroe en Le Corps Harmonieux gebeurd?'

'Hij heeft de enorme boete betaald, heeft drie jaar voorwaardelijke gevangenisstraf gekregen en is teruggekeerd naar Florida. De meeste gelovigen zijn met hem meegegaan. Ze zijn daar nog steeds, in een soort commune van strandhuisjes. Het laboratorium bestaat inmiddels echt en volgens de berichten maken ze steeds meer vorderingen met klonen. Ze krijgen heel veel media-aandacht in de Verenigde Staten. Ze verdienen heel veel geld. Ik zorg dat ik op de hoogte blijf.'

Gaëlle stelde zich voor hoe de ogen van de rechter als schijnwerpers over de hele wereld ronddwaalden, overal de sektes eruit pikten en vanuit haar werkkamer in Montpellier hun diepste gedachten doorgrondden. Maar de rechter was niet alwetend en tot die dag in mei 1995, toen ze haar eerste afspraak had met André Schweigen, was ze nog nooit geconfronteerd geweest met het Geloof. Hij was naar haar toegestuurd door een gefrustreerde *procureur de la République*, die al net zo weinig succes had gehad in Zwitserland als de tweetalige commissaris.

Bijna een jaar na de moordpartij in Zwitserland nam Schweigens eerste ontmoeting met de rechter de vorm aan van een ononderbroken monoloog. Tijdens de lunch, die plaatsvond op een lommerrijk pleintje, ging hij onbeheerst tekeer. Hij bloeide op als een wanhopige patiënt die voor het eerst zijn psycholoog bezoekt. De rechter verwisselde haar bril voor een identiek exemplaar met donkere glazen die, gezien hun dikte, duidelijk op sterkte waren. Het plein om hen heen rook vochtig door de plantenbakken die net water hadden gekregen, natte groene bladeren en hete steen. De straat werd elke ochtend schoongespoten en hier en daar lagen nog kleine plasjes water te glinsteren in natuurlijke holtes en ingesleten spleten in de flagstones.

Schweigen wilde haar mappen met papieren overhandigen, en nam ze meteen weer terug om te controleren of het wel de goede waren. Hij straalde warmte en ongemak uit. Intussen kletste hij echter dapper door; de rechter maakte aantekeningen. Er was niemand overgebleven om te ondervragen en er waren geen levende getuigen. De leden van het Geloof hadden een afgelegen pension in de bergen afgehuurd, helemaal voor zichzelf, en alles wat ze nodig hadden meegenomen: levensmiddelen, beddengoed, handdoeken, zeep.

'Het zag eruit als een toneel. Heel theatraal, met alle rekwisieten op hun plek. En wat deden ze tijdens hun laatste dagen? Wat denk je? Wandelen, zwemmen, yoga en mediteren. Ponyritjes voor de kinderen. Een lang weekend vol verkwikkende lichaamsbeweging, speciaal georganiseerd voor mensen die graag in de natuur zijn.'

Ze waren gezien terwijl ze in groepjes wandelingen maakten door de zonovergoten velden, luid zingend en met de armen om elkaars schouders geslagen. Ze hadden geen afscheidsbriefjes achtergelaten.

'Maar het eigenaardige is,' argumenteerde Schweigen tegen een zwijgend publiek, 'dat het geen mensen waren die zich bezighielden met idiote geneeswijzen of diëten. Het ontbrak hun aan niets. Het waren allemaal rijke, goedopgeleide mensen. Twee hielden zich bezig met medisch onderzoek, een endocrinoloog en een huidkankerspecialist. Ze hadden een goede baan, geld, vooruitzichten. Mensen die het gemaakt hadden. Ze hadden alles om voor te leven.'

De rechter legde haar pen neer en keek Schweigen recht in de ogen. Hij had zijn jasje uitgetrokken en er zaten vochtige zweetplekken onder zijn armen. In een poging zijn ideeën nog overtuigender over te brengen begon hij met zijn handen te zwaaien.

'Het waren geen drop-outs of hysterische types. Ik weet het niet – maar de sektes waar u mee te maken heeft, rapen die niet gewoon de verloren zielen van de straat, die niets hebben en helemaal de weg kwijt zijn? Mensen zonder geld of toekomst? Die zich graag laten vertellen wat ze moeten geloven?'

De rechter knikte. 'Maar wat brengt u ertoe te geloven dat deze mensen daar niet toe behoorden?'

'Omdat ze alles hadden wat deze wereld te bieden heeft. Wereldse goederen zogezegd. En toch wilden ze nog iets anders. Ergens anders.' Hij keek neer op de starre, vreugdevolle grijns op de dode gezichten die over het tafelkleed lagen uitgespreid. Zijn stem klonk ongelovig, verbijsterd. 'En ze geloofden echt dat ze daarheen gingen.'

'Apocalyptische sektes, of zelfmoordsektes zo je wilt, hebben altijd een beeld van een paradijs,' zei de rechter. Ze bekeek de lijst met namen en telde hele gezinnen. 'Of hun ideale plek, Utopia, Eden, het Koninkrijk Gods, hoe je het ook wilt noemen. Het Geloof voegt zich waarschijnlijk ook naar dit voorbeeld. Ik neem aan dat u eventuele achtergebleven familieleden hebt gesproken? Werkgevers? Vrienden?'

'Inderdaad. Iedereen die we hebben kunnen vinden.' Schweigen kon niet stil blijven zitten in de hitte: hij veegde zijn kaalgeschoren hoofd af, dat nat was van het zweet; het zwarte haar op zijn onderarm plakte aan zijn horloge. De rechter nam hem nauwlettend op.

'Zullen we naar binnen gaan? Daar hebben ze airconditioning.'

'Nee, nee, dat hoeft niet. Het is alleen dat – dat ik niet echt gekleed ben op vakantieweer.'

De rechter schoof haar bril omlaag en keek hem over de glazen aan zodat hij haar ogen kon zien. De pupillen waren groot en donker en de diepbruine ringen eromheen leken zich te verwijden. Hij deinsde terug, van zijn stuk gebracht door de plotselinge intimiteit van het gebaar.

'Monsieur Schweigen.' Ze leunde naar hem toe en liet haar stem dalen: 'Waarom gaat u niet even naar binnen om uw wollen vest uit te trekken? Hier, doe het hier maar in.'

Ze gaf hem een blauw plastic boodschappentasje en stuurde hem naar de 'heren' alsof hij een klein jongetje was. Het toilet bleek zowel voor heren als dames te zijn en heel erg klein. Het rook er naar gezichtspoeder en een vleugje bleek en toen hij daar stond, worstelend met zijn slecht gekozen laagjes, rilde hij van schaamte, alsof hij zich voor de rechter stond uit te kleden. Ze had de reputatie heel direct te zijn en mensen snel in verlegenheid te brengen, maar deze mengeling van ijzige vormelijkheid en de bijna fysieke ongedwongenheid van haar manier van doen had hij niet kunnen voorzien. Hoe wist ze dat het ding van wol was? Hij had het onaangename gevoel dat er een onzichtbare grens was overschreden. Zij bekeek zijn lichaam, beoordeelde zijn kleding, onderwierp hem aan een inspectie. Hij draaide de kraan open en plensde koud water over zijn naakte borst, gezicht en hals. Toen deed hij zijn horloge af en hield zijn polsen onder de koude straal, zoals zijn moeder hem dat had geleerd. Hij koelde meteen af en keek in de spiegel. Hij zag er nog steeds verontrustend bleek en oververhit uit. Hij zag een paar grijze haren tussen de zwarte in het midden van zijn borst en trok er één strak. Ze bleken veel langer te zijn dan de zwarte en sprongen terug in een vochtige krul. Schweigen sloeg zijn ietwat gekreukte overhemd uit, trok het weer aan, rolde de mouwen op en streek zijn aangetaste gevoel van eigenwaarde glad.

Toen hij weer bij hun tafeltje kwam zag hij dat de rechter een kan ijswater voor hem had besteld en Post-its zat te plakken op alle documenten die ze meteen nodig had.

'Gaat het weer wat beter?' Ze schoof zijn stoel naar achteren en nodigde hem uit aan tafel te komen zitten. Voor het eerst keek hij de rechter aandachtig aan, zonder rekening te houden met haar reputatie en haar compromisloze opvattingen; hij bekeek de vrouw zelf. Zij had hem bestudeerd als een laboratoriumspecimen, zwetend onder het felle licht, en nu betaalde hij haar met gelijke munt terug. Wat hem het meest trof was haar kalmte. Ze zat snel te lezen en nam zowel de details in zich op als de grotere lijnen in de documenten die voor haar lagen; zij ploos zijn zorgvuldige papierwinkel uit alsof ze een vis fileerde. Haar ogen kon hij niet zien en hij wist eigenlijk niet of hij ze wel weer zo naakt wilde zien. Ze was zo glad als een hagedis, haar blote armen onbehaard, olijfkleurige huid, geen enkele ring, alleen twee glanzende gouden knopjes in haar oren en een dun gouden kettinkje met een piepklein rond plaatje en een klein bedeltje, nog net zichtbaar onder het omlaag geslagen kraagje van haar blouse. Wat stelde dat bedeltje voor? Tenzij hij zijn gezicht in het kleine kuiltje onder haar sleutelbeen begroef, zou hij het nooit weten. Bij die laatste gedachte ging er een lichte huivering door hem heen en juist op dat moment keek de rechter op. Er viel een vreemde stilte. Hij kon nog steeds de uitdrukking in haar ogen niet zien en Schweigen staarde haar als verlamd aan. Langzaam, heel langzaam, alsof haar hele lichaam zich ontrolde uit een spiraal, begon de rechter te glimlachen. Ze schonk hem een brede, gulle lach, als een stralend geschenk.

In alle jaren die nog zouden volgen kwamen, telkens wanneer André Schweigen zich alle momenten probeerde te herinneren die hij met Dominique Carpentier had doorgebracht, al zijn mijmeringen uiteindelijk samen in die ene bijzondere, lome glimlach.

'U ziet er al een stuk beter uit. Hier, drink dit maar eens.' IJskoude druppels gleden langs het vochtige glas. Toen hij het maagdelijke glas zuiver, koud water aan zijn mond zette, liet zij haar zonnebril weer zakken en terwijl hij haar aankeek dronk hij het hele glas leeg, als een onversaagde Tristan tegenover zijn Isolde.

'Santé,' zei Schweigen, het lege glas op tafel zettend. En de lome, erotische glimlach veranderde in een vrolijke, kinderlijke grijns.

'Santé, monsieur de commissaris,' lachte ze, haar eigen glas naar hem heffend. Was hij toen al verliefd op haar? Of was dit slechts het moment waarop hij zich dat realiseerde? Die lach, vol humor en genegenheid, gedoemd om Schweigens ondergang te worden, zorgde ervoor dat vanaf dat moment elke zoveelste gedachte gewijd was aan de donkerharige, donkerogige rechter, van wie de meedogenloze efficiëntie, indrukwekkende discipline en legendarische zelfbeheersing haar collega's naar de fles deden grijpen.

'U moet zich niet zo opwinden, monsieur Schweigen. Ik weet

dat het frustrerend is. Maar het was uw onderzoek niet. U zou de zaken anders hebben aangepakt. Maar bedenk goed – wat we hier hebben zijn de draden. Als we die zorgvuldig volgen hebben we binnen de kortste keren het hele tapijt voor ons liggen. Wees geduldig. Luister. Wacht.'

Maar dat was haar methode, niet de zijne. Schweigen had het nodig om de voor- en de nadelen tegen elkaar af te wegen en vervolgens te handelen.

'En vertel me nu maar eens alles wat u weet over de oprichters van het Geloof,' zei ze en de uitnodiging was zo teder en geruststellend alsof ze hem zojuist een middagje in haar bed had voorgesteld.

Wat wisten ze nu echt? Niet veel eigenlijk. Een centrale persoon die ze uit de spaarzame bestaande literatuur hadden geïdentificeerd, stond simpelweg bekend als de professor en een andere als de gids. Het Geloof leek te passen in een klassiek patroon dat vele godsdiensten met elkaar gemeen hadden: een complex mysticisme van eeuwige transcendentie waarvan de volgelingen toch geloven dat het volkomen juist is om zich te mengen in het koninkrijk van deze wereld. De reacties van de nabestaanden, en de verklaringen die collega's en werknemers hadden afgelegd aan Schweigen en de Zwitserse politie, maakten wel duidelijk dat niemand die de doden had gekend er enig idee van had gehad dat hun vrienden betrokken waren bij een religie, laat staan een zelfmoordsekte. Dezelfde reacties kwamen steeds opnieuw naar voren: ze heeft het er nooit over gehad – we hebben nooit aanwijzingen gezien – maar hij leek zo normaal, zo gelukkig, vol plannen – het ging zo goed met ze, hij had net een betere baan gekregen – maar ze waren zo dol op hun gezin en familie – zij was stapelgek op haar kinderen, ik kan me niet voorstellen dat ze hun ooit iets zou aandoen – het is gewoon onmogelijk, we zouden het hebben geweten, ze zou het me hebben verteld, dit kan ons niet overkomen. Ze hadden dus te maken met een geheime sekte, een verborgen genootschap. Geen openbare lezingen, geen bekeringsdrang, geen evangelie in boekvorm. Wat onmiddellijk duidelijk werd was dat de leden van het Geloof zorgvuldig geselecteerd waren: zij waren de uitverkorenen.

'Kijk maar naar het patroon. Ze hebben bijna allemaal een universitaire opleiding. Sommigen hebben dezelfde universiteiten bezocht – stuk voor stuk prestigieuze instituten. Ze hebben allemaal een uitzonderlijk hoge opleiding genoten. De meesten van hen zijn niet alleen experts in hun vakgebied – ze zijn de enige expert. Vandaar al die uitgebreide necrologieën. En vandaar dat de Zwitsers het allemaal zo stil hebben gehouden. Het waren beroemde mensen. Het is gênant, eigenaardig. Hm, het waren voornamelijk wetenschappers. Slechts een enkeling uit de kunstzinnige hoek, en dan altijd uit de muziek. Gerhart Liebmann. Hij was een Zwitser, een operaproducent en leider van de Berliner Staatsoper. Ik heb in de krant over zijn werk gelezen.' De rechter was al aan de draadjes aan het pulken. 'Dat verklaart de manier van werven. Ze halen de mensen binnen die ze al kennen en werven uit de kringen waarin zij zich bewegen.'

'En de massale zelfmoord vond plaats tijdens de zomerzonnewende. Dus ze opereren binnen een systeem dat is gebaseerd op de bewegende kosmos.'

'Dat doen alle religies,' zei Schweigen, terwijl hij meer dan een normale hoeveelheid suiker in zijn koffie gooide.

'Precies. Nu ja, bijna allemaal. *Noël* is niets anders dan het winterzonnewendefeest dat we hebben overgehouden aan de heidenen. De moslims ontlenen hun feestdagen aan de maankalender, net als de joden. Maar dit Geloof lijkt meer verband te houden met de sterren dan dat van de moslims of de katholieken. Wat is dit?'

De rechter pakte een smoezelige fotokopie van een grafiek, doorsneden door twee golvende lijnen en bedekt met lukrake stippen. Er stond verder niets op geschreven. Het zag eruit als een partituur voor het een of andere ingewikkelde gregoriaanse gezang. Ze draaide het een paar keer om en probeerde het vanuit verschillende hoeken te lezen. Opeens lichtte haar gezicht op.

'Ik weet al wat het is. Kijk maar. Het is een kaart van de

middenhemel. Deze golvende lijn bevat de sterren van de dierenriem – dat is het gedeelte van de hemel waar je altijd de zon, de maan en de heldere planeten kunt zien. En deze gemarkeerde stippen zijn sterrenhopen. Kijk – dit zijn de sterren in Taurus, hier heb je Orion, en dit groepje hier zijn de Plejaden. Waar is dit gevonden?'

'Het hing op het prikbord in de keuken. Dit is niet het origineel. Dat was duidelijker en een aantal sterren was er met een stift op gemarkeerd.'

'Hebben de Zwitsers die kaart nog?'

'Joost mag het weten.'

'Zoek dat uit. Ik wil er een kleurenfoto van. Zo scherp en gedetailleerd mogelijk. Het origineel zou nog beter zijn. Als de Zwitsers hun onderzoek hebben afgerond ligt het toch maar ergens weg te rotten in een doos.'

'In de nacht dat ze stierven was het volle maan,' opperde Schweigen, opgeschrikt door deze astrologische ontwikkeling. 'Hoe kan deze kaart ons helpen?'

'We kunnen er niet zomaar van uitgaan dat ze allemaal zijn uitgeroeid in Zwitserland. Misschien zijn er nog wel meer. En mogelijk kan deze kaart ons vertellen of en wanneer het volgende vertrek gaat plaatsvinden. En misschien ook wel waar ze eigenlijk denken heen te gaan.'

Ze keek weer naar de gezichten van de doden, omkaderd als portretfoto's, met een lijstje met hun namen, leeftijden, beroepen en naaste familie eronder, alleen zocht ze nu naar iets ondubbelzinnigs, een gezicht dat ze verwachtte te vinden.

'Een van hen moet al zijn tijd hebben doorgebracht met door een telescoop turen en sterrenkaarten bekijken op zijn computer. Wie van hen is de astronoom? Of de astrofysicus?'

Zonder een ogenblik te aarzelen sloeg Schweigen de pagina's van het dossier om.

'Deze. En hij is ook de man die geen vergif heeft ingenomen. Hij is doodgeschoten.'

Anton Laval, zesenvijftig jaar oud, geboren in Lyon, hoofd van de afdeling wetenschappelijk onderzoek van het CNRS te Grenoble, was vaak te gast geweest als een van de deskundigen in het populaire televisieprogramma *La Nuit des Étoiles* dat 's zomers werd uitgezonden. De rechter bleef een tijdje naar het kalme, knappe gezicht zitten kijken. Als ze hem al kende, liet ze daar in elk geval niets van blijken.

'Misschien is hij onze professor wel,' zei Schweigen. 'Aan de andere kant waren minstens twaalf van hen professor.'

'Hier staat dat hij niet getrouwd was. Wie staat er vermeld als zijn naaste familie?'

'Een zuster. Ik heb haar gisteren gesproken.' De rechter hief haar donkere ogen naar hem op, terwijl haar mond ondoorgrondelijk bleef. 'Ze woont een kilometer of tachtig ten noordoosten vanhier, op een groot landgoed, voorbij Nîmes. Ze was nog steeds radeloos van verdriet toen ik haar naar haar broer vroeg. Ik moest een tijdje wachten tot ze zichzelf weer onder controle had. Ze kon me niet veel vertellen. Niet meer dan wat ze mijn collega's vorig jaar heeft verteld, vlak nadat het gebeurd was. Alleen hadden zij haar wel heel domme vragen gesteld. Of hij vijanden had? Wie een reden kon hebben gehad om hem dood te schieten? Er lagen bijna zeventig andere mensen dood om hem heen. Het zag eruit alsof hij hun voorbeeld had gevolgd.

En wat die geheime sekte betreft leek zij zich er bijzonder over te verbazen dat hij zo sterk in iets had kunnen geloven dat hij er als martelaar zijn leven voor had gegeven. Zij was de vrome katholiek en hij de scepticus. Zo heb ik het althans min of meer begrepen. Zij danst naar de pijpen van de plaatselijke curé. Ze bleef maar zeggen hoe verschrikkelijk ze haar broer miste, maar ze is er absoluut van overtuigd dat zij hem terug zal zien en dat zij weer verenigd zullen worden. Ik vond haar een beetje gek.

Ze is weduwe, maar ze heeft altijd haar meisjesnaam behouden omdat zij het landgoed bestiert. Ze staat op de lijst. Marie-Cécile Laval.'

Maar vijf jaar eerder hadden Schweigen en de rechter niet kunnen vermoeden dat madame Marie-Cécile Laval lid was van het Geloof. Zij werkte gewillig mee met het onderzoek, sprak openhartig over haar broer en altijd in de meest liefdevolle bewoordingen. Haar niet-aflatende tederheid leek vreemd. Wanneer iemand zelfmoord pleegt wordt de reactie van ongeloof over het algemeen gevolgd door woede tegen degene die zo wreed de deur achter zich heeft dichtgeslagen en is verdwenen. Madame Lavals liefdevolle, emotionele vergevingsgezindheid ontwapende haar ondervragers. Zij ontving hen bij haar thuis, gaf hun de papieren van haar broer en wekte een beeld van zoveel verfijnde intelligentie dat elke verdenking in de kiem werd gesmoord.

Schweigen zag madame Laval altijd voor zich zoals hij haar voor het eerst had gezien, omringd door prachtig achttiende-eeuws meubilair. Vergulde spiegels met stoffige cupido's, een met rozenhout en paarlemoer ingelegde kast, familieportretten van de hand van ooit beroemde schilders, harde banken bekleed met gekopieerde stoffen, met exact dezelfde dessins als de oorspronkelijke stoffen, maar te helder van kleur om echt te kunnen zijn. Het *domaine* wankelde op de rand van vergane glorie; de barokke fontein begon zijn schelpen te verliezen, er zaten motten in de gordijnen. Verzamelt u geen schatten op aarde, waar mot en roest ze ontoonbaar maakt en waar dieven inbreken en stelen. Madame Laval zat stilletjes in een hoekje van haar vergane elegantie, treurend over het verloren gaan van alle aardse goederen. Het enige wat zij wilde was het lichaam van haar broer thuisbrengen. Waar uw schat is, daar zal ook uw hart zijn.

Schweigen was de dag voordat hij de rechter voor het allereerst in levenden lijve ontmoette bij madame Laval langs geweest en die tijd, die hij nu in gedachten de eerste dagen noemde, leek heel persoonlijk, geheim. Madame Laval was ergens op een afstand bijna onzichtbaar aanwezig als onwetende, zwijgende getuige van wat er had plaatsgevonden tussen André Schweigen en de rechter. Twee weken na die eerste ontmoeting in mei 1995 had de rechter hem op zijn werk gebeld.

'Monsieur Schweigen? U spreekt met Dominique Carpentier. Dank u voor de sterrenkaart. Heel goed van u om het origineel te bemachtigen.'

'O, dat was niet zo moeilijk. De Zwitsers wilden hem toch niet hebben.'

Het bleef even stil. Schweigen balde zijn linkervuist. Dat had niet erg hoffelijk geklonken. Hoe kon hij haar aan de lijn houden? Maar zij was al bij de volgende pas van de dans.

'Ik ben erachter gekomen dat madame Laval er eindelijk in is geslaagd het lichaam van haar broer vrij te laten geven en hem naar het domaine laat brengen om hem daar te begraven. Ik had gedacht dat wij misschien samen naar de begrafenis konden gaan om ons medeleven te betuigen.'

'Naar de begrafenis?'

'Eh ja. Ze laat een complete katholieke requiemmis in de dorpskerk opdragen en daarna vertrekt de rouwstoet naar het familiemausoleum om de kist in besloten kring bij te zetten in de grafkelder. De curé draagt een volledige mis op met koor en toespraken, omdat zij niet om een begrafenis op het kerkhof heeft gevraagd. Ik denk niet dat hij anders een zelfmoord had geaccepteerd.'

'Hoe weet u dat allemaal?'

'De curé is mijn oom.'

'Dus u kent de familie Laval?'

'Niet meer zo heel erg goed. Maar vroeger wel. Ik kom ook uit een familie van *vignerons,* wijnbouwers – in dezelfde gemeente. Iedereen komt straks naar de begrafenis, ook mijn ouders. Het zou vreemd staan als ik er niet was.'

'Waarom hebt u dat niet eerder gezegd?' zei Schweigen op scherpe toon. Hij voelde zich bedrogen. Hij vreesde dat zijn boosheid onredelijk was, maar hij kon zich niet beheersen. De rechter klonk vaag geamuseerd.

'Eerder was het niet relevant. Nu wel. Daarom vertel ik het nu.'

Schweigen werd steeds kwader. Zijn onderzoek was hem ontstolen. 'Maar u wist wie Marie-Cécile Laval was en toch zei u niets.'

Hij stond te stampvoeten als een klein kind. Kijk naar mij. Hou je met mij bezig. Ik ben de belangrijkste hier, ik, ik. De rechter sloeg geen acht op zijn boosheid.

'Kunt u mee?' Er stroomde een immens geduld door de lijn. Schweigen gaf zich gewonnen.

'Zeker. Waar treffen wij elkaar?'

'Bij de kerk. De begrafenis is om drie uur. Kunt u er uiterlijk halfdrie zijn? Ik ben er dan al en ik wil op tijd in de kerk zijn.'

Onverwacht, agressief en meedogenloos bestormde de hitte zijn zwarte pak en omhulde hem toen hij in Nîmes enigszins wankel uit het vliegtuig stapte. Geen van de huurauto's binnen zijn budget had airco. Met alle raampjes open reed hij zwetend door de wijngaarden en voelde de hete lucht langssuizen. Het land leek nu al uitgedroogd naar adem te happen. Cicaden tsjirpten in de bomen en er hing een glazige nevel over het groen. Hij nam zijn gezin 's zomers nooit mee naar het zuiden, hoe zijn vrouw hem daar ook om smeekte; de hitte was gewoon ondraaglijk.

Het pleintje voor de kerk lag zacht te schitteren in een luipaardvel van licht en schaduw, onder een baldakijn van hoge platanen. Het plaveisel werd ingenomen door een caféterras. Het dorp lag te smeulen achter gesloten luiken. In het schemerdonker hoorde hij het gerinkel van borden die werden opgestapeld. Alleen de toeristen aten buiten en het vakantieseizoen was amper begonnen. Het café had een deel van de tafeltjes weggehaald om plaats te maken voor de arriverende auto's. Er wandelden al vreemdelingen in nette kleren en met donkere zonnebrillen over het plein. Aan de westzijde van de kerk stonden de deuren, zware, met klinknagels beslagen poorten, al open. De scharnieren waren vernieuwd, er zaten kraaien op de overkraging. Door die grote deuren aan de westkant kwamen alleen bruiden en kisten binnen. De mannen van de begrafenisonderneming, spookachtig en dreigend in hun zwarte pakken, stonden binnen al te wachten.

Schweigen stelde zich de lijkwagen voor als een grote, gekoelde vleeswagen. Anton Laval was al bijna een jaar dood. Wat had het voor zin hem uit de Zwitserse grafgewelven weg te halen en naar huis te slepen – een stinkende zak zwarte huid en rottende beenderen? Hij was bijna een uur te vroeg en toch waren er al heel veel mensen. Schweigen parkeerde onder de bomen. De hitte golfde om hem heen. Hij deed zijn ogen dicht en bleef even zo zitten, zich afvragend of hij het kon maken om pas op het allerlaatste moment zijn jasje aan te trekken. De cicaden waren oorverdovend.

Toen werd het portier aan de bestuurderskant geopend en stond daar de rechter, binnen handbereik, haar zwarte haar glad en strak naar achteren getrokken in een dikke, gevlochten wrong. Zij boog zich over hem heen; hij rook de frisse plooien van haar mouwloze zwartlinnen jurkje en keek naar haar donkere bril met dun gouden montuur en hoge, zwarte pumps.

'Bonjour, monsieur Schweigen.'

Hij stapte uit, zwetend en overrompeld, zich afvragend of hij ooit, in al de jaren die nog komen gingen, nog eens zo sterk naar een vrouw zou verlangen als naar deze kalme, onaanraakbare rechter. Zij deed een stapje naar achteren en stak haar hand naar hem uit. Hij kon haar ogen niet zien en aarzelde daarom; toen nam hij haar koele vingers in zijn klamme hand.

'Volgens mij bent u aan een drankje toe,' zei de rechter.

Hij keek naar de mensen die zij de hand schudde, probeerde te bepalen wie van hen familie van haar waren en wie waarschijnlijk tot haar vrienden- en kennissenkring behoorden. Een vrouw met een weelderige, olijfkleurige borstpartij sloeg haar beide armen stevig om de rechter heen en wilde al haar nieuwtjes weten. Schweigen ging de kerk binnen, nam plaats in een bank met goed zicht op het altaar, de preekstoel en de kansel en gaf zichzelf op zijn kop voor zijn onredelijke jaloezie. In de schaduw van een pilaar slaagde hij erin zijn emoties weer onder controle en zijn gezicht in de plooi te krijgen en hij voelde zich een stuk kalmer worden in het bedompte schemerdonker. Hij had sinds de doop van zijn zoon geen voet meer in een kerk gezet. De rechter schoof naast hem in de kerkbank en gaf hem een handgeschreven lijst met namen, waarvan sommige van een sterretje waren voorzien. Ze zette haar aktetas aan de andere kant, zodat haar dijbeen tegen het zijne rustte en fluisterde tegen zijn wang; haar adem verkoelde zijn gloeiende huid.

'Al deze mensen zijn verwanten van leden van het Geloof die met het laatste vertrek zijn afgereisd. Sommige anderen zijn collega's en vrienden. Ik weet niet of ik alle namen heb. Dit is de lijst van mijn oom voor de begrafenis en ik heb hem vergeleken met de lijst in het dossier. Maar hij zal niet compleet zijn. Sommige mensen komen zomaar opeens opdagen op een begrafenis en anderen komen pas op het allerlaatste moment. Maar als er nog leden van het Geloof in leven zijn, dan is de kans groot dat ze hier aanwezig zijn. Maakt u zich geen zorgen over foto's. Ik heb een camera laten installeren bij de ingang, zodat we straks een video hebben om alles te kunnen vergelijken met de informatie die we al hebben. Daar hebben we nu mooi de kans voor.'

Een eindje verderop zag Schweigen een journalist rondhangen met een taperecorder en een microfoon. De televisiecamera's op het plein mochten de kerk niet in, maar de journalist was naar binnen geglipt.

'De pers is er,' siste hij.

'Dat verbaast me niets. Een van de gasten is een minister. Dat heb ik van mijn oom gehoord. Dit zijn geen gewone mensen, André, ze hebben niet alleen aanzien, maar ook macht. Waarom denk je dat ik hier zoveel belangstelling voor heb?'

Het enige waaraan hij kon denken was het feit dat zij zojuist zijn voornaam had gebruikt. Midden in hun samenzwering had zij hem dichter naar zich toe gehaald. Hij staarde naar haar blote knieën en keek vervolgens om naar de volle, roezemoezende kerk en de stille, wachtende gasten die nog in de schaduw stonden, net buiten het bereik van de middagzon.

'Zal die camera niet opvallen?'

'Welnee. Hij hoort gewoon bij het normale beveiligingssysteem van de kerk. Er zitten genoeg dieven onder de toeristen. Die Heilige Maagd dateert uit de twaalfde eeuw. Er zitten allerlei alarmen op het altaar.'

'Je kent deze kerk dus erg goed.'

'Dat kun je wel zeggen. Ik ben hier gedoopt.'

En opeens keek hij recht in haar intieme verborgen verleden – haar catechisatielessen, haar eerste communie. Hij trachtte zich haar voor te stellen als jong meisje, maar slaagde daar niet in. Haar vreemde, kalme gezicht, de ogen aan het zicht onttrokken door de donkere bril, keek hem aan. Hij zag haar spottende glimlach.

'Gaat uw oom de mis opdragen?'

'Ja, hij houdt alleen geen toespraak. Ik ben vooral nieuwsgierig naar de toespraken. Een van Lavals beste vrienden gaat spreken. Hij is kennelijk een Duitse componist. Mijn oom heeft hem maar heel even gesproken, maar de muzikale connectie viel me op. Veel mensen hier zijn leden van zijn orkest. Ah, daar zijn ze.'

De kerkgangers zochten op hun schoot naar het boekje voor de dienst en stonden, daartoe aangezet door de diepe tonen van het orgel, op. Een geruis van nette kleren en gemurmel van gedempte, beschaafde stemmen steeg op en stierf weer weg. De minister kwam binnen, vergezeld door zijn vrouw en zijn lijfwacht, die de journalist op afstand hield. Er viel een ongemakkelijke stilte. Buiten hoorden ze de lijkwagen en de familie arriveren.

Het kruis werd binnengedragen, gevolgd door een klein koor. *Dona nobis pacem.* Geef ons vrede. Schweigen herkende madame Laval. De hele mis werd in het Latijn gezongen. Hij huiverde zachtjes; het hele gebeuren bezorgde hem koude rillingen. Hij had een kostschool bezocht, gelegen in de bergen van de Haute-Savoie en bestierd door dominicanen, hartstochtelijke voorstanders van lijfstraffen, die zij van wezenlijk belang achtten voor de vorming van een goed, eerlijk karakter. Schweigen associeerde de kerk nog steeds met hete tranen en geweld. Hij schoof wat dichter naar de rechter toe. *Requiem aeternam dona eis.* Geef hem de eeuwige rust.

De kist zwaaide langzaam drie treden omhoog het schip in en voorop liep een man die langer was dan de anderen, wat een verontrustende verstoring tot gevolg had in de verdeling van het gewicht. Zijn witgrijze haar glansde tegen het eikenhout en zijn getekende gezicht en opeengeklemde kaken staken een ogenblik duidelijk af in het felle licht om vervolgens in de schaduwen te verdwijnen. Hoewel hij duidelijk ouder was dan de andere dragers was hij breder in zijn borst en schouders; hij had langere benen en was gedwongen zijn tred in te houden tot een ongemakkelijk geschuifel, zodat de kist, bedekt met een naargeestig fluwelen baarkleed en voorzien van een krans van witte lelies, niet langer slagzij maakte als een slingerend schip. Hij paste zijn langzame tred aan, maar het was toch een hele opluchting toen de grote kist veilig op de katafalk stond en de onvaste gang door het middenpad zonder rampzalige gevolgen bleef. De gemeente slaakte een zachte zucht van verlichting en de plechtigheid begon.

Na afloop kon Schweigen zich niet veel van de begrafenis herinneren; hij had het te warm en voelde zich te ongemakkelijk in de aanwezigheid van de rechter. Maar de toespraak herinnerde hij zich wel. De grijze man die de kist had gedragen stond op om te spreken. Hij bleef een tijdje roerloos staan voordat hij in aarzelend, zorgvuldig Frans de kerkgangers toesprak. Hij sprak niet tot de overledene, maar tot de nabestaanden. En hij was de enige die in zijn woorden liet blijken dat Anton Laval niet hoogbejaard en omringd door zijn kleinkinderen, vredig in zijn bed was overleden.

De essentie van de openingswoorden van de componist was conventioneel genoeg; het traditionele professionele eerbetoon aan een eminent geleerde, waarin zijn prestaties werden opgesomd, het belang van zijn onderzoek werd beschreven en het feit werd geroemd dat hij drie van de vele manen van Saturnus had gelokaliseerd. Toen veranderde hij van toon. Hij legde zijn tekst neer, keek met een schrikwekkend dreigende blik op de menigte neer en sprak verder vanuit zijn hart.

'Anton was mijn vriend. Over wat mijn vriend heeft gedaan mag en zal ik geen oordeel vellen. Maar als hier mensen zijn die zich kwaad en diepbedroefd voelen omdat zij niet begrijpen waarom hij ons heeft verlaten, zou ik het volgende willen zeggen. U zult hem nooit kunnen begrijpen en nooit met zijn vertrek kunnen instemmen zonder zijn overtuiging te begrijpen dat alles eeuwig is, dat onze sterfelijkheid het teken is dat wij getransformeerd zullen worden. Midden in het leven sterven wij, maar het leven wordt ons niet afgenomen; na de dood wacht ons het eeuwige leven, de glorie van een eeuwig samenzijn met alles wat wij ooit hebben liefgehad. Wij zijn niet slechts aarde en water; wij zijn vuur en lucht. En wij worden omringd door aanwijzingen, de wegen naar een hoger, groter wezen, de Grote Geest die zich voor ons uitstrekt, die ons voorgaat, ons de weg wijst. Die Grote Geest is de Liefde zelf, de plek waartoe elk verlangen leidt, het thuis waarnaar wij smachten. Ik hield van Anton. En ik weet dat hij van jullie allemaal hield, en nog steeds houdt.'

Op de rechter hadden zijn woorden een elektriserend effect. Zij schoof naar voren op de houten bank en tilde haar hoofd op als een cheeta die een gnoe naar de rivier ziet kuieren. De begrafenis voelde als een dekmantel, een bedrieglijk likje verf dat een scheur moest verhullen die het hele huis kon doen instorten. Zo raakten de laatste woorden van de spreker de aanwezigen en de gipsen standbeelden; toen hij zich omdraaide om met gebogen hoofd de kist te strelen, leken zijn grote handen het dode hoofd en de stille beenderen te wiegen; zelfs de vier enorme kaarsen rond de katafalk flakkerden in de plotselinge luchtverplaatsing.

De vreemde, magere gestalte draaide zich weer om en staarde voor zich uit alsof hij naar iets luisterde wat alleen hij kon horen. Vervolgens ging hij naast madame Laval zitten, die tegen hem aan leunde, waarbij haar zwarte sluier scheef kwam te zitten. Toen hoorden zij een andere stem, een ander buitenlands accent, galmend naast de kist. De curé, die iets links van het altaar stond, boog zijn hoofd in gebed en de kerkgangers volgden zijn voorbeeld. De rechter keek op van haar boekje. Maar na de toespraak stond er niets bijzonders meer vermeld. De kleine gestalte werd aan het zicht onttrokken door de reusachtige schouders van de componist. Hij was niets anders dan een stem. Een vreemde stem die trilde in de lucht. Schweigen realiseerde zich dat hij Engels sprak en begreep het bezwerende ritme, zonder de woorden te verstaan. Hetzelfde gold voor de rechter.

Bid, bid voor mijn ziel – dat de Donkere Begeleider mij moge omarmen en herstellen. Laat geen kwaad mijn huis betreden.

Zalf mijn dienaren met de heilige olie opdat wij veilig de overkant mogen bereiken van deze vreeswekkende wateren en opdat bij onze opstanding de Donkere Aanwezigheid ons eeuwige vreugde zal schenken.

De rechter rekte zich vergeefs uit om de spreker te kunnen zien, viste toen een klein zwart notitieboekje uit haar tas en schreef drie woorden: *De Donkere Begeleider*. Vervolgens schreef ze: *Gebed voor de doden? Waarvandaan en wie was spreker? Vraag Oom.*

Toen het moment was aangebroken waarop alle aanwezigen om de kist heen zouden lopen en de aronskelken met druppels wijwater zouden besprenkelen, stak de rechter een hand uit en trok Schweigen mee in de schaduw naast het doopvont.

'Wij laten ons niet zien,' siste zij, 'wij zijn niet de enigen die alles in de gaten houden.'

Schweigens huid tintelde op de plek waar zij zijn arm had aangeraakt. Elk stukje van zijn lichaam voelde kwetsbaar, alsof hij open was gesneden; hij was gevangen in de reusachtige vloedgolf die alles in haar richting spoelde. Hij slikte de weinig professionele hysterie weg die hem dreigde te bevangen en klampte zich vast aan de verontrustende schreeuw van het koor: *Libera me.*

Libera me, Domine, de morte aeterna
In die illa tremenda
Quando coelie movendi sunt et terra
Dum veneris judicare saeculum per ignem.

Bewaar mij, Heer, voor de eeuwige dood
Op die vreselijke dag
Als hemel en aarde geschokt zullen worden
Als Gij met vuur de eeuwigheid komt oordelen.

Schweigen voelde zich lichtelijk in verwarring. De enige rechter die hij zich op dit moment kon voorstellen stond hier naast hem. En hij onderging al een vuurproef. Iedereen stond op en keek naar de kist terwijl de onvaste stoet de kerk verliet, en in de drukte die volgde verloren zij elkaar uit het oog. Schweigen rende achter haar aan en probeerde haar glanzende wrong zwart haar te ontwaren, die vast en zeker tegen de stroom in probeerde te gaan. Bij de deur van de sacristie haalde hij haar in. Zij pakte een grote sleutel uit haar tas en opende de zwarte deur naar het plein.

'We nemen jouw auto. Ik rij.' Ze duwde hem in de wagen.

Het was inmiddels al na vijven. De hitte was er nog wel, maar niet meer zo meedogenloos. Ze reden over een smalle ommuurde weg, omzoomd door wijnstokken en vervolgens door een rotsachtig gebied begroeid met donkere mediterrane pijnbomen. Het landschap strekte zich uit in gelaagde heuvels, met hier en daar wat knoestige eiken en grijswitte rotsen. De aarde glansde rood en stenig. In de geometrisch aangelegde wijngaarden was hier en daar een aantal kleine stenen spelonken zichtbaar, met koepelvormige daken, als een soort prehistorische huizen tussen de wijnstokken.

'Ik zal maar niet vragen waar we naartoe gaan. U zult het wel weten.'

Schweigen leunde achterover, blij niet langer verantwoordelijk te zijn voor wat er moest gebeuren. Het gevoel van zorgeloosheid was zowel erotisch als vermoeiend. De rechter parkeerde de gehuurde Clio achter een van de stenen gebouwen en klauterde vervolgens voor hem uit over de rotsen. Haar zwarte hoge hakken waren al snel bedekt met een laagje rood stof. De kleine bult in haar tas, waarvan hij had gedacht dat het een damespistool moest zijn, bleek een verrekijker te zijn waarmee je vogels kon observeren.

'We zijn er. Het leek me een goed plan om in de gaten te houden of er geen ongewenste dingen gebeuren bij de teraardebestelling.'

'Bedoelt u dat we hier alles kunnen zien?'

'Zolang we tussen de bomen blijven, kunnen zij ons niet zien. Alle gebouwen kijken uit op de andere kant. Ik ken de geografie van het domaine. Ik ging vroeger altijd naar de nieuwjaarsbals in het grote huis.'

De gebouwen van de oude hofstede hadden smalle hoge ramen en dikke, logge vestingmuren; en de zinderende hitte schilderde het dichtbijgelegen familiegraf in vreemde tinten wit en grijs. Het mausoleum zag eruit als een smakeloze negentiende-eeuwse kerk en werd omringd door een roestig spijlenhek. Een tijdlang gebeurde er helemaal niets. Schweigen werd opgevreten door passerende insecten; hij kon bijna niet stilzitten en kon niet nalaten zich te krabben. De rechter zat rustig naast hem en keek alleen maar. Ze deelden de verrekijker.

Opeens zei ze: 'Daar heb je mijn oom!'

En daar liep inderdaad de priester met onzekere tred over het oneffen pad naar de ingang van het mausoleum. Toen hij de grote metalen deuren opende, zagen zij het gapende, donkere gat van de geopende tombe voor hem. De doodgravers hadden de leiding inmiddels overgenomen en duwden de instabiele kist op een soort ziekenhuisbrancard over het pad. Madame Laval volgde langzaam en droeg de krans van lelies. Alle dragers en andere familieleden waren verdwenen.

'Daar komen ze.'

Ze keken om beurten. Het tafereel ontvouwde zich als een onbewerkte film waarvan de geluidsband was kwijtgeraakt. De grijze componist, die zo krachtig had gesproken tijdens de plechtigheid, was er niet bij evenmin als de naaste familie. Het laatste groepje mensen dat Anton Laval naar het graf van zijn voorouders begeleidde, bestond slechts uit zijn zuster en de priester, vier doodgravers en twee arbeiders met een emmer cement en een afgedankte pomp, klaar om de stenen weer te verzegelen. Toen de kist voorbijhobbelde zetten zij snel hun pet af. Vervolgens leek alles te bevriezen toen de priester zijn boek opensloeg om de laatste gebeden uit te spreken. De kist stond al schuin op de rand van de grafkelder, klaar om naar beneden te worden gedragen. Op het laatste moment stapte madame Laval naar voren, trok het fluwelen baarkleed weg, gaf het aan een van de mannen en ontvouwde een kleiner kleed, dat zij als een vlag voor een gesneuvelde soldaat over het metalen gedenkplaatje drapeerde. De doodgravers streken de lap recht en lieten de kist in de diepte zakken. De rechter had de verrekijker.

'Dat is interessant. Kijk eens.' Ze gaf hem de kijker, maar het enige wat hij zag was madame Laval, ondersteund door de curé, en de zakkende kist die was bedekt met een flits donker, glinsterend blauw.

'Wat was dat? De fleur de lis?'

'Nee,' zei de rechter, haar gezicht ondoorgrondelijk, maar elke spier in haar schouders strakgespannen. 'Hij was bedekt met sterren.'

Op de terugweg naar het dorp zeiden zij geen van beiden iets. Schweigen had geen enkele belangstelling meer voor de zaak, de begrafenis, de sekte die slechts bekendstond als het Geloof, en mogelijke politieke connecties. Het enige wat hem nu nog interesseerde was een manier verzinnen om zo lang mogelijk bij de rechter te kunnen blijven. Wat te doen? Haar mee uit eten vragen om de begrafenis te bespreken? Zijn retourvliegticket verscheuren en zichzelf uitnodigen om te blijven? De auto saboteren? Wat als ze een man en kinderen had die thuis op haar zaten te wachten? Hij wist niets van haar. Zij was gewoon la chasseuse de sectes, en hij zat vlak naast haar en zag de kleine sproetjes op haar blote armen, haar sterke kleine handen en korte, ongelakte nagels. Dat ze in een te lage versnelling reed zodat de wagen veel herrie maakte en dat ze kennelijk immuun was voor de hitte – dat was alles wat hij wist en hij voelde zich een beetje misselijk, duizelig van een verlangen dat zich voor hem uitstrekte als een verschrikkelijke tunnel zonder uitgang.

'Wat is er?' vroeg de rechter, terwijl in de verte, achter de wijngaarden, het dorp opdoemde.

Schweigen zette alles op het spel.

'Stop de wagen.'

Zij reed een smal landweggetje op langs de rand van de wijngaarden. Het pad werd van de wijngaarden gescheiden door niet meer dan een smalle strook olijfbomen en twee donkere pilaren van cipressen, waarvan de takken elkaar raakten. Ze waren vanuit elke richting duidelijk te zien. De rechter zette de motor af en vestigde haar donkere blik op hem. Hij stak zijn hand uit naar haar donkere bril en nam hem van haar gezicht. Ze trok haar neus op en knipperde met haar ogen. Schweigen realiseerde zich dat zij hem niet langer duidelijk kon zien en dat zij een enorme lachbui probeerde te onderdrukken.

'Wat is er zo grappig?'

'Jij.'

Ze boog zich naar hem toe; hij rook haar haren en het parfum op haar jurk. Haar uitval over de versnellingspook was zo plotseling en onverwacht dat Schweigen achteruitdeinsde tegen het portier. Zij stak een hand uit naar zijn hoofd en zette haar vingers in zijn korte vochtige haar. Met haar andere hand gaf ze een ruk aan zijn schouder om zijn gezicht naar zich toe te trekken, zodat haar wilde kus, hard op zijn lippen, bijna zijn sleutelbeen ontwrichtte. Als een maagd die wordt aangerand, zo beefde Schweigen van angst. Zij bedekte zijn gezicht en hals met lichte, droge kussen. Toen trok zij zich, net zo snel als zij hem had aangevallen, weer terug als een slang, op zoek naar het volgende stukje huid om in te bijten.

'Zo,' zei ze, 'dat was toch wat je wilde?'

Schweigen herstelde zich volledig. Zijn zelfvertrouwen galoppeerde weer door al zijn aderen, als een paard dat ruiterloos door de open velden draaft, vervuld van pure vreugde.

'Ja,' zei hij, terwijl hij haar strak aankeek en al zijn seksuele bedoelingen liet glanzen en stralen van verlangen en verwachting. 'Dat was precies wat ik wilde.'

'Je smaakt zout,' glimlachte de rechter en liet het puntje van haar tong snel even over haar onderlip glijden.

3

HET BOEK VAN HET GELOOF

Nu, vijf jaar na die dag van de begrafenis, slingerden Schweigens emoties heen en weer terwijl hij rondsnuffelde in het chalet waar madame Laval haar laatste dagen had doorgebracht. Hij stampte rond door de slaapkamers en hield toezicht op zijn forensisch team. Hij voelde zich om de tuin geleid en verraden door die statige vrouw, die haar broer in het graf was gevolgd door middel van een exacte replica van de eerdere gebeurtenissen. Maar door haar manier van sterven had madame Laval de rechter weer bij hem teruggebracht. Beneden zat de vrouw van wie hij hield over de bewijsstukken gebogen, als verantwoordelijke voor zijn onderzoek. Het spoor begon weer op te warmen. Hij had een onbetwistbaar excuus om haar elke dag te spreken. Hij merkte dat hij tegen de linnenkast stond te grijnzen.

Tussen hun zeldzame ontmoetingen door kon André Schweigen zich de rechter nooit scherp genoeg herinneren om er zeker van te zijn dat zij geen hersenschim was, gecreëerd door zijn eigen verlangen, en die hij op vernuftige wijze zelf had opgeroepen. Hij schreef haar naam op zijn telefoonblok, steeds opnieuw, uitsluitend om het plezier de letters vorm te zien krijgen. Precies zoals de jongste zoon van sir Rowland de Bois door het hele bos de naam ROSALIND had achtergelaten, door hem in palen en hekken, eiken en zilverberken te kerven. Wanneer hij zich haar soepele, koele vormen voor de geest probeerde te halen, zag hij niets anders dan haar ogen en handen. Haar kleren kon hij zich niet herinneren. Droeg ze altijd zwart, net als vijf jaar geleden tijdens die groteske requiemmis voor Anton Laval? Ze is maar half zo groot als ik. Ik kan allebei haar handen in één hand houden. Al haar bewegingen zijn snel en behendig. Zij maakt dat ik me groot en lomp voel, onhandig en dom. Haar haren. Nu ik haar weer kan zien, zie ik elke beweging en elke schittering van haar zwarte haar wanneer zij zich naar voren buigt, en met haar hoofd ondersteboven haar haren omlaag borstelt om zich vervolgens weer op te richten, zo acrobatisch als een circusnummer, waarna het zich om haar schouders en langs haar gezicht nestelt als een liefdevol dier. Dan tilt zij haar arm op, met de kam in de aanslag, kamt het allemaal naar boven en modelleert de hele massa in een wrong, zonder ontsnapte pieken, en zet het onder in haar nek vast met die klem van schildpad die haar moeder voor haar heeft meegebracht van de Malediven. En het laatste wat ze doet nadat ze haar blouse in haar broek heeft gestopt, is haar bril pakken.

Dat heb ik haar elke ochtend zien doen nadat ik de liefde met haar had bedreven. Ze beweegt zich als een danseres. Nu zie ik haar ogen en handen. Maar haar gezicht kan ik me niet voor de geest halen. Een koude golf van paniek stroomde door hem heen en bezorgde hem kippenvel op zijn armen. Ik kan haar gezicht niet zien. En zo verdween de rechter weer.

Schweigen stond voortdurend op het punt zijn van niets wetende vrouw te vertellen dat hij verliefd was op een rechter. Dit maakte zijn gezinsleven hachelijk en ondraaglijk. Als hij had kunnen opbiechten dat de rechter zomaar een andere vrouw was, was het veel eenvoudiger geweest, minder zwaar, gemakkelijker uit te leggen. Dan zou hij tot die banale categorie mannen hebben behoord die, na een erotisch debuut met een vrouw die ze al enige tijd kennen, overgaan tot pakweg acht jaar emotionele en economische puinhoop. In die tijd kopen zij de villa, planten zij de bomen, behelpen ze zich met één auto wanneer de vrouw parttime werkt en organiseren ze etentjes met vrienden die precies hetzelfde doen. Ze zullen een kind krijgen, besluiten dat ze zich er niet nog eentje kunnen veroorloven dus godzijdank dat het een jongetje is, surfplanken kopen voor Bretagne, ski's voor de wintersport, *les vacances d'hiver*, mountainbikes en bergschoenen. Ze zullen verstandig eten, ondanks de chips, het huis versieren voor de kerstdagen en vinden dat ze gelukkig zijn. Langs de uiterste grenzen van deze gelukzalige toestand heeft de man – of de echtgenote – zo nu en dan een avontuurtje. Wanneer alles uitkomt, ontdekt of opgebiecht wordt, wordt er wat met deuren geslagen. Maar de stabiliteit die is ontstaan door routine en die dagelijkse inzet die nu eenmaal wordt verwacht van mensen die al een tijd getrouwd zijn en die met elkaar optrekken als strijdmakkers in de loopgraven, zal het evenwicht herstellen. En een provisorische balans, die trage deining op de Atlantische Oceaan, die betekent dat je een gulden middenweg hebt gevonden, houdt het schip op koers. De mogelijkheid van een catastrofe was bij enkele goede vrienden al een paar keer afgewend en Sabine Schweigen bereidde zich voor om niet alleen over dergelijke misstappen heen te stappen, maar om ze onverstoorbaar te negeren, zoals verstandige vrouwen dat vaak doen.

Ze merkte het dus niet, of weigerde het te merken, wanneer Schweigen klaarwakker op zijn rug naast haar lag, als iemand die geëlektrocuteerd was, en zei er niets van wanneer hij 's ochtends onderuitgezakt en verfrommeld aan de ontbijttafel zat, met donkere wallen onder zijn ogen, als een bejaarde lappenpop. Het eerste onderzoek bleek traumatisch. Dat kon ook bijna niet anders. Wie zou niet geschokt zijn door de aanblik van tientallen vergiftigde mensen, sommige niet meer dan kinderen, in hun slaap vermoord en nog wel door hun eigen ouders? Madame Schweigen was verpleegster op de intensive care. Zij draaide veel nachtdiensten, zodat haar moeder vaak kwam babysitten wanneer haar man voor zijn werk op reis moest. Ze bleef onverstoorbaar terwijl zijn leven in rep en roer was; met een onderzoek zoals dit was dat niet meer dan normaal. Bovendien gebruikte hij nog steeds een stevig ontbijt.

Maar Schweigens gemoedsleven werd verwoest door een emotionele bliksemschicht, die de synapsen in zijn brein had versmolten. De rechter leidde het onderzoek en derhalve zijn werk, maar erger, veel erger nog was dat zij zijn fantasie bezette, als een bezettingsleger waarvan de soldaten en tanks op iedere straathoek de wacht hielden en elke toegang tot zijn ziel controleerden. Hij keek wanhopig naar zijn vrouw. Alles wat hij deed gebeurde nu onder de koele, taxerende blik van de alziende rechter, over wie hij nog steeds zo goed als niets wist.

In het begin, vijf jaar eerder, creëerde de rechter alle omstandigheden die redelijkerwijze tot een nieuwe ontmoeting zouden leiden. Bijna een maand na Anton Lavals begrafenis was hij begonnen roekeloze maatregelen te verzinnen, toen alle pogingen van Schweigens kant om contact met haar te krijgen uitliepen op een met veel gerammel en gekletter neerdalen van het valhek. Hij kon niet accepteren dat deze affaire een kwestie van één middag was geweest. Toen was daar opeens haar stem in zijn oor, heel kalm en correct, alsof ze elkaar enkele ogenblikken eerder nog hadden gesproken.

'Monsieur de commissaris? U spreekt met Dominique Carpentier. Ik heb een afspraak geregeld met de rechter die het Zwitserse vertrek heeft behandeld. Om de zaken eens door te praten. Vooral nu zoveel families zich kwaad maken over het uitblijven van een onderzoek. Hebt u *Le Nouvel Observateur* gelezen? *Non?* Marie-Cécile Laval heeft een artikel over haar broer geschreven dat nogal wat reacties bij lezers heeft losgemaakt. Het leest eerder als een zelfbevestigende necrologie dan als een verklaring. Maar u zou het toch eens moeten lezen. Ik heb voor alle zekerheid een exemplaar voor u meegenomen.'

'Waar ben je?' snauwde Schweigen, gebelgd over haar koele manier van doen en opgewonden door het geluid van haar stem.

'Op de luchthaven van Straatsburg. Op weg naar Bern. Is het misschien mogelijk dat u daar ook naartoe komt?'

Het hotel in Bern keek uit op de parlementsgebouwen en een beroemd café dat door het hele kabinet werd bezocht. Halverwege de ochtend, in de pauzes tussen de beraadslagingen, wandelde iedereen het plein op voor koffie met iets lekkers. De schaal van de gebouwen, zowel van het parlement als van het politieke café, maakte het hun mogelijk gezellig bij elkaar te gaan zitten, prettig en huiselijk. Toen zij in het restaurant zaten, scheen de zon op het frisgele tafelkleed en de olijfkleurige armen van de rechter. Schweigen telde de steekjes op de voorkant van haar witte blouse en zag dat de aderen in de halfedelstenen in haar oren niet symmetrisch waren. Hij keek naar alles behalve haar gezicht, de grote bril en die prachtige, vergrote ogen. Hij hoorde de geamuseerde klank in haar stem, als een melodie op de hobo, telkens wanneer zij even niet meer over het onderzoek praatte en hem aansprak als een man met wie zij ooit de liefde had bedreven.

'Ik heb een suite met twee kamers geboekt. Voor het geval je onze fatsoenlijke dekmantel wilt volhouden.' Ze keek hem lachend aan.

'Hoe wist je zo zeker dat ik met je mee zou gaan?' Schweigen had thuis nu eens de waarheid verteld, of in elk geval de geografische waarheid – dat hij was weggeroepen naar Bern, waarna hij zijn schoonmoeder had ingeschakeld en halsoverkop met de middagtrein naar Zwitserland was vertrokken, in het eersteklas kielzog van de rechter.

'Och,' zei de rechter, 'je bent er nu in elk geval.' En hij kreeg een glimlach die mooier, guller en liefdevoller was dan hij ooit had durven hopen tijdens al die krankzinnige uren dat hij onder het fluisteren van haar naam naar haar handschrift had zitten staren. André Schweigen was even de kluts kwijt. Vervolgens werd dit opgelaten gevoel, dat zijn hartstocht begeleidde als drinkliederen tijdens de mis, hem bijna fataal.

Op de tafel, naast hun schoongeschraapte dessertbordjes, stond een *Sträusschen,* een boeketje veldbloemen in een gedecoreerde vaas. Het hotel, sinds kort eigendom van een keten, was bezweken onder de troosteloze economie van het kapitalisme en had de verse, geurende bloemen, waarvan de gasten van het voormalige familiebedrijf vroeger zo hadden genoten, vervangen door een authentiek bosje edelweiss van plastic en stof. Schweigen schoof de kaars te dicht bij het groen-witte boeketje, dat prompt vlam vatte en begon te smeulen. Hij zag niet meteen wat hij had gedaan. Een dramatische verlegging van de aandacht van de rechter maakte hem erop attent en een wolk zwarte rook steeg op van de tafel. Het ergste was dat niemand anders, zelfs de obers, of de twee zakenlui die naast hen zaten en nota bene een computer open op de tafel hadden staan, er ook maar de geringste notitie van namen. Schweigen probeerde de vlammen met zijn blote handen te doven en verbrandde daarbij zijn duim. De rechter pakte haar gele linnen servet, vouwde het snel in tweeën en doofde het vuurtje in één snelle beweging. De plastic bloemen sisten flauwtjes onder haar meedogenloze greep en gingen toen uit. Zij gooide voor alle zekerheid haar waterglas leeg over het servet, zodat er een klein, nat hoopje verkoolde overblijfselen op de tafel achterbleef.

'Heb je je hand verbrand?' De rechter klonk oprecht bezorgd. 'Het ruikt hier akelig naar verbrand vlees.' Toen begon ze zachtjes te lachen. 'Kom mee naar boven, André. Ik heb ontsmettende crème in mijn koffer.'

En dat was de tweede keer dat ze hem bij zijn voornaam noemde. Nooit zou hij meer die combinatie vergeten van emoties, ergernis, schaamte, pijn en vreugde – de pure vreugde van erkenning en herkenning. Ze houdt van me, ze houdt van me, ze houdt van me. Verder kon niets hem meer schelen; de vrouw van wie hij vrijelijk en zonder enig beletsel hield had hem met onverholen tederheid aangekeken en hem bij zijn naam genoemd. Ze houdt van me.

De verwarming in het chalet had de eerste verdieping nog niet bereikt. Schweigen snuffelde wat rond in de kamers van de kinderen, die vol lagen met videospelletjes, vrolijk gekleurde peuterspeeltjes, plastic prentenboekjes en half afgemaakte bouwwerken van lego. Het speelgoed begon hem naar de keel te vliegen. Hij zag bouwdozen, oorlogsschepen en playstations die hij ook voor zijn eigen zoon had gekocht, hetzelfde honkbalpetje met het gekleurde logo, soortgelijke laarzen. Hij voelde een enorme boosheid opkomen om deze verlaten kamers en wreed afgesneden jonge levens en zijn woede hield gelijke tred met zijn groeiende vermoeidheid. Hij wilde dat ze hier nu allemaal konden zijn, zodat hij het hele zootje kon vervolgen. Voordat hij de grootste kinderkamer uit liep deed hij het licht uit en op dat moment zag hij opeens de sterren. André Schweigen keek omhoog.

Boven hem schitterde, over het hele plafond, een zacht fosforescerend patroon van stralende lichtjes, zorgvuldig aangebracht als afspiegeling van de nachthemel tijdens de winterzonnewende. De kinderen hadden avond na avond naar die hemel liggen kijken en toen waren ze gestorven. Hun gezichtjes opgeheven naar datzelfde patroon van sterren, die door de ruimte suisden, de aarde achterna waar zij lagen en met grote ogen de eeuwigheid in staarden. Schweigen vergat helemaal zijn zelfopgelegde vormelijke houding tegenover de rechter, speciaal voor wanneer ze aan het werk waren, en riep naar beneden: 'Dominique! Kom hier. Kom vlug!'

De rechter kwam naar boven gerend, zette haar bril recht en knoopte haar jas dicht. Ze kwam naast hem staan en samen staarden ze naar de fonkelende sterren. Daar stond het sterrenbeeld, hetzelfde dat de Zwitserse politie slordig van het prikbord in de keuken had gescheurd, toen ze zo snel mogelijk alle onbegrijpelijke symbolen hadden willen weghalen die hun angsten en de kennelijke complexiteit van de zaak alleen maar groter maakten. Schweigen voelde de rillingen over zijn rug lopen; het was alsof hij de graftombe van een farao betrad.

'Nou, wat is er aan de hand, André?'

Ze sprak zacht. Haar kalmte en het feit dat ze meteen zag dat hem iets dwarszat, stelden hem gerust. Hij voelde niet langer de jubelende stroom adrenaline. De gruwel van de slachting in het bos duwde tegen zijn rug en joeg hem op met het sluipende gewicht van een dier.

'De kinderen. Het speelgoed. Ik weet het niet...' Zijn stem stierf weg. Zij trok haar rechter rode handschoen uit, stak haar hand naar hem uit en raakte zachtjes zijn gezicht aan.

'Ze komen nooit meer thuis. Al hun spulletjes liggen hier.

Mijn zoontje heeft dezelfde spullen. En ze komen nooit meer thuis.'

De rechter sloeg haar armen om hem heen en hield hem dicht tegen haar warme lichaam. Hij keek in haar vergrote ogen, verlicht door de nagemaakte nachthemel boven hen, en zette de vreemde onrust, die de kinderkamer was binnengeslopen en zich rond de stapelbedden kronkelde, van zich af.

'Sssh, André, trek het je niet zo aan. Hun ouders geloofden dat ze voorgoed naar huis gingen. Naar hun echte thuis.'

'Maar het was vannacht bewolkt. De temperatuur was aan het stijgen. Na middernacht heeft het gesneeuwd. Ze hebben die sterren niet eens gezien.'

'Maar ze wisten dat ze er waren,' fluisterde de rechter.

Een van de leden van het forensisch team kwam uit een slaapkamer aan de andere kant van de gang.

'Madame de rechter? We hebben dit gevonden.' Ze liet een boek in een leren band zien, zoiets als een rekeningenboek of een familiebijbel. Het was een enorm ding en leek op een *grimoire*, een reusachtig boek met toverformules. Een merkwaardig slot hield de pagina's gesloten en de rand was versierd met een met goud ingelegd patroon, dat hier en daar was weggesleten. Er stond geen titel op de rug, alleen drie weggesleten gouden wapentjes.

'Waar heb je dit gevonden?' Dominique Carpentier trok haar witte chirurgenhandschoenen aan en pakte het bewijsstuk vast.

'In de slaapkamer van madame Laval. Onder haar kussen. Ik dacht eerst dat het een dagboek was, maar dat is het niet. Het is veel te groot. We hebben erin gekeken. Het is gedrukt, maar we kennen de taal niet.'

Ze liepen naar beneden. De rechter schoof haar kerstpapier en vakantiekiekjes opzij en begon het boek te bestuderen.

'André, was er iemand bij dit vertrek met de initialen R.B. of F.G.?'

Er viel een korte stilte terwijl Schweigen de lijst langsliep.

'Nee. Geen van beide.'

'Of iemand bij het Zwitserse vertrek?'

'Geen idee. Al die papieren liggen op mijn kantoor. En op het jouwe.'

'Nee. Gaëlle heeft alles gescand. Alle gegevens zitten in mijn computer. En die ligt in de auto. Wil jij hem even voor me gaan pakken? Dan kunnen we eens kijken.'

Bij het omslaan van de pagina's schrok ze eerst van het mysterie dat voor haar lag. Het boek was inderdaad geschreven in een niet onmiddellijk herkenbare taal. De hele pagina stond vol met een soort code die leek op Hebreeuws zonder accenten. Ze probeerde een patroon te herkennen, maar slaagde daar niet in. Toen begon haar een serie steeds terugkerende Griekse lettertekens op te vallen, die geen deel uitmaakten van de code. En ze herkende deze: Ursae Minoris, Ursae Majoris, Centauri, Tauri, Cygni, de onbekende taal ging over de sterren. De rechter bleef doodstil zitten en fronste. De pagina's met onbegrijpelijke gedrukte code werden afgewisseld met vreemde diagrammen, zorgvuldig getekend en uitgevoerd, op speciale bladen gedrukt en beschermd door zachte, tussengeschoten vellen papier, zo dun als mousseline. Ze bladerde er wat doorheen en opeens zag ze een taal die ze kende. *Wir sind auf einer Mission: zur Bildung der Erde sind wir berufen*. Ze draaide zich om naar de man die de boekenkasten doorzocht, leende een potlood van hem en ging aan de slag. *Wij zijn hier met een missie; wij zijn geroepen om de aarde te onderrichten*. De Duitse zinnen lagen her en der verspreid, als omgevallen zuilen te midden van de code. Naast de beide talen, verscholen in de kantlijnen, stonden twee paar met de hand geschreven aantekeningen, waaraan na elke kanttekening of interpretatie zorgvuldig initialen waren toegevoegd: R.B. en F.G. De opmerkingen van een van de schrijvers leken ook in het Duits geschreven te zijn, maar de rechter kon het minuscule, afgeplatte gothische schrift niet lezen. De aantekeningen van F.G. waren allemaal met de hand geschreven in de geheimzinnige code. Toch noteerde zij alle pagina's waar de notities voorkwamen voor de filoloog van de universiteit die hen bij hun onderzoek hielp, en vertaalde vervolgens nauwkeurig alle Duitse zinnen, waarbij ze veelvuldig moest nadenken over de zinsopbouw en de werkwoorden. De onbegrijpelijke taal leek een commentaar te zijn op het Duits of vice versa, maar de Duitse gedeeltes leken hetzelfde onderwerp te behandelen, als je ze achter elkaar zette.

> *Leben ist der Anfang des Todes. Das Leben ist um des Todes willen. Der Tod ist Endigung und Anfang zugleich, Scheidung und nähere Selbstverbindung zugleich. Durch den Tod wird die Reduktion vollendet.*

> Leven is het begin van de dood. De dood is het doel van het leven. De dood is tegelijk een einde en een begin, een scheiding van het zelf en tegelijk een nauwere band met het zelf. Die kloof wordt vervolmaakt in de dood.

> *Wir träumen von Reisen durch das Weltall: ist denn das Weltall nicht in uns? Die Tiefen unsers Geistes kennen wir nicht. Nach innen geht der geheimnisvolle Weg. In uns oder nirgends ist die Ewigkeit mit ihren Welten, die Vergangenheit und Zukunft.*

> Wij dromen van reizen door het heelal; maar is het heelal niet in ons? Wij weten niets over de dieptes van onze ziel. Het geheime pad leidt naar binnen. De eeuwigheid met al haar werelden, verleden en toekomst, is in ons of nergens.

Opeens stuitte ze op een zin in het Engels. *Als je geen vertrouwen hebt in jezelf of je eigen inzicht, stel dan vertrouwen in de Gids, die je de hand reikt, klaar om je het Koninkrijk binnen te voeren.* Ze hadden de gids, wie hij ook mocht zijn, nooit kunnen vinden. Of was dit boek zelf de gids? De rechter begon een aparte kolom aantekeningen over de gids, alsof hij een inbreker was die nog op vrije voeten was. Ze begon passages van haar eigen vertaling te onderstrepen. Op dat moment kwam Schweigen het chalet weer binnen met de computer. Hij kwam naast haar staan en keek naar de tekst.

'Maar een deel daarvan is in het Duits! Dat kunnen we lezen.' Ze worstelde met een hele strofe van een gedicht.

Getrost, das Leben schreitet
Zum ewgen Leben hin,
Von innrer Glut geweitet
Verklärt sich under Sinn.
Die Sternwelt wird zerfließen
Zum goldnen Lebenswein,
Wir werden sie genießen
Und lichte Sterne sein.

Schweigen stond naast haar, wees de woorden aan en vertaalde ze meteen.

'Getroost, schrijdt het leven naar het eeuwige leven – gekleed, of gewijd, een van de twee, door een innerlijk vuur, krijgen onze zintuigen een andere gedaante. De sterrenwereld zal versmelten in de gulden levenswijn, die wij zullen proeven opdat wij lichtende sterren zullen worden. Zie je nu wel, Dominique, dit slaat nergens op. Het is een lofzang. Het hoort gezongen te worden. Ze hebben met z'n allen veel te lang naar de hemel zitten turen.'

'Jij snapt niets van mystiek, André. Sterren zijn metaforen. En volgens mij hebben ze dit gezongen. Luister. *Die Außenwelt ist die Schattenwelt: sie wirft ihren Schatten in das Lichtreich.* De buitenwereld is een schaduwwereld, die zijn schaduwen werpt in het Koninkrijk van Licht. De werkelijkheid is als de sluier van Maya, die de waarheid verhult. Deze wereld is een illusie.'

Schweigen haalde zijn schouders op. 'Soms zou ik willen dat het zo was.'

Dus dit was de essentie, een cultus van de dood als toegangspoort en drempel. Hun blik was naar binnen gericht, naar de duisternis. De dood betekende de ultieme verbintenis met de ziel, een einde aan alle hunkering en afzondering. Het was die verwachting van gelukzaligheid die hun harten had vervuld. Zij zag hen nu voor zich, zoals ze in het donker de berg op waren gegaan, met hun kinderen in hun armen, terwijl zij de beloftes van het Geloof bejubelden, luid zingend in de stilte van het besneeuwde woud. Ze stapten door de muur van schaduwen het schitterende licht van hun Koninkrijk binnen.

'Daar zijn ze naartoe gegaan, André – ze zijn vertrokken naar hun Koninkrijk van Licht en hun gids bevindt zich ergens tussen de sterren.'

'Ze liggen allemaal op de snijtafel in het Institut médico-légal in Straatsburg,' merkte Schweigen somber op, opkijkend van de computer. 'Maar ik denk wel dat ik onze F.G. heb gevonden.'

De rechter gooide haar potlood neer.

'Nou? Wie is het?'

Schweigen scrolde omlaag.

'Drie keer raden. Een verrassing is het niet. Maar hij is niet een van de doden. Herinner je je Gerhart Liebmann, de operadirecteur? Een goede vriend van hem. En van Anton Laval. Ik wil wedden dat F.G. de beroemde componist is met zijn eigen orkest die op de begrafenis heeft gesproken. Zijn naam is Friedrich Grosz – F.G.'

En zo rolde in dat verdoemde chalet met zijn glanzende houten wanden en vloeren, zijn kerststukjes met kaarsjes en ongeopende dozen chocolaatjes, *fruits confits* en *marrons glacés*, zomaar een naam uit het verleden binnen, van de man die had geweigerd om verhoord te worden en die had geweigerd zijn medewerking te verlenen aan de Zwitsers of aan Schweigen. Dit was de componist met het waterdichte alibi, de man die op de avond van het Zwitserse vertrek een concert in Berlijn had staan dirigeren, de man die op die avond door drieduizend mensen was gezien, die beweerde niets van de massale zelfmoord te hebben geweten en tegelijkertijd de doden stuk voor stuk had gekend. Hoe durft u mij te ondervragen, snauwde hij Schweigen toe. Ik heb hun besluit om ons te verlaten geaccepteerd. Laat mij alleen met mijn verdriet. Zijn aanmatigende, arrogante gezicht, een en al lijnen en schaduwen, het dramatische witte haar dat rechtovereind stond wanneer hij dirigeerde of met zijn orkest repeteerde, stonden haar helder voor de geest. Daar stond hij, als een figuur die zich tijdens een seance manifesteert in ectoplasma. Daar stond hij, een man van in de zestig, sterk, onaangenaam, woedend. En nu hoorde zij ook zijn stem, duidelijk op de video van de begrafenis, terwijl hij met volle overtuiging zei: *Midden in het leven sterven wij, maar het leven wordt ons niet afgenomen; na de dood wacht ons het eeuwige leven, de glorie van een eeuwig samenzijn met alles wat wij ooit hebben liefgehad.* Dat kan hij niet namens zijn dode vriend hebben gezegd. Hij sprak voor zichzelf.

De rechter keek André over haar brillenglazen aan. Al het wroeten en snuffelen om hem heen werd plotseling gestaakt. Alle ogen waren op de rechter gevestigd.

'Maar wacht, luister,' zei Schweigen, 'het wordt nog mooier. Die stem op het bandje – dat is zijn stem. Ik heb het mobiele nummer nagetrokken. Hij heeft dit chalet gisteravond herhaaldelijk gebeld. Nadat ze met z'n allen de berg op waren gegaan.'

Er ging een tevreden geroezemoes op onder de leden van het forensisch team. De rechter woog haar woorden zorgvuldig af. Ze tikte op het grote boek dat voor haar op de tafel lag.

'Hele stukken van wat hierin staat zijn in het Duits geschreven. Als hij F.G. is en dit is zijn handschrift, dan hebben we eindelijk een paar harde bewijzen dat hij er iets mee te maken heeft.'

Haar gedachten waren minder zorgvuldig. Van beide massamoorden was iemand weggelopen met een vuurwapen. Ik geloof niet in zijn onschuld of in zijn verklaringen. Hij wist van het bestaan van het Geloof en hij wist ook van de eerste gezamenlijke zelfmoord. Dus wist hij waarschijnlijk ook van deze. Ze keek omlaag. Onder aan de opgeslagen bladzijde stond een enkele handgeschreven zin in gewoon Duits, gevolgd door een paar kleine initialen: *Gelobt sei uns die ew'ge Nacht. Laten wij de eeuwige nacht loven.* F.G. Dit boek is van hem.

4

NIET DE DOOD, MAAR HET LAATSTE OORDEEL

GAËLLE STOND OP HET VLIEGVELD van Montpellier te wachten bij de incheckbalie van Air France en tikte met de tickets en haar *carte d'identité* tegen het handvat van haar koffer. De reusachtige metalen hangar met marmeren vloeren schitterde in het ochtendlicht, maar het was er aanzienlijk koeler dan buiten, waar de dadelpalmen, eenmaal bevrijd van hun winterse plastic, openbarstten in jong groen. Het was midden in de week en de eerste vlucht zat helemaal vol. Alle andere passagiers waren al met de roltrap naar boven gegaan, langs de beveiliging en liepen nu, met hun computers in de houdgreep naar de gate, op weg naar Parijs. De rechter was nergens te bekennen.

Normaal gesproken kwam de rechter nooit ergens te laat voor. Dus moest er iets gebeurd zijn. Als ze niet binnen tien minuten kwam opdagen, zouden ze hun verbinding op Roissy missen, die hen naar Duitsland moest brengen. Opeens lichtte het schermpje van Gaëlles mobieltje op en bracht een stukje van de dreunende heavy metal retrobeat van Motörhead ten gehore. Officieel was dit de telefoon van de zaak, maar Gaëlle had de ringtone aangepast en zich het nummer zo'n beetje toegeëigend.

'Hallo. Wat is er in vredesnaam gebeurd?'

Gaëlle keek niet op het piepkleine scherm. Ze verwachtte de rechter; het was Schweigen.

'Gaëlle? Ze heeft haar telefoon uitgezet. Ze neemt niet op. Wil jij haar een boodschap van mij doorgeven?' Gaëlle liet haar koffer staan en begon steeds grotere rondjes te lopen.

'Hebben jullie ruzie gehad? Ik ben geen bemiddelingsbureau.'

Ze hoorde een diepe zucht van Schweigen en voelde bijna zijn hete adem in haar oor.

'Ik wil alleen zeker weten dat ze alle noodzakelijke informatie binnen handbereik heeft wanneer ze de interviews gaat doen.'

'Je bedoelt dat je erbij wilt zijn om het allemaal zelf te doen. Net als de vorige keer,' zei Gaëlle spottend, 'met hetzelfde succes dat je in februari had.' Het onderzoek had een dramatische terugval gekend toen Schweigens agressieve techniek erin had geresulteerd dat de familie Laval alle medewerking had ingetrokken. Een herinnering aan het fiasco op het domaine, waarvan Schweigen de precieze details voor de rechter had verzwegen, raakte een behoorlijk gevoelige snaar en de zucht veranderde in een boze snauw.

'Het is verdomme nergens voor nodig om zo grof te zijn.'

Stilte.

'Oké. Ik zal tegen haar zeggen dat ze haar telefoon weer aan moet zetten, zodat je het zelf met haar kunt uitvechten.' Gaëlle verbrak de verbinding en hield het mobieltje nog even in haar hand. Schweigen was in staat meteen weer terug te bellen. Het was een van zijn sterke punten. Niemand ontkwam ooit aan zijn vasthoudendheid.

Sinds die nieuwjaarsdag, drie maanden eerder, toen Schweigen en de rechter zij aan zij naar de lichamen in de sneeuw hadden staan kijken, had Gaëlles leven een onverwachte dimensie van emotionele beroering doorgemaakt. Schweigen was tot over zijn oren verliefd op de rechter; aan zijn gevoelens kon geen enkele twijfel bestaan. Zijn hartstocht denderde vooruit als een stormram, een obsessie die hij niet wilde en ook niet kon opgeven of verhullen. Ik wil, ik moet, ik verlang. Elke keer als ze hem aan de lijn had verwachtte Gaëlle dat hij alle werkwoorden die met liefde te maken hadden af zou werken. Maar hoe stond Dominique Carpentier in de hele kwestie? Wat de geschiedenis van de affaire betreft, daarover bestond maar heel weinig informatie. Het kantoor in Montpellier werd zo'n beetje bedolven onder e-mails, faxen en aangetekende post, met bericht van ontvangst, *avec avis de réception*. Wilt u hier even tekenen? De rechter schoof het telefoonsysteem door naar Gaëlles bureau en dus was het haar griffier die Schweigens verzoeken meestal moest afhandelen. Gaëlle wist dat de rechter nooit getrouwd was en alleen woonde. Maar Schweigen had een vrouw en kind, ergens weggestopt in een buitenwijk van Straatsburg. En toch was hij de vurige minnaar, die wanhopig naar de gunsten van zijn geliefde dong. De dame in kwestie keek nauwelijks op om kennis te nemen van zijn fanatieke volharding. Was hij er ooit in geslaagd haar aandacht op zich te vestigen, laat staan dat hij haar een gunstige reactie had weten te ontlokken? Gaëlle had zo haar vermoedens, maar kon ze niet bewijzen. Zelf baande zij haar eigen seksuele weg door hele rijen mannen en een enkele vrouw, zonder keiharde verplichtingen aan te gaan. Ze had nog tijd genoeg voor huishoudens, kinderen naar school brengen, gezinsvakanties en met min of meer dezelfde persoon naar bed gaan. Tijd genoeg. Maar de rechter had in de grote onderneming van het leven minstens vijftien jaar voorsprong op haar griffier. En Gaëlle wist vrij zeker dat de rechter, in de vijf jaar sinds haar eerste kennismaking met Schweigen en sinds zij haar ambt bekleedde, nog nooit in een avondjapon was meegesleept naar een theater of met zoete woordjes was overgehaald uitgebreid en exotisch mee uit eten te gaan, met geen enkele man.

Was er sprake van een jeugdliefde? Wanneer Gaëlle na het werk naar huis ging of naar een bar, stortte de rechter zich nog dieper in het reusachtige papieren berglandschap dat werd gecreëerd door haar dossiers. De laatste keer dat zij haar had gezien was gisteravond om halfzeven, toen ze op haar gemak een Engels boek had zitten lezen over de Apocalyptische sekte in Waco. Toen Gaëlle over haar schouder keek zag zij dat de rechter verdiept was in een driehoeksonderhandeling tussen de FBI, de Branch Davidians en God. Pakte ze tegen etenstijd de telefoon om haar minnaars te bellen? Er stonden geen privéfoto's in haar werkkamer. Als er belangrijke mensen in haar leven waren hield zij die goed verborgen. Gaëlle vermoedde dat de rechter volkomen opging in wat zij deed – onderzoek naar de sekten. De hoge, crèmekleurige kasten stonden vol met een eclectische verzameling boeken en onlangs was daar een uitgebreide serie technische werken over astronomie en primitieve mythen van het heelal en zijn oorsprong in verschillende talen, bijgekomen.

'De meeste oude volkeren kozen hun eigen namen voor de sterren,' legde de rechter uit, toen haar gevraagd werd wat ze met boeken in het Arabisch deed. 'Dan kan ik ze maar beter allemaal bij de hand hebben. Kijk, dit is de nachthemel in januari. De gordel van Orion is heel goed zichtbaar en wanneer je de lijn hiernaartoe volgt dan kom je bij Canis Major en dit is de helderste ster, de grootste in dit sterrenbeeld.' Ze spreidde haar vingers voorzichtig over de kaart vol glinsterende stippen. 'Dit is Sirius, hier in het zuiden. En helemaal daar, in Taurus, zie je de zustersterren, de Plejaden.'

Gaëlle staarde in stomme verbazing naar de astronomische kaarten. Dit was het universum – voorzien van etiket, geslacht, kleur en naam. Waarin lag het belang van deze in kaart gebrachte massa sterren? Waarom nam de rechter ze zo serieus? Het Geloof was immers niet veel meer dan het zoveelste stelletje suïcidale malloten met iemand, ergens, die er met de poen vandoor ging? Had de rechter iets belangwekkends en vreemds opgemerkt in die fabelachtige leegte? Ze zat urenlang over boeken en patronen gebogen. De sterren schitterden van hun eigen sterfelijkheid, een geschenk van de liefhebbende goden. Sterfelijke levens werden aan de hemel opgedragen en door de onsterfelijken, die door ongewone omstandigheden gedwongen waren hun blik naar de aarde te richten en zich de kunst van de liefde te herinneren, getransformeerd tot kleine stukjes eeuwigheid.

'De liefde tussen een sterfelijk en een onsterfelijk wezen is altijd gedoemd te mislukken,' legde de rechter uit. 'Dat verklaart de verschrikkelijke teleurstelling van de heiligen. Offer je leven op voor God en ga mediteren in een woestijn met hagedissen en schorpioenen als enig gezelschap, en je beloning is verdriet en oneindige eenzaamheid.'

De goden luisteren nooit wanneer ze worden overspoeld met smeekbedes en jammerklachten. Ze trekken zich zo ver mogelijk terug. Wacht, wacht rustig en geduldig af of zoek je weg door de weiden van Illyrië en weet hun alziende ogen op je gericht. Daar komt de god, in een vlaag van stinkende adem en zwarte vleugels. Zijn dodelijke omhelzing zal het laatste zijn wat je meemaakt in je sterfelijke lichaam. En dan sluiten de stenen poorten van je voorbestemde lot zich achter je en zal het graf voor eeuwig verzegeld blijven. Wat rest er nog voor verliefde stervelingen in het spoor van de hartstocht, wanneer de wenende godheid zich terugtrekt op de Olympus, de verkoolde resten van zijn geliefde nog warm op de altaren die te zijner ere zijn opgericht? Een ijskoude onsterfelijkheid die zich uitstrekt tussen de sterren.

Dat is Schweigens lot, grinnikte Gaëlle bij zichzelf. Koude sterren, koude, verre sterren. Ze keek op haar mobieltje. Eén gemiste oproep. Schweigen op kantoor. *Numéro masqué*. Geen nummerherkenning.

Willen alle passagiers voor Air France Vlucht 306 zich naar Gate 22 begeven, waar het instappen is begonnen. En daar is ze dan, rennend tussen de groepen zakenlui in driedelige kostuums, in een mooi donkergroen jasje met zwarte pantalon, haar bril ietwat donker in het felle kunstlicht. Daar komt ze, de rechter. Haar koffer slingert achter haar aan en er schieten vurige flitsen aluminium van de blinkende wielen van haar strijdwagen. Ze zette de koffer met een plof op de lopende band.

'*Excusez-moi*, Gaëlle. Ik had André Schweigen aan de telefoon.'

'Ik ook.'

'Hm.' De rechter snoof zachtjes. 'Het is nu min of meer jouw privénummer, nietwaar? Dat hoort hij niet te bellen.'

'Maar hij doet het toch. Heel vaak zelfs.'

Ze renden de roltrap op. De beveiligingsmensen die boven stonden droegen wit als de engelen van de Apocalyps: witte overhemden, witte jassen, witte handschoenen. Ze wenkten de rennende vrouwen. Vlug, vlug, vlug.

'En?' zei de rechter. Toen ze buiten adem voor het allesverslindende apparaat stonden dat hun instapkaarten opslokte. 'Wat wilde hij? In het hotel in Lübeck zal wel weer een boodschap van hem op ons liggen wachten.'

De rechter bleef even staan om de tekst op Gaëlles zwarte T-shirt te lezen. Dwars over haar borsten stonden in fluorescerend geel de woorden PEACE AND LOVE, maar op de rug was iets heel anders te lezen: FUCK THE SYSTEM. Gaëlle overhandigde de retourtickets aan de rechter en grinnikte, berouwvol en uitdagend.

'Ik draag het alleen op reis.'

De rechter glimlachte alleen maar.

Gaëlle en de rechter landdden even voor vieren, te midden van de lange schaduwen van een late middagzon en hadden andere dingen aan hun hoofd. Hun verontrustende landing leek hen terug te brengen in de winter. De bomen waren bedekt met teer lentegroen en grote massa's trekvogels krijsten boven hen in de stormachtige lucht. Buiten was het amper tien graden en er stond een gemene wind, die regelrecht van de Oostzee kwam. Ze haastten zich over het vochtige asfalt, naar de schemerige gebouwen, die eruitzagen als een verlaten militaire basis. De rechter keek toe hoe haar koffer op de trailer werd geladen en vroeg zich af of haar roodbruine kasjmieren sjaal onderin of bovenop lag. Gaëlles korte jasje en zwarte, elastische minirokje krompen ineen van de harde wind.

'Ik moet nieuwe kleren kopen. Kunnen we een taxi nemen? En kan ik een nieuwe jas declareren?'

'Ja en nee,' zei de rechter.

Gaëlle liep de hele weg naar de bagageband te jammeren. 'Maar ik ben hier namens de Republiek, en de staat behoort erop toe te zien dat ik niet bevries.'

'Je wist waar je naartoe ging, *ma petite chérie*,' zei de rechter kalm. 'Naar het noorden.'

De rechter balanceerde haar open aktetas op één knie en schoof er twee dossiers in. Op de een stond de naam GROSZ en op het andere dikkere dossier stond de naam LAVAL. Ze tikte de rillende griffier met haar vulpen op haar neus. 'Het is aan jou om geschikte kleding mee te nemen wanneer je voor je werk op reis gaat.'

Gaëlle stond naast de lopende band, stampte met haar voeten op de grond, trok gezichten en rilde van de kou. De rechter keek haar grijnzend aan. Nu kon in elk geval niemand de tekst FUCK THE SYSTEM op haar rug lezen.

De straatkeien voor hun hotel glinsterden vochtig. De rechter besloot dat ze zich allereerst maar eens om ging kleden in een warme trui en platte schoenen, want haar kleine hakjes gleden weg en bleven steken in de openingen tussen de ronde, glanzende stenen.

'*Sous les pavés, la plage*!' mompelde de rechter. Gaëlle keek haar aan. 'Onder de klinkers, het strand! Blijkbaar hebben ze hier geen rellen, anders hadden ze de boel wel geasfalteerd,' zei de rechter, terwijl ze haar koffer de trap op sleepte.

Gaëlle stond mistroostig, niet-begrijpend, wezenloos te rillen terwijl de rechter de taxi betaalde en het bonnetje in haar zak stopte. Ze stonden naast elkaar boven aan de trap en keken naar de witte boten op de Trave en de kwakende eenden die troosteloos langs de waterkant zwommen; de huizen met puntgevels aan de overkant van de rivier stonden schuin weggezakt in de bodem. Alles wat zij zagen was vreemd, noordelijk; een kleine stad van verdwenen rijkdom en vergane middeleeuwse glorie. Maar die toch bereid was om een poging te wagen modern te zijn, en het voorjaar te verwelkomen met het planten van tientallen onverwoestbare viooltjes in bloembakken.

'Vlug! Naar binnen!' Gaëlle stormde door de klapdeuren.

De hele foyer hing vol met posters van het Lübeck Muziekfestival en de derde verdieping van het hotel was in beslag genomen door de blazerssectie van het Berlijns Orkest. Het hotel ging er prat op vol te zitten met artistiek talent. De receptie ging ervan uit dat zij voor het festival waren gekomen en overlaadde de rechter met folders en programma's. Eenmaal veilig in haar kamer, streek zij het donzen dekbed, dat omhoogstond als een kroon, glad, verorberde het chocolaatje dat midden op haar kussen was neergelegd en ging zitten om alle informatie die zij had gekregen te bekijken. Want op de voorkant van het *Spielplan* van de Opera, stond het gezicht afgebeeld van de man naar wie zij op zoek was: de ingevallen, getekende wangen, een dikke bos spierwit haar, een bril zonder montuur en die hartstochtelijk intense blik die zij, vijf jaar eerder, in het romaanse kerkje van haar jeugd had gezien. Was hij erg veranderd? Misschien waren de publiciteitsfoto's wel jaren geleden genomen. Nee, het gezicht viel op door zijn kalme, geconcentreerde, tijdloze uitstraling. Op zijn tachtigste zou hij er nog precies zo uitzien. Ze noteerde de tijden en data van zijn optredens. *Friedrich Grosz dirigeert een concert van zijn eigen muziek in de kathedraal. Kaarten verkrijgbaar bij de kassa van het festival.* Ze vergeleek het programma met de informatie die Gaëlle van internet had gedownload. Daarna legde ze alle stille getuigen op haar bobbelige dekbed. Het gecodeerde boek dat ze in het chalet hadden gevonden, hun enige gids, waarin de duistere filosofie van het Geloof uiteen werd gezet, zat veilig in plastic verpakt. De brief die hij had gestuurd, waarin hij akkoord ging met een gesprek – een zeldzaamheid voor hem – lag ernaast.

Wij moeten vriendelijk verzoeken, we kunnen niet eisen. Hij is geen Frans staatsburger; en hij is een beroemd, drukbezet man. De enige bewijzen die hem in verband brengen met het vertrek van nieuwjaarsdag zijn een gecodeerd boek met onheilspellende aantekeningen en een op een mobieltje ingesproken boodschap aan de zuster van zijn overleden vriend. Maar hij heeft hiermee te maken. Ik ruik het gewoon; ik voel het in mijn botten. Alle mensen die hij liefheeft, of die hij beweert lief te hebben, eindigen dood, met een kogel in hun kop, voordat het wapen verdwijnt. Wie is deze man met zijn briljante carrière en zijn vreemde, leeftijdloze gezicht? Hoe komt het dat hij een exemplaar in zijn bezit heeft van dat gecodeerde missaal, in eigen beheer gedrukt en – daar ga ik althans van uit – uitsluitend verspreid onder leden van het Geloof? Ik weet zeker dat hij de gecodeerde taal kan lezen en spreken – als hij ooit wordt gesproken. Hoeveel exemplaren zijn ervan gedrukt? Of, en die gedachte overviel haar opeens, is dit het enige bestaande exemplaar? Hij heeft onherroepelijk iets te maken met dit duistere raadsel waarvan de betekenis ons ontgaat.

Aan de andere kant kan niemand hem verplichten mij te ontvangen, of mijn vragen te beantwoorden. Hij kan zich op elk gewenst ogenblik bedenken. Wees tactvol. Probeer hem uit zijn tent te lokken, maar wel met respect voor zijn positie en autoriteit. Gun hem alle tijd die hij nodig heeft. Vraag, vraag, maar geef hem geen aanwijzingen over de kant die jij ermee op wilt.

Lübeck
1 maart 2000

Chère madame,

Ik ben vanzelfsprekend bereid aan uw onderzoek mee te werken, ook al vrees ik dat u weinig aan mij zult hebben. Als mijn medewerking ertoe kan bijdragen dat de kinderen van mijn lieve vriendin, Marie-Cécile Laval, niet langer zullen worden lastiggevallen door uw overijverige politiemacht, zal ik met genoegen al uw vragen beantwoorden. Zij moeten de kans krijgen om in alle rust en zonder deze harteloze inbreuken op hun privacy hun verdriet te verwerken.
Zoals u weet ben ik een drukbezet man met veel verplichtingen in het buitenland. Gedurende de hele maand maart zal ik echter thuis zijn, in Lübeck, voor het jaarlijkse Muziekfestival waarvan ik artistiek directeur ben. Ik kan u ontvangen op een van de hieronder vermelde woensdagochtenden. Voor een afspraak kunt u per e-mail of op een van de

kantoornummers in Berlijn contact opnemen met mijn secretaresse.
Met vriendelijke groeten,
Friedrich Grosz

De brief was in het Engels gedicteerd en getypt en ondertekend met een losse krabbel. Maar dit is zijn stem. Ik hoor zijn stem. En hij staat tussen mij en de kinderen Laval. Wat dat betreft heeft André Schweigen dit onderzoek al verpest. Ze snoof geërgerd, stond op en keek uit over de koele, rode gloed, die de kleine ramen van de Salzspeicher verlichtte. Ze hoorde het verkeer buiten over de natte straten suizen. Toen kleedde zij zich om in warme kleren, platte schoenen en haar rode handschoenen, klaar om haar eigen kille, meedogenloze licht over alle duistere plekken die ze tegenkwam te laten schijnen.

Het vroege voorjaar bereidde zich voor op vorst. Buiten, in de kou, omringde haar adem haar gezicht als een nevel. Ze stopte de rode leren handschoenen in de zwarte mouwen van haar jas, trok de capuchon over haar hoofd tegen de motregen en liep de Obertrave af in de richting van de dom. De cafés haalden hun stoelen en tafels, die optimistisch buiten waren gezet in de middagzon, weer binnen. Alle etalages hadden dubbel glas, met een smalle richel tussen de glaslagen. Daar had je de muziekschool, een en al licht en bedrijvigheid, stemmen, wanklanken producerende instrumenten, de betoverende melancholie van een conversatie tussen een saxofoon en een piano. De rechter liep er zachtjes langs, zich ervan bewust hoe nietig zij was in vergelijking met de drukke massa opgewonden musici die in avondkleding de straat op kwamen, gewapend met grote, zwarte instrumentenkoffers. Hier en daar ving ze wat woorden op, maar ze kon hun opgewonden kreten niet echt verstaan. Verder langs An der Obertrave bleken uitsluitend woningen te staan, rustig en huiselijk. Aan haar linkerhand stonden de gebouwen met puntgevels, zonder gordijnen, helder verlicht, als de achtergrond van een adventkalender. In het voorbijgaan gluurde ze naar binnen, naar de grenen tafels, waar kaarsen op stonden en vazen met gele bloemen, de vrolijk gekleurde kussens en lage lampen, en eigenlijk verwachtte ze elk moment hordes engelen te zien en verbaasde herders, die het goede nieuws aanhoorden. Naast de feestelijk versierde voordeuren stonden grote bloempotten met bloembollen en hier en daar waren al kleine groene puntjes zichtbaar die de onafwendbare lente kwamen verwelkomen. Rechts van haar, achter het fragiele jonge groen van de bomen stroomde de rivier, glinsterend en donker, met een flauwe mist boven het rimpelende water en drijvende bladeren. Ze bleef even staan om naar de waslijnen te kijken, die bijna onzichtbaar waren, maar waaraan de witte lakens in roerloze plooien omlaag hingen, aangeraakt en hard geworden door de vrieskou.

Binnen in de kathedraal was het een druk geroezemoes van brommende schijnwerpers. Het orkest, dat in een halve kring bij elkaar zat, de hoofden gebogen over hun verlichte partituren, leek op een Vaticaans conclaaf van donkere kardinalen, verzonken in gebed alvorens hun stem uit te brengen. Toen keek de tweede violiste op en begon. De vreselijke treurigheid van de hoge, smachtende tonen sneed dwars door Dominique Carpentiers concentratie, maar dat duurde niet lang. De onderliggende kou, ondanks de verwarming, de muffe vochtigheid en het felle halogeenlicht brachten haar ertoe zich snel door een zijpad te haasten, zoveel mogelijk in de duisternis langs een verbleekte witte rij barokke praalgraven. Het reusachtige roodstenen gebouw was vanbinnen wit geschilderd en de witte, gotische gewelven, stoffig en met zwarte plekken van de rook van de kaarsen, torenden hoog boven haar uit en hielden de kou binnen. Verder was de kerk helemaal gevuld met geluidsmensen en kabels. Het concert werd opgenomen en later die avond live uitgezonden op de Norddeutsche Rundfunk. De rechter zocht en vond een veilig plekje vanwaar zij alles goed kon zien, zonder zelf te worden gezien.

Het schip was verdeeld in afzonderlijke segmenten met hoge zitplaatsen onder de ramen aan de westkant, en over een aantal van die vaste banken verspreid zaten verveelde jongelui in witte overhemden en donkere jasjes, met slaphangende groene partituren in hun handen. Het koor, dat zat te wachten. Het orkest zat in een steeds groter wordende kring rond het altaar en voor het orkest stond, met gebogen hoofd en aandachtig luisterend, de grote, uitgemergelde gestalte van de componist. De rechter ging even achter een pilaar staan, om het zeker te weten en de veranderingen van de afgelopen vijf jaar te kunnen zien. Hij droeg een zwart jasje op een wit T-shirt met een verbleekt symbool op zijn borst. Toen hij zich naar voren boog om de partituur te bestuderen, heel rustig, terwijl de eenzame viool tot rust kwam en weer van voor af aan begon, viel zijn witte haar voor zijn ogen en voorhoofd. Toen hij plotseling opkeek, en het licht van de schijnwerpers in zijn montuurloze brillenglazen scheen, was de plotselinge spanning in het orkest voelbaar, als een wild beest dat wakker schrikt. De strijkers tilden hun strijkstokken op, verwachtingsvol en gespannen.

De rechter pakte haar sjaal vast, trok hem als een masker om haar gezicht en liep op haar tenen de trap op onder de gotische klok achter de apsis. Het doopvont, een kostbaar koperen stuk met een enorme kandelaber erboven, waar echt kaarsvet vanaf droop, bevond zich in een verzonken gedeelte en werd omringd door stoelen. Ze was net in een grote, rieten stoel met eikenhouten leuningen en een hoge rugleuning gaan zitten, toen het lage gemurmel van de strijkinstrumenten aanzwol, de houten blaasinstrumenten overstemde en uiteindelijk tot rust kwam in een eigenaardig, gekweld monolithisch geluid, subtiel en overweldigend. Het was tegelijkertijd dichtbij en heel ver weg, alsof de noten ontstonden in de een of andere verre uithoek van de wereld, maar op een bijzondere manier terugkeerden met een echo van stilte en duisternis. De rechter hield haar adem in, trok haar sjaal goed en probeerde rustig te blijven. Ze werd ingesloten door geschilderde gotische heiligen, groter dan levensecht, die dreigend zwaaiden met symbolische dieren, duiven, papegaaien en een mollige luipaard, terwijl hun stoffige ogen allemaal op de Maagd Maria gevestigd waren. Zij keek naar de componist en alleen naar hem; de rest was niets anders dan achtergrond. Ze had niet verwacht hem te zien tijdens deze repetitie, maar nu nam ze zich voor deze kans goed te benutten.

Dominique Carpentier had alle subtiliteit en geduld van een goede psychoanalyticus. Ze luisterde als een hermelijn, de oren gespitst om de geringste verandering in de struiken of tussen het gras op te vangen. Ze probeerde een inschatting te maken van ruimte, schaduw, afstand. Kon ze hier blijven zitten, onopgemerkt achter de rug van de componist, zodat ze hem aan het werk kon zien onder die meedogenloze lampen? De muziek doorboorde haar bewustzijn, vreemd, monumentaal, zo massief als de geschilderde stenen pilaren, een complexe, compacte compositie van overdadig geluid. Ze luisterde aandachtig, maar slaagde er niet in één bepaald onderdeel van het orkest te volgen. Ze was zich alleen bewust van de gelaagde overgang toen de koperblazers hun intrede deden in de dans, zo gelijkmatig en gekunsteld als een pavane. De rechter hield niet van muziek en wel om de eenvoudige reden dat die haar gevoelens vertroebelde. En ze ging nooit naar concerten. Dit was derhalve een bijzondere gelegenheid, zowel uitdagend als interessant, want hier stond de man om wie het haar te doen was, zonder het zelf te weten, dus niet op zijn hoede, een uitvoering te geven op dit gotische podium voor haar. De muziek sidderde en hield op. Er volgde een schrikbarende stilte waarin een trombonist ongemerkt binnen probeerde te glippen en ter verantwoording werd geroepen. De woordenwisseling vond plaats in het Engels. De rechter hoorde elk gebulderd woord, uitvergroot door de dreunende akoestiek.

'Neem me niet kwalijk, meneer, maar ik heb...'

'Zoek je plek op. Ik duld geen excuses en dat weet je heel goed. Ik wil je na afloop spreken. STILTE! Nog een keer, vanaf het intreden van de hobo's.'

Het koor zat gespannen en rechtovereind, als stoute kinderen van wie de knokkels nog pijn doen van het rietje. De rechter concentreerde zich op de gebogen rug en schouders van de componist. Ze zag zijn woede wegebben toen de muziek terugkwam. Ze kon veel over iemand te weten komen door te kijken hoe hij werkte. Hoe ging hij met zijn collega's om? Wat vond hij belangrijk? Opeens maande hij iedereen weer tot stilte.

'Nee, nee, nee. Dah, dah, dah, dah. Niet het tempo veranderen. Meer volume, meer adem, maar houd het tempo vast.'

Stilte.

'Opnieuw.'

Hij hief zijn dirigeerstok. Zij zag hen omhoogkomen als een golf in het mysterieuze klokgelui van de muziek en weer afdalen, omhoogkomen, schommelen, vallen, steeds maar weer opnieuw. Buiten lichtte de laatste rode gloed nog even op in de glazen ramen en stierf toen weg. Duisternis.

'Beter, beter. Alison, jij valt een fractie te laat in.' Hij boog zich in de richting van de tweede viool. 'Ik wil je één tel eerder horen.' Opeens voegde hij er dreigend aan toe: 'Als het je niet lukt om het goed te doen, geef ik de partij weer aan Johann.'

De eerste viool, die geduldig en zwijgend zat te wachten, keek verontwaardigd op.

'Nog een keer vanaf het begin tot aan de episode met het koper. Je hebt de partituur niet? Waarom niet? Geef antwoord!'

De rechter zat achter het koorhek, of de *Lettner,* en keek tegen de onderbuik van de kathedraal aan, de houten planken, kruisbalken en steunbalken die het grote houten crucifix op zijn plek hielden, alsof ze vanuit de coulissen naar Golgotha kon kijken en alle technische expertise kon zien die noodzakelijk was voor de voorstelling. Ze bevond zich ook achter de klok. De klok was een surrealistisch, gigantische gotische extravagantie, met veel houtsnijwerk, een lange galerij en torentjes met heiligen erop, een grote zon op de wijzerplaat, waarvan de ogen ronddraaiden op het ritme van de wegtikkende seconden. Het ding verkondigde: *Unsere Zeit in Gottes Händen* – Onze tijd in Gods handen, en keek vervuld van zelfbehagen neer op het orkest. Boven de zelfingenomen zon stond de Dood, met strepen op zijn doodshoofd, alsof er kattensnorharen op geschilderd waren, met een opgeheven hamer boven zijn bel om het vastgestelde tijdstip af te tellen. En naast hem stond Het Laatste Oordeel, met een zwaard in de ene en een hamer in de andere hand, klaar om de kwartieren te luiden. Toen het hele uur was aangebroken, met een galmend gekreun, geknars en gebrom uit het inwendige van het ding, draaide de Dood zijn dubbele zandloper om en luidde de tijd, terwijl zijn hoofd heen en weer ging, steeds opnieuw. Weer een uur verstreken, weer een uur dichter bij de Dag des Oordeels. Het mechanisme in het *Lettneruhr*, zoals het werd genoemd, had in maart 1942 de luchtaanval van de RAF overleefd, maar werd te kwetsbaar geacht om te worden stilgezet door iemand anders dan een expert op het gebied van zeventiende-eeuwse klokken. Zo'n expert was speciaal uit Hamburg gekomen en was tijdens de orkestrepetitie bezig met de raderen van het uurwerk. Helaas slaagde hij er niet in om meer dan één van de houten figuren op het hoogste punt stil te zetten. De kwartieren was reeds het zwijgen opgelegd. Hij had niet de Dood stilgezet, maar de Dag des Oordeels. Toen het dus in een sidderend gesis van machinerie zes uur werd, draaide de zandloper om en klonk in die stroom van onaardse muziek dat heel erg menselijke klokgelui, dat ons oproept naar onze allerlaatste verplichting, op een moment waarover wij niets te vertellen hebben en waarin wij geen keus hebben.

Dong, dong, dong. De hamer kwam in aanraking met de bel en het knikkende hoofd van de Dood wiebelde boven de wijzers, die nu ver uit elkaar stonden en de klok in tweeën splitsten.

De componist ontplofte, sprong schrikbarend snel van het podium en stormde met wapperende witte haren als een komeet door de kerk. Hij kwam recht op de rechter af, die verstijfd van schrik achteruitdeinsde tegen de troon van de bisschop. Zij had de bel wel gehoord, maar omdat ze achter de klok zat had ze geen idee wat er was gebeurd. De componist rende de trap op en bonsde op de antieke houten deur waarachter de geheimen van de klok verborgen gingen.

'Waar bent u in godsnaam mee bezig?' brulde hij.

Hij stond nog geen drie meter bij Dominique Carpentier vandaan. Zij zag de levervlekken op de rug van zijn handen toen hij de deur opentrok, zodat een gnoomachtige gestalte in het inwendige van de klok zichtbaar werd.

'Kijk uit! Voorzichtig! Die deur is heel kwetsbaar!' schreeuwde de expert.

Er klopte een zenuw in de hals van de componist. De twee mannen gingen tegen elkaar tekeer. De rechter, die zeker wist dat de componist haar niet had gezien, wachtte zorgvuldig een goed moment af en glipte toen snel weg. Toen ze langs het orkest liep zag ze hun geamuseerde opluchting dat zijn woede zich nu eens op een ander slachtoffer richtte.

'Waar heb je gezeten? Ik heb overal gezocht. Bij de receptie zeiden ze dat je was weggegaan. Waarom laat je dan ook nooit een boodschap achter?' Gaëlle, omringd door lege chipszakjes en colablikjes, zat met opgetrokken knieën tussen haar dekbed en kussens en keek haar verontwaardigd aan. 'Ik heb twee uur tekenfilmpjes zitten kijken op TV5 en ik heb vier nieuwsuitzendingen op CNN gezien. Wanneer gaan we eindelijk eens eten? En heb je geen voorbereiding nodig voor het gesprek? Waar ben je geweest?'

De rechter ging op de rand van het bed zitten en bood Gaëlle een snoepje aan. Ondanks haar achtentwintig jaar kon Gaëlle wanneer ze alleen waren nog steeds kinderlijk veeleisend zijn. Ze wierp de rechter boze blikken toe, maar accepteerde het snoepje als zoenoffer.

'Ik heb wat onverwacht voorwerk gedaan voor morgen. De componist was in de kathedraal aan het repeteren en ik ben gaan kijken.'

'Echt waar?' Gaëlle zette grote ogen op. 'Wat is hij voor iemand? Volgens Schweigen is het een monster.'

'Een perfectionist. Kortaangebonden. Opvliegend. Grote bos spierwit haar. Fysiek heel sterk voor een man van vierenzestig.'

'Getver. Je had me niet verteld dat hij zo oud is.' Gaëlle stak haar tong uit en liet daarmee een zilveren piercing zien, die groot genoeg was om haar tandglazuur te beschadigen.

'Hm,' zei de rechter, 'je kunt morgen beter niet lachen. En trek dat T-shirt met die kreten ook maar niet aan.'

Het huis van de componist in de Effengrube liep omhoog in een roodstenen gotische puntgevel, ietwat scheef, maar heel charmant en licht en met een taps toelopend patroon van kleine raampjes. De vierkante ramen op de lagere verdiepingen waren groter, voorzien van dubbel glas en heel schoon, zodat de donkere kleding van Gaëlle, die nu een lange, donkerpaarse jas droeg die ze die ochtend had gekocht, en de rechter, op platte schoenen en geheel in het donkergroen, met kleine plooitjes in haar rok, er in kleine onderdelen in weerspiegeld werden. Ze stonden even te kijken hoe hun spiegelbeeld werd verdeeld in rechthoeken van wit hout. Twee donkere zuilen aan weerskanten van de dubbele deuren waren versierd met modern houtsnijwerk van angstige gezichten en eigenaardige muziekinstrumenten, waarvan er één op een soort uitgerekte harp leek. Een eigenaardige deurbel in het hout bracht een elektrisch geklingel voort. Er stond geen naam op de deur. Grote Italiaanse potten, waarschijnlijk vorstbestendig en vol opkomende bloembollen, namen een flink stuk van het trottoir in beslag en bij de deur stond een welig bloeiende winterjasmijn, die nog zwaar was van de bloesem. De rechter rekende uit dat de vegetatie in Lübeck zo'n maand of twee later bloeide dan in de Midi. De jasmijn in de tuin van haar moeder vertoonde haar schoonheid ongeveer gelijktijdig met de mimosa. Links van het huis leidde een smal donker tunneltje naar de verlichte 'gang', de binnenplaatsen en doorgangen met kleine tuinen en hofjes achter de huizen die vlak langs de straat stonden. De Gänge droegen bij aan de charme van de stad en het was er vaak druk van de toeristen, die naar de kleine hofjes en mooie huizen kwamen kijken. Toen de rechter het donkere tunneltje in tuurde, zag ze aan het eind ervan en omlijst door de bakstenen toegangspoort, een heel andere wereld vol vroeg bloeiende bloemen, fel licht, keien en lage hekjes, zandbakken, driewielers en klimrekken, een klein huiselijk toevluchtsoord, keurig aangeveegd, geschilderd, geboend. Gaëlle bukte zich om te kijken. Het ronde bakstenen gewelf streek langs haar rechtopstaande haar.

'Waarom worden die fietsen niet gejat?' vroeg zij zich af.

De rechter was gespannen en afwachtend, haar ogen tot spleetjes geknepen tegen de zon, die lange, rechte strepen in de smeltende sneeuw likte. Ze bracht haar hand naar de schildpadkleurige haarklem en controleerde of haar zwarte haar nog netjes zat. Ik wil neutraal en alledaags overkomen. Had ik een andere bril moeten opzetten?

'Denk je dat hij er is?' Gaëlle belde opnieuw aan en deed een stapje naar achteren; de rechter keek naar de gesloten deuren.

Opeens gingen beide gebeeldhouwde deuren open en stond de componist voor haar. Hij stond enigszins gebogen in zijn eigen deuropening en het licht viel in zijn montuurloze brillenglazen. Ze deinsden allebei verschrikt naar achteren, niet voorbereid op de verborgen glinstering in elkaars ogen.

'U bent madame Carpentier? Komt u toch binnen.' Hij deed een stapje opzij en nodigde hen uit om binnen te komen in zijn domein. Hij maakte geen aanstalten hun de hand te schudden.

Gezien de gotische voorgevel hadden zij verwacht dat het huis vol zou zitten met donkere plekjes, maar eenmaal langs de vestibule betraden zij een enorme ruimte vol licht en groen. Aan de achterkant van het huis was een serre gebouwd, met een dak dat tot de tweede verdieping reikte. De glazen ruimte liep uit in een ommuurde tuin, waar alles al volop in lentebloei stond. De forsythia veranderde alweer van geel in groen; enorme rode geraniums stonden trots in hun aardewerken potten en gaven de rode bakstenen muren nog meer kleur. Opeens zag de rechter dat de geraniums eigenlijk binnen stonden. In de kas.

De hoge, lichte ruimte ademde een vreemde mengeling van rijkdom en soberheid en beloofde noch comfort, noch een warm welkom. Aan weerskanten van een open schouw en een koude, niet gebruikte haard stonden rijen en rijen boeken, rommelig, door elkaar, duidelijk vaak gelezen. Nergens stonden siervoorwerpen of persoonlijke foto's. Het enige ingelijste voorwerp aan de muur was een klein, vaal schilderijtje van een zanderig landschap. Er waren geen gordijnen, geen kleden, geen luiken; zij werden omringd door gladde oppervlakken van hout, steen en glas. De enorme wanden van dubbel glas liepen helemaal omhoog, zonder een vlekje of een veegje, zodat het leek alsof ze buiten stonden in het harde, felle licht. De rechter slaakte voorzichtig een zucht en hoewel ze het heel zachtjes had willen doen, realiseerde ze zich plotseling dat zij zichzelf kon horen ademen. Ze hoorden hier niets anders dan de geluiden die ze zelf maakten. De ruimte was volledig afgesloten van de buitenwereld. De stilte had iets onverzettelijks, iets verschrikkelijks; alsof ze in een luchtbel vol ijskoude lucht terecht waren gekomen. In een ronde nis stond een grote piano, bedekt met bladmuziek, uit het licht. Alle stoelen zagen er even ongemakkelijk uit, maar de componist gaf te kennen dat ze plaats konden nemen aan de lange tafel. Zelf ging hij aan het hoofd zitten, met zijn rug naar de lichte tuin. Vanaf de andere kant van de lichte, geschuurde tafel keek Gaëlle hem fronsend aan.

'Kunnen we Engels spreken? Mijn Frans is niet zo heel erg goed. Ik heb van mijn secretaresse begrepen dat u dit onderhoud wilt opnemen en ik vertrouw erop dat u haar een kopie van de opname zult sturen. Zoals u weet heb ik het erg druk met het festival hier in Lübeck. Ik kan u een uur, hooguit anderhalf uur van mijn tijd geven, maar niet langer. Goed, wat wilde u mij vragen?'

Het huis rook naar verse koffie en kaneel, maar de componist was blijkbaar niet van plan hun iets te drinken aan te bieden. De tafel was helemaal leeg, op een grote kaars in een blauw schaaltje in het midden na, onder de laaghangende witte lamp. De rechter ontspande zich en liet de diepe stilte die haar omringde toe. Ik heb geen reis van bijna tweeduizend kilometer gemaakt om me te laten intimideren door een vermoedelijke gek die al dan niet een moordenaar is. Ook Gaëlles schaamteloze onverschrokkenheid bleek nuttig. Zij smeet met een galmende klap haar notitieblok op de tafel, pakte haar pen met het doodshoofd en begon zachtjes met twee vingers op het onbeschreven papier te tikken. Het geluid bonkte als een trommel.

Dominique Carpentier schoof haar stoel voorzichtig over de flagstones tot zij recht tegenover de componist zat en legde haar ringband met al haar aantekeningen op haar schoot, zodat haar houding wat informeler was en zij hem recht in de ogen kon kijken. Een ogenblik lang keken zij elkaar aan en zag zij nieuwsgierigheid in zijn blik verschijnen. Voor het eerst zag ze niet alleen hoe sterk hij was, maar ook hoe mooi. De ogen achter de montuurloze brillenglazen waren doordringend en kil blauw. De wenkbrauwen hadden nog een gouden gloed, roodachtig bruin en het spierwitte haar, dat dik was en rommelig, viel eroverheen. Op zijn getekende, krachtige gezicht verscheen een geconcentreerde trek. Hij neemt me op, schat me in, net zoals ik hem zit te taxeren. De rechter voelde onmiddellijk dat zij en haar antagonist niet voor elkaar onderdeden en spande al haar spieren, klaar om toe te slaan.

'Nou?' drong de componist aan. En de rechter stak van wal.

'We weten dat u een goede vriend bent van de familie Laval. Zowel van Anton als van Marie-Cécile Laval. Was u op de hoogte van hun betrokkenheid bij het Geloof?'

'Ja natuurlijk. Ik ben peetvader van Marie-Céciles twee kinderen. Sinds de dood van hun vader ben ik een vader – of misschien wel een grootvader – voor hen geweest. Marie-Cécile heeft altijd een zwak gehad voor religie. Als meisje was ze heel erg "*catholique pratiquante*", zoals ze dat zelf noemde. Ik denk dat Anton haar heeft laten kennismaken met zijn overtuiging. Zij bleef haar kerk trouw. Maar ze was dol op haar broer. Ze maakte een studie van zijn geloof. Ze wilde hem begrijpen.'

'Hebben zij ooit met u over het Geloof gesproken en geprobeerd u erbij te betrekken?'

'Er is iets wat u goed moet begrijpen, madame Carpentier. Het Geloof is geen religie die mensen tracht te bekeren. Het is geen sekte die is opgezet voor financieel gewin, zoals de charlatans die u voor uw werk moet vervolgen. Het is geen religie in de gewone zin van het woord. Het is een *chemin*, een weg naar kennis. U komt het Geloof niet op elke straathoek tegen. Je wordt ervoor geselecteerd, geïnitieerd, uitverkoren.'

'Er zijn zoveel sektes die zichzelf op die manier presenteren,' zei de rechter langzaam, zorgvuldig haar woorden kiezend. 'Het is een doeltreffend verkooppraatje.'

'Wat u zegt,' zei de componist, die zich niet gek liet maken door haar spottende opmerking.

'Dus de Lavals hebben nooit geprobeerd u op enigerlei wijze bij het Geloof te betrekken?'

'We hebben erover gesproken. Het was geen geheim. Ik wist hoe zij erover dachten en ik respecteerde hun mening. Maar, madame Carpentier, als u zo grondig bent als u volgens uw reputatie schijnt te zijn, dan weet u waarschijnlijk net zoveel van het Geloof als ieder ander die niet is ingewijd. In de regel spreken leden van het Geloof nooit met buitenstaanders over de details van hun overtuiging.'

Hij geeft geen antwoord op mijn vragen, dacht de rechter. Ik gooi het over een andere boeg.

'Waar was u in de nieuwjaarsnacht van 2000?'

'Dat heb ik die brutale commissaris van u allemaal al verteld. Ik was in Berlijn, waar ik me voorbereidde op een nieuwjaarsconcert ter ere van de eeuwwisseling.'

'Hebt u die nieuwjaarsnacht pogingen gedaan om contact te krijgen met Marie-Cécile Laval of haar kinderen?'

'Ja. Ik heb gebeld om haar *une bonne année* te wensen.'

'En hebt u haar gesproken?'

Hier kwam de eerste aarzeling. De rechter keek neer op de tijden en teksten van de boodschappen op haar schoot en telde de vijf gemiste oproepen: twee voor middernacht, twee ruim erna en één om vier uur 's ochtends. Hij moest iets hebben vermoed. Of zeker hebben geweten.

'Nee. De lijnen waren allemaal bezet. Ik kwam er niet door.'

'Hebt u het meer dan één keer geprobeerd?'

'Ja, maar ik kan me niet herinneren hoe vaak.'

'Had u reden om aan te nemen dat zij die nacht zelfmoord wilde plegen?'

Was het zelfmoord? Denkt hij dat het zelfmoord was? Heeft hij enig idee wat er die nacht in de sneeuw is gebeurd? Weet hij dat zij is doodgeschoten? Weet hij van het vuurwapen?

'Absoluut niet.'

De rechter luisterde naar zijn koele, afgemeten antwoorden en haalde zich de bezorgde, dringende stem op het bandje voor de geest. *Cécile. Bel me vandaag. Ik smeek het je. Bel me zo snel mogelijk.* De ongerustheid in die stem suggereerde wel duizend dingen, maar bovenal angst. Ga niet. Neem op. Blijf bij me. Ga niet weg. Laat mij hier niet alleen. Ga niet.

'Hoe denkt u over zelfmoord, Monsieur Grosz?'

'Hoe ik daarover denk? In welk opzicht is dat relevant?'

'Het is maar een vraag. Was u kwaad dat uw vrienden – naar uw eigen zeggen uw beste vrienden – bereid waren zichzelf van het leven te beroven en deze wereld achter zich te laten?'

'Kwaad? Waarom zou ik kwaad moeten zijn? Ik mis hen. Ik had – ik heb veel verdriet om hun vertrek.'

Hij zweeg even en de rechter nam notitie van zijn gebruik van het woord 'vertrek' in plaats van 'dood'. Ze vermoedde dat alleen leden van het Geloof hun collectieve zelfmoord als een vertrek zouden beschrijven. Maar ook deze verspreking betekende nog niets. Als ze hem op dat ene woord zou wijzen, zou hij gewoon zeggen dat hij hun religieuze overtuiging respecteerde en zijn genegenheid voor hen wilde tonen door hun eigen terminologie te gebruiken. De componist keek op; hij keek haar met zijn blauwe ogen strak aan en zij hoorde de waarheid in zijn stem.

'Soms kan ik hun besluit accepteren. Soms ook niet. Ik neem mijn verantwoordelijkheid voor Céciles kinderen bijzonder serieus. Ik ben nu hun wettige voogd.'

'Ah, ja.' De rechter leek het zich te herinneren. In haar aktetas zat een kopie van Marie-Céciles testament. 'Paul en Marie-Thérèse. Maar zij zijn inmiddels toch zeker al volwassen?'

'Was u op zeventienjarige leeftijd in staat volwassen beslissingen te nemen, madame Carpentier? Of aan het hoofd te staan van een wijngaard met tientallen werknemers? Of een complex bedrijf te leiden?'

De rechter knikte.

'Vertelt u mij eens iets over uw relatie met die kinderen.'

'Ik verzorg hen en voed hen op. Dat lijkt me toch wel duidelijk?'

'En bent u op hen gesteld?'

'Natuurlijk. Ik heb hen zien opgroeien.'

'Als ik het goed heb, meneer, hebt u zelf geen kinderen.'

De componist verstijfde enigszins. De rechter wist niet welke zwakke plek ze had geraakt. Ze hield dus koppig vol.

'Kunt u begrijpen, monsieur, hoe een moeder en vader hun eigen nietsvermoedende, bewusteloze kinderen kunnen vermoorden voor een geloof dat normaal gesproken nooit op waarheid getoetst kan worden?'

Op het vreemde, knappe gezicht van de componist verscheen een duistere, gesloten blik.

'U noemt het moord. Ik oordeel daar niet over.'

'Ja, ik noem het inderdaad moord. Kleine kinderen kunnen nog geen zelfmoord plegen, omdat het een daad is die een volwassen bewustzijn vergt. De volwassen leden van het Geloof die zich in de eerste uren van nieuwjaarsdag van het leven hebben beroofd, hebben eerst hun kinderen vermoord.'

De ogen van de componist schitterden getergd.

'En hebt u kinderen, madame Carpentier? Kinderen van uzelf? Die hebt u niet, anders had u dat meteen wel gezegd. Ik heb u verteld dat ik mijn vrienden en hun vreemde geloof respecteer. Ik vertel u nu dat ik niet over hen oordeel en dat doe ik niet omdat ik weet wat het betekent om mijn leven te wijden aan een roeping – net zoals zij dat hebben gedaan.'

Hij verhief zijn stem.

'Ik heb er niet voor gekozen om alleen te wonen, als een kluizenaar, afgesneden van alle sociale contacten, die voor andere mensen zo belangrijk zijn. Ik heb er niet voor gekozen de wereld rond te reizen als de Wandelende Jood, zonder liefde of comfort, om in onzekerheid en onwetendheid te leven. Ik ben iemand die mooie dingen creëert. Ik ben ook een uitverkorene. Ik hoor een taal die mooier is dan wat ook ter wereld en het is mijn taak, de taak waarvoor ik ben geboren, om die taal tot muziek te bewerken en die muziek, samen met mijn dienstbare leven, aan deze wereld te schenken. Dat is mijn offer, madame, en ik breng het gewillig, graag. Het is mijn offer van vreugde. Ik ben een componist die zijn roeping in ere houdt en zijn last aanvaardt, net zoals Christus ooit gewillig het kruis torste.

Niemand anders kan mijn levenswerk uitvoeren. Ik heb een

heilige plicht op me genomen en ik zal mij aan de regels houden. Ja, er bestaan nog andere regels dan de wetten die u dient, madame. Ik erken de mij opgelegde taak en ik zal dit kruis tot het eind van mijn leven blijven dragen.'

Het gezicht van de rechter verstrakte tijdens deze uitzonderlijke speech en Gaëlles vingers gleden geruisloos over haar notitieblok. Schrijf het op, Gaëlle, schrijf het op, maar zorg ervoor dat je niet zijn aandacht trekt. Niet opkijken. De componist haalde diep adem.

'En nu, madame, als u tenminste verder geen vragen meer hebt, wil ik graag met rust gelaten worden.'

'Ik heb nog één vraag,' zei de rechter zacht, 'en ik wil u nog iets laten zien.'

Ze haalde het boek uit haar aktetas. De koele lederen band met het eigenaardige slot lagen al in de handen van de man voordat hij kans zag ze snel terug te trekken, en zijn vingers klemden zich voorzichtig om de ingelegde gouden rand.

'Weet u wat dat is?' De rechter bestudeerde elke beweging die hij maakte. Ze bleef roerloos zitten, zich intens bewust van Gaëlles doodshoofdpen die als bevroren in de lucht hing. Dit moment, dat ze had gepland en voorzien en voorbereid, maar dat toch uitermate risicovol was, was haar eerder opgedrongen dan ze had verwacht.

Zijn ogen werden donker, de zwarte pupil slokte het blauw op, en er verspreidde zich een vage rode vlek over zijn kin en nek, vlak naast zijn sleutelbeen.

'Dit boek is van Marie-Cécile Laval,' zei hij zacht. De luchtdruk in de kamer veranderde, alsof ze heel snel afdaalden in een duikerklok.

Ik heb je, dacht de rechter, nu heb ik je. Zijn handen sloten zich om het boek. Er viel een lange stilte en ze hoorden heel vaag, alsof het uit een ander land kwam, de vogels die elkaar riepen in de tuinen en de geluiden van scheepshoorns en -bellen die aangaven wanneer er weer een schip door de sluizen ging.

'U hebt dat boek aan madame Laval gegeven.' Het was een gok, maar de rechter liet haar stem zakken en sprak elk dodelijk woord heel duidelijk uit. 'Ik geloof dat u de gecodeerde taal in dat boek kunt lezen.'

Twee witte lijnen verschenen aan de zijkanten van zijn gezicht, dat nu vertrokken, ingevallen was, een afschuwelijk masker van pijn. De rechter verstijfde. Ze had getier verwacht, ontkenningen, tegenbeschuldigingen, woede – niet de pijn van een man die aan het kruis wordt genageld. Ze bleef heel stil en koel zitten en wachtte af wat er verder ging gebeuren.

'Ik moet u nu werkelijk vragen mijn huis te verlaten.' Hij klemde het boek nog krampachtiger vast. Hij stond op en torende als een monster boven hen uit, terwijl zijn brede schouders en witte haren beefden. 'Gaat u alstublieft weg.'

De rechter verroerde geen vin.

'Monsieur Grosz, dat boek is nu een bewijsstuk in een lopend onderzoek uitgevoerd door agenten van de Franse Republiek. En ik ben bang dat ik het van u terug moet vragen.'

'Mijn huis uit!' Hij torende boven haar uit, zo gevaarlijk als de gruwelijke verschijning die door Frankenstein was gecreeerd. De rechter stond langzaam op en hield haar hand op.

'Geef dat boek terug en wij zullen uw huis verlaten.'

Gaëlle, die zich in haar jas stond te wurmen, verstijfde en probeerde zich onzichtbaar te maken. De rechter kwam amper tot halverwege zijn borst. Met één klap van zijn hand had hij haar tegen de flagstones kunnen slaan. De rechter zette nog een stap naar hem toe, zodat ze hem bijna aanraakte en keek op. Dit was het moment waarop de confrontatie in haar voordeel doorsloeg. Ze stond te dicht bij hem. Iemand die zo dicht bij je armen staat kun je niet slaan. Ze was binnen zijn verdedigingslinie gekomen, met haar neus en donkere montuur stijf tegen het venster van zijn woede gedrukt, en door dit onnatuurlijke gebrek aan afstand kreeg zij de overhand. Met haar uitdagende, onwrikbare woeste blik verdreef zij het geweld van zijn gezicht en ze reikte naar het boek. Hij liet het zich verbijsterd afnemen.

'Gaëlle?' De kleine motor van haar discipline kwam ronkend tot leven. Ze pakte haar aktetas en klemde het boek onder haar arm. 'We zijn al veel te lang gebleven. Bedankt voor uw tijd, meneer.'

En met die woorden beende ze het huis uit, op de voet gevolgd door Gaëlle. Toen de deur achter hen dichtviel barstte de stad uit in een luid klokgebeier. De zeven torens bereikten een jubelend en triomfantelijk crescendo. Dit was het eerste wat zij hoorden toen zij terugkeerden in de wereld. Het was middag.

5

DE DRUKKER VAN LÜBECK

'Nou? Was dat het? Kunnen we nu naar huis? Ik wil die man nooit meer zien. Schweigen had gelijk. Het is een monster.'

Ze schopten hun schoenen uit en ploften neer op het bed van de rechter, waarbij ze de gemodelleerde dekbedden pletten, die in keurige punten waren neergelegd, als bisschopsmijters.

'Onze terugvlucht is pas morgenmiddag, ma petite chérie. En er is werk aan de winkel. Jij gaat alle antiquarische boekhandels langs met fotokopieën van twee pagina's, één in code en één met code en Duits. En neem deze foto mee, maar zorg dat je hem niet kreukt of verbuigt. Ik heb hem laten lamineren. Volgens mij kun je de boekband er heel goed op zien. Informeer of ze dit boek ooit onder ogen hebben gehad, het ooit te koop aangeboden hebben gekregen en of ze de code herkennen.'

'Ik dacht dat je er tientallen experts op had gezet om die verrekte code te kraken?'

'Nou, twee. Ze hebben me al verteld wat het niet is en dat is natuurlijk ook wel handig om te weten. Ik dacht dat het misschien ongeaccentueerd Hebreeuws kon zijn, zonder de klinkers, net als de heilige perkamentrollen van de Thora. Maar dat is het niet.'

'En wat ga jij doen?'

De rechter zocht in de *Gewusst wo*, het lokale register van bedrijven en dienstverlenende instanties van de Hanzestad Lübeck.

'Lübeck staat bekend om zijn drukkerijen. Er zitten hier een paar bijzonder oude uitgeverijen. De band van dit boek is minstens vijftig jaar oud, misschien wel ouder. Een van onze experts dacht dat de pagina's misschien wel van een ouder document afkomstig waren, omdat het papier handgemaakt is. Maar het is niet voorzien van een watermerk en misschien is het hele boek opnieuw gebonden. De hele tekst is gezet, zelfs de titelpagina. We weten nu dat Friedrich Grosz F.G. is – tenzij hij een dubbelganger heeft – en dat het boek van hem is geweest. Ik weet zeker dat hij, op de een of andere onmiskenbare manier, met het Geloof te maken heeft. Hij woont in Lübeck. Hij is hier geboren. Als hij iets met het maken van dit boek van doen heeft gehad, dan wil ik wedden dat het hier gerestaureerd en misschien zelfs gedrukt is. Ik ga eens rondneuzen bij drukkerijen.'

Gaëlle rekte zich kreunend uit.

'Ik ben griffier en kantoorbediende, geen politieagente. Dit is toch Schweigens werk?'

'Ja, dat is zo. Maar hij is hier niet en wij wel.'

'Heeft hij gisteravond nog een boodschap voor ons achtergelaten? Dat ben ik helemaal vergeten te vragen.'

'Meerdere. Ik heb de receptie gevraagd al zijn gesprekken te onderscheppen. En ik heb de mobiele telefoon uitgezet.'

'Nee toch! En als hij nu eens belangrijke informatie heeft?'

De rechter tuurde over haar brillenglazen naar Gaëlle. Ze spreidde de plattegrond van Lübeck uit over haar knieën en begon de adressen van drukkerijen op te zoeken.

'Maak je maar geen zorgen om Schweigen, Gaëlle. Op dit moment weten wij meer dan hij. En dat drijft hem tot waanzin.'

De ochtend stelde teleur: het regende. De hemel was bedekt met een sluier van laaghangende, melkachtige wolken, maar de adem van de wind gleed heimelijk in warmere luchtstromen over de rivier. De aarde opende haar poriën, ontspande zich na de winterse koude en koesterde zich in de fijne, frisse lenteregen. De rechter glibberde over de gladde straatkeien, en het boek zat veilig, in plastic gewikkeld, in haar zwarte rugzak. Ze hield haar paraplu wat lager, tegen de mensen die haar tegemoetkwamen. Iedereen die ze zag leek veel groter dan zij. De schaal van de Altstadt varieerde van straat tot straat. Soms doemden er voorname, witte, barokke gebouwen met grijze sraamlijsten naast haar op, geflankeerd door dramatische stenen standbeelden, een naakte Mercurius en Pomona, met één ontblote borst, die haar mand met witmarmeren appels tegen zich aan drukte, klaar om weg te rennen tussen de statige, met guirlandes versierde urnen. Soms rezen de roodstenen gotische puntgevels, netjes opnieuw gevoegd en versterkt, naast haar op als toneeldecors, trots op hun rode, steile pannendaken met hoge schoorstenen. Omdat de gebouwen in de loop der eeuwen langzaam verzakten in de vochtige aarde van de middeleeuwse eilandstad, werden de gevels vaak gesteund door metalen stangen. De stad, mooi, aangenaam, blij met zichzelf in de voorjaarsregen, was de belichaming van zijn officiële lijfspreuk, zoals die stond verkondigd op de Holstentor: CONCORDIA DOMI, FORIS PAX. Eenheid binnen de muren, vrede voor de poorten. Toen zij voor de met een overdaad aan tierelantijntjes ingerichte etalage van een patisserie stond, zag de rechter een schaalmodel van de Holstentor, gedecoreerd met marsepein, met daarop diezelfde hoogdravende spreuk.

Ze liep de Mengstrasse in, die bij de rivier vandaan voerde, en trok haar neus op: het lagergelegen gedeelte van de straat stonk naar oude, rotte, dode vis. Een stevige maar lenige rat kwam uit een verwaarloosde ingang tevoorschijn en schoot een riool in onder de stenen treden. Ze keek op haar plattegrond. De drukkerij die ooit op nummer 42 gevestigd was geweest, zat er niet meer. Ze liep verder door de regen, geduldig, vastberaden, doelbewust en maakte zich de stad eigen terwijl zij zich een weg zocht door de oude straten en fluisterend vast wat Duitse zinnetjes oefende, om het doel van haar bezoek te kunnen uitleggen.

De rechter moest veel reizen voor haar werk. Ze was gewend aan Angelsaksische landen, vooral Canada en Amerika. Daar kleedde zij zich zoals iedereen en was zij bekend met de ordinaire straatcultuur, de plastic hotels, de onverstaanbare accenten en het verschrikkelijke eten. Maar Noord-Europa kende ze niet en ze had moeite met de felle kou die 's middags opeens op kwam zetten, en de vreemde beleefdheid van de mensen. Ze kon de terloopse gesprekken om zich heen niet verstaan en vond het vervelend zich buitengesloten te voelen. De mannen en vrouwen die ze aansprak, bekeken het boek in zijn plastic omslag allemaal gefascineerd, betoverd door de geheimzinnige taal. Maar het kon hier niet zijn gedrukt, niet hier, nee, nee. Die productiemethode, die gestikte band, ouderwets, onrendabel, allang in onbruik geraakt. Maar kijk, madame, dit stiksel is onberispelijk, dit boek is met de hand vervaardigd. Niemand begreep de code of herkende hem zelfs maar.

In de deuropening van het laatste huis in de Engelsgrube, vlak voor de Siebente Querstrasse, stond een stapel bruine dozen. Op elke doos zat een sticker geplakt waarop de inhoud stond vermeld. Aan de gepleisterde muur was een klein bronzen bordje bevestigd.

BARDEWIG GMBH
LÜBECKS ÄLTESTES VERLAGS- UND DRUCKHAUS
SEIT 1579

Ze keek naar het firmalogo op de glazen deur; de slogan was een eigenaardige mengeling van Duits en Engels.

Lassen Sie sich beeindrucken!
Moderner Druckereibetrieb mit Full Service

Iets in de manier waarop het bedrijf zich beroemde op zijn lange bestaan en de verscholen locatie in de Altstadt gaf de rechter vertrouwen. Zij schudde haar paraplu uit en stapte zonder aan te bellen naar binnen.

'Darf ich Ihnen helfen?'

Ze stond omringd door beleefdheidsbetuigingen in een druk kantoor vol computers en helder licht. Dit was duidelijk de afdeling die zich bezighield met reclamebrochures. Op de grond lagen een paar gekreukte programma's voor het muziekfestival. Naast haar lagen hele stapels met nieuwe prijslijsten en dienstregelingen voor de bedrijven die boottochtjes organiseerden over de Trave en de Wakenitz. Ze haalde het boek en haar vragen tevoorschijn. De vreemde code en het versleten maar prachtige, anonieme boekwerk waren aanleiding tot enige opgewonden nieuwsgierigheid.

'Ik zal het aan de directeur vragen.' De oudere vrouw die de leiding had was die middag de eerste persoon van wie het enthousiasme niet onmiddellijk overging in een serie categorische en ontmoedigende ontkenningen. 'Misschien weet hij het. Het patroon rond de rand komt me bekend voor.'

Ze verdween in de donkerder regionen van het gebouw. De rechter keek haar na en realiseerde zich dat achter de smalle gevel aan de straatkant een obscuur labyrint van drukke plekken schuilging. Toen de gecapitonneerde deur met een klap dichtviel, trok er ver weg een vlaag vochtige lucht door het huis. Want ooit was het een huis geweest, een deftig huis voor een rijke familie. De rechter herkende de kleine aanwijzingen en details: een etenslift met schuifdeurtjes om warme maaltijden naar een eetkamer op de eerste verdieping te brengen, een overwelfde galerij, inmiddels afgesloten, bij de hoofdingang, een brede, rond lopende trap met een prachtig gebeeldhouwde balustrade. Deze eindigde in een gecanneleerde barokke zuil, en een mooie globe, waarop onder een laag stof alle landen van de wereld nog zichtbaar waren. De gipsen rozetten, verstrengeld met ranken en bloemen, zaten nog op het plafond, hoewel er geen spoor meer te bekennen was van de vroegere kroonluchters, die waren ontmanteld en waarschijnlijk verkocht.

De directeur was Herr Hartmut Bardewig, de eigenaar van de firma, een robuuste man van een jaar of vijftig met een rood gezicht, dunner wordend blond haar op zijn sproetige schedel en een hartelijke, opgewonden handdruk. Hij greep het boek vast.

'Guten Tag, madame. Frau Handl heeft me al verteld dat uw

geheimzinnige boek veel weg heeft van een van mijn vaders producten. Eens even zien, eens even zien...'

Hij viste een brilletje met halve glazen uit zijn borstzakje en voelde aan de band. Toen sloeg hij het boek open. Het viel de rechter op dat hij geen aandacht besteedde aan de vreemde taal, de kanttekeningen of zelfs het Duitse commentaar. In plaats daarvan bestudeerde hij het stiksel en de manier waarop de pagina's waren gevouwen. Toen sloeg hij het boek helemaal dicht en tuurde naar het kleine, terugkerende patroon dat in goud langs de rug was aangebracht, flets maar toch duidelijk zichtbaar, als de rand van een Romeins mozaïek dat verscholen ligt onder het stof van eeuwen.

'Ja, ja, ja. Dat is zijn werk. Dat is het zeker. Dit boek is het werk van mijn vader. En hij heeft het zelf gebonden. Waar hebt u het gekocht? Het moet een heel bijzonder exemplaar zijn.'

Het leek alsof hij de schat niet graag weer wilde afgeven en hij draaide het *Boek van het Geloof* om en om in zijn handen.

'Mag ik het plastic eraf halen? Het is prachtig om zoiets karakteristieks te zien. Hij heeft in zijn tijd heel veel zeldzame boeken gebonden. Verzamelobjecten. Sommige zijn voor verbijsterende bedragen geveild. Dit boek is opnieuw gebonden. Het papier is handgeschept. Heel zeldzaam, heel oud. Ik denk dat het papier Frans is, maar ik kan zo gauw geen watermerk ontdekken. Ik zou er eens met mijn vergrootglas naar kunnen kijken. Maar het verkeert in uitstekende staat, hier en daar versleten, maar niet beschadigd. Um Gottes Willen, in wat voor taal is dit geschreven?'

'U herkent de taal dus niet?' De rechter aarzelde tussen twee werkwoorden: 'erkennen' en 'wiedererkennen'. Maar Herr Bardewig stond de aantekeningen al te lezen.

'Heel eigenaardig. Is het poëzie? Of Bijbels? Of dat soort zeventiende-eeuwse mysticisme waarin de auteur al haar theologische hartstochten uitstort? Schöne Seelenliteratur. Mijn vader had tientallen van zulke boeken in zijn privébibliotheek. Erg mooie boeken, maar geen van alle leken ze hierop.

Madame, neemt u mij alstublieft niet kwalijk. We kunnen hier toch niet in de postkamer blijven staan. Laten we naar mijn kantoor gaan. *Frau Handl, bringen Sie uns bitte ein Kaffee.* Komt u maar. Deze kant op.'

De rechter ging op haar gemak in een oude leren leunstoel met een paars kussen zitten en luisterde naar Herr Bardewig, die zich er aandoenlijk druk over liep te maken of ze wel gemakkelijk zat, over haar natte schoenen en haar lange reis vanuit Zuid-Frankrijk, en dat allemaal voor een obscuur boek dat ze toch niet kon lezen. Ze begreep dat zij namens zijn vader als een geëerde gast werd ontvangen en dat het enthousiasme van haar gastheer volkomen ongekunsteld en ongeveinsd was.

'Ik heb al zijn machines nog. Zelfs de handpers waarop hij oplages poëzie drukte. Hij was de oprichter van de Lübeck Poëzie Genootschap. Vooral religieuze werkjes. *Schwärmerei*, vond ik het altijd, maar hij hield daarvan, het betekende heel veel voor hem.'

Hij schonk de rechter een grote kop dampende koffie in en stond vreemd te kijken toen zij geen *Kaffeesahne* wilde. 'Geen room? Helemaal niet? Wilt u wel een koekje? Daar boven de waterkoeler hangt mijn vaders portret. Ja, dat is mijn vader.' Hij staarde gelukzalig de hal van het oude huis in.

Met de koffie in haar hand keek de rechter de schemerige ruimte in. De gewelfde deuropening werd rechtgetrokken onder een waaiervenster en was voorzien van donker, krullerig houtwerk. Aan de muren hingen ingelijste getuigschriften, vergunningen en prijzen en daartussenin hing de majesteitelijke patriarch, die haar recht aankeek. Een stijve witte boord en een donker pak, maar ja, hetzelfde gezicht als de zoon die naast haar stond, blozend, welwillend, vriendelijk. De kantoren bevonden zich aan één kant van de deuropening, de zaak aan de andere kant, en de oude meesterdrukker zelf overzag al het komen en gaan en straalde een betrouwbaarheid en indrukwekkendheid uit die duidelijk in de familie zat.

'O ja, hij was in zijn tijd een groot man. Hij was altijd meer een drukker dan een uitgever. Die kant van het bedrijf liet hij aan zijn partner over. Maar hij koesterde een diepe liefde voor boeken.'

'En u weet zeker dat dit boek van zijn hand is?' De rechter

zette het koffiekopje neer en concentreerde zich op datgene waarvoor zij gekomen was.

'Ja, heel zeker. Kijk, dit is een van zijn andere boeken, dat hij ook zelf heeft gebonden. Dit ongewone terugkerende patroon is zijn handelsmerk, zijn signatuur. Maar ik hoef dat wapen niet eens te zien, madame. Kijk!' Hij wees naar het kleine gotische schrift in de marges. 'Dat is mijn vaders handschrift.' Hij liet zijn wijsvinger liefhebbend over de woorden glijden. Hij probeerde ze niet te lezen, maar streelde elke hoofdletter, alsof hij daarmee de hand wilde aanraken die er niet meer was. 'Dit is geweldig – om zijn handschrift weer te zien. Maar het is wel vreemd. Ik heb nooit eerder gezien dat hij in zijn boeken schreef. Hij had een apart boek voor aantekeningen en ideeën.'

De rechter besloot verdere speculaties of vragen voor te zijn.

'Hebt u een archief? Kunnen we er op de een of andere manier achter komen wanneer hij het boek van een nieuwe band heeft voorzien? Of van wie hij het boek ooit heeft gekocht?'

'O, natuurlijk, we hebben hier alle oude grootboeken nog. Met al zijn orders en opdrachten en al het werk dat hij voor zichzelf deed. Elk project is gedateerd en beschreven. Ik vermoed dat hij dit na de oorlog heeft gedaan. Dat zie ik aan de stempel hier. Die machine hebben we nog. Hij heeft hem in 1948 gekocht. Hij wordt niet meer gebruikt, maar ik kan mezelf er niet toe brengen iets te vernietigen of af te danken wat hem dierbaar was.'

De rechter stond op van haar leren stoel en keek hem stralend aan.

'En mag ik die grootboeken zien?'

'Maar natuurlijk. Met genoegen. Maar misschien moet ik eerst een plumeau halen. Een ogenblikje.'

Herr Bardewig verdween in zijn onderaardse gewelven. Tegen de tijd dat hij terugkwam, had de rechter stilletjes het bevroren gezicht van zijn overleden vader gefotografeerd en de naam van de schilder genoteerd en het jaartal in een hoekje van het portret. De grootboeken waren onberispelijk: verslagen van opdrachten, de data waarop ze waren bevestigd, uitgevoerd en bezorgd, met een aantekening van alle ontvangen betalingen, geheel of gedeeltelijk. Hele transacties waren met de hand opgeschreven in datzelfde vlekkeloze gotische schrift. Tot de jaren vijftig, waarna zorgvuldig getypte beschrijvingen van de orders op carbonpapier in de grootboeken waren gestoken naast de data en de cijfers. Iets aan de accuratesse en de compleetheid van de grootboeken, die de zoete geur van vergane rijkdom en vertrouwelijke zaken uitademden, verontrustte de rechter. De boeken waren ook met de hand gebonden in leer, massief, hebzuchtig en vol. De firma was vast van plan te overleven, blijkbaar voor altijd. Zij bogen zich over de boeken, op zoek naar een mogelijke registratie van het *Boek van het Geloof*. Herr Bardewig bestudeerde de code.

'Wat een vreemde tekst! En u dacht dat het misschien Hebreeuws was? Mijn vader las Grieks. Hij las het Nieuwe Testament in het Grieks. Maar Hebreeuws kon hij niet lezen. En hij heeft dit ook niet kunnen zetten. Daarvoor zou je iets van de taal moeten weten. Hoe zorgvuldig je het origineel ook zou volgen, je zou toch altijd vergissingen maken. U zou onze brochure voor het Buddenbrooks Huis eens moeten zien. We denken allemaal dat we behoorlijk wat Engels kennen, maar na drie drukproeven zaten er nog steeds fouten in. Zijn dit Hebreeuwse letters? Iemand moet een set van deze letters hebben gehad. Als er maar één exemplaar van dit boek is gedrukt zou het maken van de matrijzen heel erg kostbaar zijn geweest. Economische waanzin! Hebt u hier nog meer exemplaren van gevonden?'

'Nog niet. We zijn er nog naar op zoek. U hebt deze taal dus nooit eerder gezien?'

'Nee. Nooit. Maar het papier is erg oud. Kijk, het heeft toch een watermerk. Dit papier is Frans. Ik had gelijk. Waarschijnlijk zeventiende-eeuws.'

De rechter zag het vage kroontje en cirkeltje, die onder het felle licht van de lamp eindelijk zichtbaar werden. Het kostte haar veel moeite het handschrift in de grootboeken te lezen. Herr Bardewig vertaalde de afkortingen.

'Dat betekent dat het voor eigen gebruik was. Dan is er dus geen factuur opgemaakt. Laten we kijken of we dat symbooltje terug kunnen vinden. Ik vraag me af of het echt een order voor dit ene exemplaar was. Maar we weten natuurlijk niet zeker of er maar één exemplaar van is. Hij kan het op een veiling hebben gekocht, maar op veilingen kocht hij altijd meerdere boeken tegelijk. Dus misschien heeft hij een aantal andere boeken ook wel van een nieuwe band voorzien.'

'Laten we eerst naar één enkel boek zoeken,' zei de rechter. 'Dat maakt het zoeken wat gemakkelijker.'

'Dat maakt het veel gemakkelijker,' riep de drukker uit, terwijl hij zijn vinger snel langs de jaartallen liet glijden, 'want hij noteerde de hoeveelheid exemplaren altijd in deze kolom.'

Ze vonden een familiebijbel, een boek over veeteelt, een complete verzameling medische handboeken op het gebied van de anesthesie die stuk voor stuk opnieuw waren gebonden, maar toch als één boek waren genoteerd, het livre d'honneur, het herdenkingsboek voor de roemrijke doden in de Petruskirche, gratis opnieuw ingebonden als persoonlijk geschenk aan de parochie, alle jaarboeken voor het Lübeck Muziek Genootschap, en een speciale geschenkuitgave van *De Geschiedenis van Lübeck*, bestemd voor de Bürgermeister die met pensioen ging, waarvoor de vergoeding uitzonderlijk royaal was, zelfs wanneer je rekening hield met een onvermijdelijke verschuiving in de waarde van de Duitse mark. Ze waren al bijna twee uur aan het zoeken, en begonnen de moed net een beetje op te geven, toen Herr Bardewigs glijdende wijsvinger stilstond bij een kleine inschrijving in maart 1957, helemaal ingeklemd onder aan een bladzijde.

'Kijk eens. Wat is dit?'

Frau Handl klopte op de deur.

'Ik ga nu naar huis, meneer. Sluit u af?' Ze zond de rechter een argwanende blik toe. Wie was deze kleine bezoekster uit Frankrijk, die mooie vrouw met haar natte schoenen en zwarte brilmontuur die Herr Direktors hele middag in beslag had genomen met het zoeken naar een naald in een hooiberg?

'Dank u, dank u, Frau Handl, nog een fijne avond. Ja, ik sluit alles af. Ik doe de grendel erop en laat het licht aan. Wat denkt u ervan, madame Carpentier? Zou dit het kunnen zijn?'

Enkel exemplaar voor inbinden en reparatie 23 maart 1957. Das Buch des Glaubens, 280 Seiten. Het Boek van het Geloof, 280 pagina's. Beschadigd omslag repareren. Geen titels. Opnieuw inbinden zoals het nu is. Twee pagina's enigszins gescheurd. Indien nodig repareren. No. 480.

'Wie heeft de order geplaatst? Of was het zijn boek?' vroeg de rechter op scherpe toon.

'Een privéklant. Het boek is voor iemand anders ingebonden. Dat is alles wat hij heeft genoteerd. Maar als het boek van iemand anders was, waarom heeft hij dan in vredesnaam in de marges geschreven? Ik kan me al niet voorstellen dat hij een boek zou beschadigen, laat staan een boek dat eigendom was van iemand anders.'

'Was er een factuur?' De rechter keek alvast naar de volgende bladzijde, zo hongerig als de wolf die het rode kapje van het kind tussen de bomen ziet verschijnen.

'Nee, er is nooit een factuur voor opgemaakt. Hij heeft dit boek gratis ingebonden. Maar waar is de afleveringsbon?'

'Mag ik deze inschrijving fotograferen?'

'Maar natuurlijk. Ah, u hebt een van die moderne digitale camera's. Mijn dochter wil er ook zo graag eentje hebben. Maar ik vind ze nog behoorlijk duur. Heel handig voor documenten. Hier, ik licht u wel bij.'

Ze stonden naast elkaar in het warme kantoor. De rechter noteerde de cijfers en de data naast de inschrijving in het grootboek. Het boek was drie weken later teruggegeven aan een of meer onbekenden.

'De ontbrekende afleveringsbon? Correspondeert dit nummer misschien met andere gegevens die hij bijhield?' De rechter had inmiddels groot vertrouwen gekregen in de minutieuze nauwgezetheid van de overleden patriarch.

'Zoals u ziet hield hij alles keurig bij. Maar ik heb hier geen toegang tot alle aspecten van zijn systeem. We hebben de boekhouding nog niet zo lang geleden ingevoerd in de computer.'

'Maar hebt u zijn persoonlijke administratie van zijn boekaankopen nog wel? Van de boeken die hij op veilingen kocht en vervolgens opnieuw inbond?'

Herr Bardewig keek op naar de rijen en rijen donkere en goudkleurige boeken.

'Ik heb de boeken allemaal hier,' zei hij. 'Een ogenblikje. Ik zal eens in de huishoudelijke administratie kijken. Die hield hij ook bij. Moeder hield zich nooit bezig met de rekeningen omdat wij boven woonden.'

Herr Bardewig ging haar uitdaging aan en verdween weer in de bedrijfsarchieven. De rechter keek op haar horloge. Het was al over zevenen. Zij was de fret die een rat door elkaar schudde en hem weigerde los te laten tot ze zeker wist dat het beest dood was. Eindelijk kwam de drukker weer tevoorschijn met twee grote kartonnen dozen en een verlegen bekentenis.

'Ze zijn niet zo keurig opgeslagen als ik had gedacht – veel losse vellen en slechts gedeeltelijk op volgorde. Maar dit zijn alle bestaande afleveringsbonnen en huishoudelijke facturen van 1956 tot 1960.'

Ze gingen aan aparte tafels zitten en begonnen naar alles te zoeken wat eventueel relevant kon zijn of het nummer 480. Een uur later had de rechter beet.

'Neemt u mij niet kwalijk, Herr Bardewig, maar volgens mij heb ik het.' Ze hield een afleveringsbon omhoog. 'Er staat geen naam op en als ik het goed begrepen heb, was dat niet uw vaders gewoonte. Maar hier staat wel het nummer. 480. Zou u zo vriendelijk willen zijn het adres voor mij te verifiëren? Is dit een dubbele S of een dubbele F?'

'Dat is een F. Effengrube 19. Dat is in Lübeck, vlak bij de kathedraal. Kent u dat adres?'

'Ja,' zei de rechter, geestdriftig, 'dat ken ik zeker.'

Maar meer gaf ze niet prijs.

Herr Bardewig maakte een kopie voor haar van de afleveringsbon en stond erop een glaasje schnaps met haar te drinken om het te vieren. Ze zaten als oude vrienden tegenover elkaar en de drukker vertelde haar over het bedrijf en de tijd van zijn vader. Hoe hij het vak van zijn vader en zijn oom had geleerd, hoe hij als klein jongetje vaak op mocht blijven om boven in de grote salon, die nu in twee kamers was opgedeeld, naar muziek en poëzie te luisteren. Hij stelde maar heel weinig nieuwsgierige vragen over de herkomst van het boek en haar uitgebreide zoektocht naar de bron ervan. Pas toen zij opstond om weg te gaan werd duidelijk dat hij met opzet zijn mond had gehouden.

'Maakt dit boek deel uit van een onderzoek, madame?'

'Inderdaad.'

'Toch niet iets afschuwelijks of crimineels, mag ik hopen?'

De rechter aarzelde. Het was altijd beter om zo min mogelijk over haar werk te vertellen. Eerst intrigeerde het buitenstaanders en vervolgens raakten ze helemaal gefascineerd. De sekten beroerden een onbewuste fantasiestroom: een zeemonster, dat onder water helaas maar heel weinig stroming nodig had om te ontwaken. Met het verstrijken van de jaren had de rechter nog steeds geen bijzonder hoge dunk van de geestkracht van de meeste mensen, want bij het minste of geringste raakten ze al in de war en uit hun evenwicht. Wat mensen soms geloofden tartte elke beschrijving. De rechter was al zo gewend aan de hysterische waanzin die soms werd uitgebraakt binnen de muren en plafonds van haar kantoor, dat zij nauwelijks meer een spier vertrok bij de verhalen over vorige levens en ontvoeringen door buitenaardse wezens. Dat gold ook voor openbaringen van zwevende tafels, stemmen uit de ruimte, sprekende bomen of vogels en overtuigende bewijzen van moederlijke reïncarnatie in de vorm van schapen. Zij vermeed dan ook zoveel mogelijk al te veel uitleg te geven over haar rol als la chasseuse de sectes, de sektenjaagster. Maar deze man was zij een portie eerlijkheid verschuldigd.

'Het is misschien wat verwarrend, maar ik ben een rechter van instructie. Ik verzamel bewijzen. Ik vervolg niemand. Ik breng verslag uit aan de openbaar aanklager. Hij besluit of er een zaak van wordt gemaakt.'

Herr Bardewig verbleekte enigszins.

'Ah, ik begrijp het. Dat klinkt heel gewichtig. Mijn vader stond altijd wat wantrouwig ten opzichte van de wet. Waarom weet ik niet. Hij heeft zijn testament zelf opgesteld. Onberispelijk, ondubbelzinnig, net als de grootboeken. Maar hij was erg op zichzelf. Hij kon erg gereserveerd zijn.'

Opeens viel een piepklein stukje van het labyrint van puzzelstukjes voor de rechter op zijn plek en zij keek de drukker aan met haar donkeromrande, grote ogen.

'Neemt u mij niet kwalijk, Herr Bardewig, als ik opdringerig lijk. Maar mag ik u vragen wanneer en hoe uw vader is overleden?'

Het vriendelijke, openhartige gezicht voor haar klapte dicht als een val. Verdriet, pijn en een stroom van losgemaakte herinneringen gleden als een opkomend getijde over zijn mond en wangen. Zij had hem een man teruggegeven die hij had bewonderd en geadoreerd. Een halve dag lang was zijn vader in het bedrijf teruggekeerd in zijn oude gestalte, recht door zee, veeleisend en rechtvaardig. Zijn liefde voor het *Boek van het Geloof* uitte zich in de zorgvuldige schoonheid van zijn werk, gemaakt voor de eeuwigheid. En nu had deze gevoelloze rechter zijn geliefde aanwezigheid weer weggegrist en verloor zijn goedheid zijn luister.

'Het valt mij niet gemakkelijk om over die dingen te spreken, madame Carpentier. Mijn vader heeft in 1984 de hand aan zichzelf geslagen.'

6

EINDELOZE NACHT

De eerste brief, en in gedachten noemde ze deze boodschap altijd de eerste, de eerste die aan haar gericht was, buiten het onderzoek om, want hij werd bezorgd met alleen haar naam op de envelop, werd persoonlijk in hun hotel afgegeven.

Effengrube 19,
Lübeck

Chère madame,

Vergeeft u mij alstublieft de gruwelijke lompheid waarmee ik u en uw assistente vanmorgen heb bejegend. Toen ik dat boek in mijn handen hield, dat van iemand geweest is die mij zo dierbaar was, leek het net alsof hij weer voor mij stond. Het is een verlies dat ik niet kan accepteren en ik heb mijn gedrag laten leiden door mijn gevoelens. Het was echter onvergeeflijk onbeleefd van mijn kant en ik bied u dan ook mijn nederige verontschuldigingen aan.
Hierbij stuur ik u twee kaartjes voor de voorstelling van morgenavond van Tristan en Isolde *in de grote schouwburg*

in de Beckergrube. Ik zou het als een eer en genoegen beschouwen u beiden als mijn gasten bij deze voorstelling te mogen ontvangen.
Met vriendelijke groeten,
Friedrich Grosz

'Nou, mooi dat ik geen hele opera uit ga zitten, en al helemaal geen Wagner,' protesteerde Gaëlle, terwijl zij de brief op het bed van de rechter smeet, 'en bovendien gaat ons vliegtuig 's middags.'

De rechter tuitte haar lippen.

'Ga die natte kleren uittrekken, Gaëlle. Je zit er nu al lang genoeg in. Het spijt me dat je een vruchteloze zoektocht langs die boekwinkels hebt gehad. Maar ik ben bang dat ik onze vlucht al heb uitgesteld tot vrijdag.'

'Nee toch zeker! Zonder het eerst aan mij te vragen?'

'Vergeet niet dat je hier bent in opdracht van de Franse Republiek en misschien maakt die in het weekend geen gebruik van je diensten, maar de rest van de week in elk geval wel.'

'Hoe kun je me dit aandoen? Ik haat het eten hier.'

'Ik beloof je dat we vanavond gaan dineren in een prachtig, duur restaurant. En als je Wagner echt niet om aan te horen vindt, dan zal ik je niet dwingen om mee te gaan.'

Gaëlle liet zich plat op het dekbed vallen en slaakte een luide kreet van opluchting. Ze schopte haar doorweekte laarzen uit. De rechter redde de brief van de componist en liet hem in een plastic envelop glijden die speciaal was bedoeld om bewijsstukken in op te bergen. De telefoon ging en aan de andere kant hoorde ze, jankend als een in de steek gelaten hond, André Schweigen.

'Nou? Zeg me waar je bent!' riep hij. Gaëlle graaide haar laarzen van de vloer en ging ervandoor, de deur met een klap achter zich dichtslaand.

DEM WAHREN, GUTEN, SCHÖNEN

De rechter arriveerde veertig minuten voor aanvang van de voorstelling bij het Lübeck Stadttheater en stond op het trottoir aan de overkant van het gebouw naar boven te kijken. Het theater was opgedragen aan waarheid, goedheid en schoonheid of liever gezegd, gezien de grammatica van de uitspraak en de verbuiging van de abstracte zelfstandige naamwoorden, aan dat wat waar, goed en mooi is. Niet alleen zijn dat drie verschillende dingen, dacht de rechter, maar je ziet ze ook zelden verenigd in hetzelfde voorwerp of dezelfde persoon. Voor muziekvoorstellingen gold dit waarschijnlijk net zo goed. En wat de rechter betreft was alleen de waarheid ondubbelzinnig en niet voor onderhandeling vatbaar. Met schoonheid en goedheid kon je alle kanten op.

De Beckergrube was, of was dat ooit geweest, een van de deftigere straten van Lübeck, met grote pompeuze huizen die vanaf de Trave aan weerszijden oprezen. In de meeste woningen waren tegenwoordig nogal armoedig ogende zaakjes gevestigd, een tabakswinkel, een artistieke bloemenwinkel met onwaarschijnlijk dode planten in de etalage, een winkel in mobiele telefoons die een reusachtige plastic 'handy' op de stoep had gezet om voorbijgangers naar binnen te lokken, en verscheidene onooglijke cafés. Te midden van dit alles stond de tempel van dramatische kunsten. Komedie en tragedie flankeerden Apollo en de negen muzen, een enorme fries van figuren onder het fronton met de opdracht aan waarheid, goedheid en schoonheid, in hun individuele of collectieve manifestaties. Het hele bombastische monument, een kolossale constructie in art-nouveaustijl, dateerde uit 1908. Met zijn massieve bruinstenen gevel en twee mooie vleugels met hoge ramen rees het voor haar op, groot, bolvormig en onheilspellend, met hier en daar een glinsterende tegel in zilverachtig groen. De rechter maakte zich klaar voor de strijd, klemde de schildpadklem in haar zwarte wrong en duwde met haar rechterwijsvinger haar bril wat hoger op haar neus. Ze trok haar kasjmieren sjaal wat dichter om zich heen tegen de kille lenteschemering en liep toen de weg over en het theater in.

Ze gaf een van de twee kaartjes af bij het loket, dat inmiddels werd belegerd door een lange rij mensen die op teruggebrachte kaartjes hoopten, waar het prompt werd verkocht aan de eerste van de wachtende Wagner-liefhebbers. De openingsvoorstelling, waarover in alle lokale kranten uitzonderlijk lovende recensies waren verschenen, trok publiek aan uit zelfs de verste provincies. Naast de schreeuwerige loftuitingen op de reusachtige aanplakborden in de hal leek de rechter nog kleiner dan zij was. Grote zwart-witfoto's toonden wanhopige figuren, met open monden en hun armen wijd gespreid. *Een hedendaagse Isolde: Fräulein Maria Bayer in de titelrol, betoverend, hartstochtelijk, verleidelijk, groots bijgestaan door Gerhard Klingmann als de ridder die verscheurd wordt tussen zijn liefde voor Isolde en zijn trouw aan de Koning*. De rechter geeuwde en gaf haar pogingen om alle superlatieven te vertalen maar op. Ze besloot haar plaats te gaan zoeken en het programma te lezen.

Haar kennis van het verhaal was ietwat wazig, want hoewel zij de legende in grote lijnen kende, verkeerde zij zoals heel veel mensen in de waan dat alle opera's hetzelfde waren: bespottelijke gebeurtenissen, irrationeel gedrag, onbedwingbare hartstochten, gezwollen orkestratie en vier dikke mensen die voor het voetlicht stonden te galmen. De bedoeling van de avond was om de componist te bespioneren, openlijk en op zijn eigen verzoek en als het mogelijk was zijn berouw te gebruiken om zijn vertrouwen te winnen en dan zoveel mogelijk informatie, of nog liever, een bekentenis, los te krijgen uit deze belangrijke, maar riskante bron. Deze man was een levende schakel met het Geloof. Daar was ze van overtuigd. Ze wist nu echter dat ze hier te maken had met iets veel ouders en duisterders dan de sekten die ze normaal gesproken tegenkwam en die, als ze al overleefden, stuk voor stuk bourgeois werden, zichtbaar en onderhevig aan fiscale inspectie. Maar het Geloof beriep zich op een voorgeschiedenis die rook naar vrijmetselaarsrituelen en een verborgen, dieper verleden dan zij in eerste instantie had vermoed. Het Geloof was het enige waar zij aan kon denken. De opera kon haar weinig schelen.

Dominique Carpentier had een hekel aan elke vorm van overdaad: oudere vrouwen die te veel sieraden droegen, vrolijke mensen die dronken liepen te lallen, liefdesbrieven die overliepen van termen als 'voor altijd' en 'tot in alle eeuwigheid', mannen die sport belangrijk vonden. Deze diepe, aangeboren vijandigheid ten opzichte van al die triviale genoegens die de naderende schaduwen op afstand hielden, gecombineerd met een scherp, ironisch taalgebruik, leidde ertoe dat veel van haar collega's haar harteloos en een beetje wreed vonden. Die mening was ongerechtvaardigd. De rechter koesterde een diepere passie, die even verrassend was als lovenswaardig: het verlangen om de kwetsbaren, de zwakbegaafden en de dwazen te verdedigen en te beschermen tegen alle mogelijke roofdieren en zo nodig tegen zichzelf. In haar kantoor was het een triest komen en gaan van slachtoffers, zwakke wezens van wie de wanhopige behoefte zich veilig te voelen en ergens bij te horen als gevolg had dat zij verstrikt raakten in verhalen over geloof die grotendeels aan hun eigen fantasie waren ontsproten. De rechter sneed de waanideeën weg, zodat de mensen uit naam van wie zij zich verplicht achtte te handelen naakt, weerloos en beschaamd achterbleven. De rede is mild noch zachtmoedig en de rechter geloofde met net zoveel hartstochtelijke toewijding in haar eigen credo als de geheime ingewijden die hun hart hadden geschonken aan het suïcidale Geloof. Zij was altijd op zoek naar de Waarheid en niets dan de Waarheid. Maar de Waarheid is niet voor ons allemaal het instrument van de vrijheid en kan dat ook niet zijn; en de Waarheid kennen kan zachtaardige zielen voor eeuwig in diepe ellende storten.

De binnenruimtes van het theater waren degelijk, eenvoudig en bescheiden. Ondanks het vroege tijdstip – de voorstelling begon om halfzeven – had een groot deel van het publiek zich gehuld in avondkleding, smokings voor de heren en zijden avondjaponnen voor de dames, compleet met kleine, met edelsteentjes bezette avondtasjes en lange, overdadige kettingen van glinsterende stenen, verstrengeld met gouden bladeren. De rechter had sterk het gevoel dat zij zich te eenvoudig had gekleed. Ze droeg nooit opzichtige namaakjuwelen. In de stallesplaatsen voelde het theater opeens kleiner en intiemer. De enorme rode gordijnen vielen in grote plooien als een waterval omlaag. Toch was de illusie van hun nabijheid zo overtuigend dat ze het idee had dat zij ze kon aanraken. De afstanden om haar heen vielen uiteen en werden korter, verraderlijk en onbestendig. Ze vond haar plaats: zes rijen voor het podium en precies in het midden van de zaal. Een geruisloze ontsnapping voor een frisse neus en om haar gedachten op een rijtje te zetten bleek dus onmogelijk. Terwijl ze aan de rand van de enorme zee van rode stoelen stond, ontzet door het vooruitzicht opgesloten te zitten tussen al die mensen, voelde ze dat er iemand naar haar toe kwam. De componist verscheen in de nog grotendeels lege theaterzaal, indrukwekkend en rijzig in rokkostuum, in alle opzichten vormelijk en nauwgezet. De ijzeren discipline van de man, een façade die zij zo achteloos had doorbroken, stond in een geheel nieuwe versie voor haar. Hij maakte een buiging voor haar, nu in de hoedanigheid van een knappe, gecultiveerde man, onverbiddelijk in zijn vaste voornemen te bekoren. Hij stak zijn hand uit.

'Madame Carpentier, wilt u een eigenwijze, chagrijnige oude man een groot plezier doen en mij de hand schudden?'

Zij accepteerde het gebaar en het verlegen, gegeneerde glimlachje zonder meer. En terecht. Uit de hele houding van de componist sprak dat hij er niet zeker van was geweest of zijn verontschuldigingen in goede aarde zouden vallen.

'Vergeeft u mij, madame, mijn onvergeeflijk slechte manieren.'

De rechter boog en glimlachte flauwtjes. Ze had van tevoren niet bedacht hoe zij zou omgaan met oprechtheid; ze twijfelde er geen moment aan dat het hartelijke welkom en de timide verontschuldigingen absoluut gemeend waren. Hij nam haar kleine hand in de zijne en trok haar mee in de richting van het orkest.

'Is uw assistente verhinderd?'

'Gaëlle? Ik vrees dat Wagner niet helemaal haar smaak is.'

De componist begon te lachen en in die warme omhelzing van zijn lach voelde de rechter zich opeens begrepen en op haar gemak. Hij vervolgde: 'Ze had een prachtige piercing door haar tong en een rits oorknopjes die je bij juristen niet vaak zult tegenkomen. Ze moet wel een heel bijzonder iemand zijn.'

Had Gaëlle haar tong uitgestoken naar de componist? De rechter voelde zich genoodzaakt haar excuses aan te bieden en het een en ander uit te leggen.

'Ze heeft een *Rockkneipe* ontdekt in de Marlsgrube en brengt nu de avond door met een aantal nieuwe vrienden.'

'Ah, ja,' grinnikte hij, 'ik ken die tent. Die is al in geen jaren veranderd. De mensen die er komen zien er altijd precies hetzelfde uit – Motörhead-T-shirts met hoog opgerolde mouwen, fantastische tatoeages, een rokerige atmosfeer die al drie keer in- en uitgeademd is en muziek die zo hard staat dat je jezelf niet kunt horen denken. Maar de klanten zijn nu allemaal grijsaards. Net als ik. Ik hoop dat ze er iemand van haar eigen leeftijd vindt om mee te spelen.'

Hij nam de rechter voorzichtig en beleefd bij de arm, een gebaar dat eerder ouderwetse manieren suggereerde dan brutale vrijpostigheid, en leidde haar naar het midden van het lage muurtje vlak boven het orkest. De ruimte was smal en donker, bijna onder het podium en het enige licht was afkomstig van de lampjes op de muziekstandaards, die opgloeiden als vlotten op een zee van schaduwen. De kopersectie was net gearriveerd met haar enorme instrumentenkoffers. Verschrikt en lichtelijk nerveus keken ze op naar de componist en zijn gast. Een van hen zette demonstratief zijn mobieltje uit. De bok voor de dirigent werd zowel van onder- als van bovenaf verlicht, als een soort vitrinekast, of het warmhoudplaatje op een fornuis. Ze zag de volledige partituur van de opera liggen. Daar lag de muziek, een taal die zij niet kon ontcijferen en nooit erg had kunnen waarderen, opengeslagen op pagina één.

'Houdt u van opera, madame Carpentier?'

Hij hield nog steeds haar arm vast terwijl zij samen in de orkestbak keken, en dit geruststellende gevoel moedigde haar aan zijn vraag eerlijk te beantwoorden.

'Ik heb er nog nooit een gezien.'

'O, lieve hemel! *Tristan en Isolde?* Dan gaat u nu de Everest beklimmen zonder ooit voet op een berg te hebben gezet!'

Hij grinnikte zachtjes.

'Madame Carpentier, u bent een bijzonder moedige vrouw. Ik heb deze opera in de loop van mijn professionele leven vele, vele malen gedirigeerd. En toch vind ik elke keer weer iets nieuws, iets fris en wonderbaarlijks in de partituur. Dus zelfs voor een oude rot als ik blijft het vertrouwde iets vreemds, iets onbekends, ja, zelfs iets duisters houden. Laat mij u adviseren hoe u het beste kunt luisteren. Niet rationaliseren. Ik weet dat u een bijzonder rationeel iemand bent. Dat moet een rechter wel zijn, om de bewijzen te kunnen schiften. Maar dat deel van uzelf moet u opzijzetten. Probeer de dingen niet te beoordelen of te beredeneren. Probeer zelfs niet eens echt te luisteren. Laat alles los. Alsof u een touw laat vieren. Is dat een goede metafoor? Ja, u moet het loslaten. En de muziek de kans geven om tot u te spreken.'

'Ik weet helemaal niets van muziek.' De rechter probeerde haar arm los te trekken. Maar hij verstevigde zijn greep juist en draaide haar naar zich toe zodat hij haar aan kon kijken. De zaal was nu helemaal verlicht en ze hoorden het geroezemoes van het binnenkomende publiek, maar ze stonden zo dicht bij de orkestbak dat zijn gezicht, van onderaf verlicht, iets spookachtig indrukwekkends kreeg.

'Deze opera is mij om vele redenen heel dierbaar. Dit zijn jonge zangers, ze zijn bijzonder toegewijd. En ik heb het uiterste van hen gevergd. Voor de sopraan is het de eerste keer dat zij de rol van Isolde vertolkt. Wagner vereist zoveel uithoudingsvermogen dat ik mezelf keer op keer heb afgevraagd of zij hier wel aan toe is. Wees mild in uw oordeel, madame Carpentier. Als u geen liefhebber bent, bent u ook moeilijker te overtuigen. Het zal veel inspanning vergen om u voor de opera te winnen. Maar wij zullen ons best doen. Ons uiterste best.'

De rechter keek op naar zijn smalle gezicht en zag zijn ontzagwekkende intensiteit. Ze realiseerde zich dat hij haar de voorstelling aanbood, als een speciaal geschenk voor haar, alsof zij het enige publiek was. Maar ik weet niets van Wagner, niets van opera, ik kan niet eens muziek lezen. In gedachten deinsde zij terug, op zoek naar een uitweg. De volgende woorden van de componist brachten haar volledig van haar stuk, want ondanks de aarzeling in zijn stem kwam hij met de doeltreffendste metafoor om haar het zwijgen op te leggen. Een meesterlijke zet.

'U bent rechter, dus oordeel zelf. Laat deze muziek mijn verdediging zijn. Laat de muziek mijn zaak bepleiten.' Hij bracht haar hand naar zijn lippen. Iedereen in de zaal kon hen zien. Toen deed hij een stap naar achteren, liet haar eindelijk los, maakte een vormelijke buiging, alsof ze voor het hof en de koning stonden, en verdween toen in de duisternis. Opeens stond de rechter helemaal alleen voor de opengeslagen partituur. Het was alsof zij in zijn afwezigheid de macht over het orkest had overgenomen. Ze haastte zich snel naar haar plaats en dook in het programma. Langzaam sloeg ze de bladzijden een voor een om, zonder er ook maar iets van te begrijpen.

Ze had buiten het publiek gerekend. Niemand was hier voor het allereerst. Dit waren operaliefhebbers voor wie muziektheater in het algemeen en Wagner in het bijzonder, niet zomaar een passie was, maar een drug. De opwinding in de zaal omhulde haar als een aangename cocon. Ook al strekte ze haar hals uit tot de aderen opzwollen en het pijn begon te doen, toch ving ze maar een glimp op van de componist toen hij het publiek en de musici in de orkestbak welkom heette. Het orkest zakte weg tot er niets anders resteerde dan een verwachtingsvol geritsel en de glinsterende lichtjes boven de onleesbare muziek, waarvan de klanken lagen opgesloten in hiëroglyfen.

Opera blijft een wonder, deels omdat de kosten van het produceren van een uitvoering zo onbetaalbaar zijn dat ze nooit gedekt kunnen worden door de prijs van de kaartjes. Het is een kunstvorm die vorstelijke subsidies vergt. De oorsprong ervan is aristocratisch, net als de grandeur van het schouwspel. De verhalen mogen dan onwaarschijnlijk zijn en de emotionele lading elke vorm van redelijkheid en gezond verstand te boven gaan, maar de opzet ervan, zo oneindig veranderlijk blijft buitengewoon, revolutionair, bedrieglijk. Slimme producers weten dat naturalisme de vijand van de opera is. Wat wij willen zien is grootse symboliek en zwaar aangezette gebaren. Deze productie van *Tristan en Isolde*, gesitueerd op een aftands Cunard-lijnschip, bemand door een koor van muitende, wellustige zeelui, confronteerde de rechter met een visioen dat zo onwaarschijnlijk en bizar was dat zij er de eerste veertig minuten alleen maar in verontwaardigde verbijstering met open mond naar kon zitten staren. Had zij zonder het te weten een massale bijeenkomst bijgewoond van die sekten die zij zo effectief uit de weg had geruimd, dan had dat haar niet erger in verwarring of van haar stuk kunnen brengen. De zangers droegen moderne kleding met een jarentwintiguitstraling; toch hadden de kostuums iets tijdloos en onbestemds. De rechter dook weg in haar stoel, volkomen verbijsterd door wat er op het toneel gebeurde en de incoherentie van de muziek. Tegelijkertijd ontvouwde alles zich precies volgens haar vooringenomen verwachtingen: verboden liefde, vertwijfelde strijd tussen loyaliteit en vertrouwen, ze houdt van de een maar moet met de ander trouwen, die weer de heer en meester van die ene is. Tot zover dus heel voorspelbaar. Maar de muziek bracht haar in verwarring: een muur van geluid, vreemd onsamenhangend en dissonant. Elk thema dat ze herkende moduleerde, muteerde, loste op en ontsnapte, zodat ze nooit ergens houvast aan kreeg. De rechter zag zich tegenover een structuur geplaatst die op de stuwdam in de bergen boven Montpellier leek, een reusachtige door mensenhanden gebouwde dam waarachter het water steeg en druk uitoefende. Ze hoorde het gevaar steeds verder aanzwellen. Er borrelden twee tegenstrijdige emoties bij haar op: woede en ergernis omdat zij gedwongen werd naar iets te luisteren wat zij niet mooi vond en ook niet begreep, en gehypnotiseerde fascinatie. Haar blik gleed over het verrukte en geconcentreerde publiek: de zoveelste sekte. De rechter weigerde haar sluwe, analytische intelligentie het zwijgen op te leggen, zoals de componist haar had geadviseerd, want deze gave werkte niet alleen door middel van inzicht, bewijs en selectie, maar ook vanuit een ongekende dierlijke sluwheid. Ik ben hier met een reden. Deze man toont mij iets wat ik moet zien en draagt een argument aan dat ik moet horen. Dit is de vervulling van die ondervraging die werd afgebroken en het onderwerp dat ik hier voor me zie, een grote geheime liefde en een zelfmoordpact, heeft daar op een duistere manier betrekking op. Ze nestelde zich in haar roodfluwelen stoel, als een waakzaam dier, al haar spieren gespannen, geconcentreerd.

Het was vergeefse moeite. Ze begreep niets van die massieve, ondoordringbare muur van vreemde, dissonante, verwrongen patronen. Ze hoorde de structuren van de logica hoge torens van geluid bouwen, maar werd ongeduldig. De actie bleek te statisch om haar aandacht te kunnen vasthouden. Alle zangers wierpen zich in de strijd met een wanhopige passie die deed vermoeden dat de componist hen levend zou villen als ze het niet deden. En toch slaagden zij er niet in haar te bereiken. Wat doe ik hier? Wat heeft dit voor zin? Ze besloot zodra het pauze was weg te glippen. Maar de zaalverlichting was nog niet aan en het daverende applaus nog niet weggestorven, of er stond een jonge vrouw voor haar, in het zwart gekleed en met een elfachtige elegantie, die haar naam fluisterde.

'Madame Carpentier?'

De assistente van de componist voerde haar naar een klein tafeltje in het restaurant dat aan de schouwburg grensde, waar een lichte zalmsalade en een fles champagne voor haar klaarstonden.

'Geniet u van de voorstelling?' De rechter besloot maar van de omkoperij te genieten. Ze had al genoeg geleden. Zo kwam het dat de rechter, ontspannen door het lekkere eten en de dure champagne, die zo fatsoenlijk en verstandig was om Frans te zijn, tussen de chic geklede mensen door terugslenterde en haar plek in het midden weer innam, in afwachting van de ontknoping. De wanhopige minnaars waren ongetwijfeld ten dode opgeschreven.

Wagner wreekt zich altijd weer. Zijn macht kent een methode: compliceer, draai eromheen, houd je in. Laat het water dat door de damwand sijpelt tastbaar worden, zichtbaar en kleverig. Laat dan alle verwachtingen die zijn gewekt in één machtige golf de vrije loop. Kom over de brug. De rechter had al een heleboel lawaaiige, waardeloze aanstellerij moeten doorstaan.

Ze verwachtte alleen maar meer van hetzelfde en niets onverwachts. Toch bleef ze tegen beter weten in aandachtig kijken.

Das Schiff? Das Schiff?
Isoldes Schiff?
Du mußt es sehen!
Mußt es sehen!
Das Schiff? Sähst du's noch nicht?
Zie je Isoldes schip nog niet?

De laatste akte van *Tristan en Isolde* gaat over wachten, vol ongeduld en frustratie, wachten, wachten tot het leven wegebt, wachten op de morgenstond, wachten om degene van wie je houdt nog één keer te zien, wachten op de dood. En de muziek laat je wachten. Kwam het door de champagne? De rechter voelde de spanning uit haar kaken en schouders wegtrekken. Ze liet de kasjmieren sjaal van haar rug glijden. Laat los. *Laat alles los. Alsof je een touw laat vieren. Is dat een goede metafoor? Ja, laat het los.* En dat werd haar noodlottig. De plot bleef statisch en onwaarschijnlijk, maar de muziek begon een ander verhaal te vertellen. Wij zullen er niet altijd toe veroordeeld zijn om te wachten, vergeten bij de poorten. De verboden liefde, die wij hebben opgeofferd, zal ons tienvoudig worden vergoed. Wij zien degene van wie wij houden, degene die ons is voorgegaan, voor ons uit lopen en in de duisternis verdwijnen. Maar wij weten diep vanbinnen dat wij, in het rijk van deze wereld, slechts één stap hoeven zetten, één enkele stap over die drempel, om deelgenoot te worden van de glorie die ons wacht in die eeuwige, eindeloze nacht.

De jonge sopraan had een stem die niet zelfverzekerd of krachtig genoeg was om de 'Liebestod' op haar knieën te zingen, naast het lichaam van haar dode geliefde, zoals hij meestal wordt uitgevoerd. Daarom kwam het slot van de opera als een verrassing voor het publiek. Er daalde een dun scherm neer tussen de zangeres en het schouwspel van de bijeengekomen hofhouding, treurend om de dood van de held, de hoofden gebogen in verdriet. Toen kwam de sopraan naar voren en ging de zaalverlichting aan. Daar stond zij, niet langer een actrice in een opera, maar een echt, ademend menselijk wezen, een vrouw van wie de geliefde in haar armen was gestorven, nog geen twee meter bij de rechter vandaan.

Mild und leise
wie er lächelt...

O Dood, waar is uw prikkel? O Dood, waar is uw overwinning?

Seht ihr's, Freunde? Seht ihr's nicht?
Immer lichter
wie er leuchtet,
stern-umstrahlet
hoch sich hebt?

Nu richtte zij zich rechtstreeks tot het publiek, haar armen uitgestrekt, haar gezicht stralend van vreugde. Want de Nacht wenkte haar, die eindeloze vreugdevolle Nacht, die gulle belofte van eeuwigheid en dromen vol vervoering. Het meisje strekte haar armen uit naar het publiek, hun smekend om hun zegen en instemming. Want wat wacht ons aan de andere zijde van de dood? Glorie, glorie, glorie: ik heb het met eigen ogen gezien en geef u mijn woord. De duisternis achter de jonge zangeres opende zich in een winderige dageraad, zodat de figuren, zo roerloos als standbeelden, donker stonden afgetekend tegen het veranderde licht. De rechter, die niets meer zag en haar adem voelde stokken, merkte dat haar gezicht nat was van tranen.

Ze verwachtte dat het eindeloze applaus en het terugroepen van de acteurs, haar de tijd zou geven om weer tot zichzelf te komen, maar het zachte, vermoeide gezichtje van de jonge sopraan, overvloeiend van uitputting en blijdschap, haar blonde haren vochtig tegen haar wangen geplakt, raakte de rechter – als dat al mogelijk was – nog dieper. Toen het publiek ging staan om haar toe te juichen, stond de rechter ook op en liet haar tranen de vrije loop. Door een onbedwingbare waas van tranen zag zij de componist voor zijn eigen acteurs en orkest applaudisseren, met diezelfde uitgeputte tevredenheid op zijn gezicht.

Toen was het allemaal voorbij.

Het publiek in haar rij week uiteen als de Rode Zee voor Aärons staf en ging op huis aan, de helft in de ene richting, de helft in de andere. De rechter bleef achter en pakte haar tas en sjaal, aarzelend en vermoeid, alsof ze door een emotionele mangel was gehaald. Opeens verscheen de componist aan het eind van de lange rij rode stoelen. Verschillende mensen spraken hem aan en één man schudde hem de hand. Hij schoof hen allemaal opzij en stormde op haar af als een kruisridder die eindelijk een dame in nood ontwaart die hij kan redden. Zij voelde hoe zijn handen de tranen van haar gezicht veegden. Zonder meteen iets te zeggen, drukte hij haar een grote, opgevouwen witte zakdoek in haar hand en daarna zei hij, bijna fluisterend: 'Dank u, madame Carpentier. Uw tranen zijn het kostbaarste compliment dat wij ons kunnen wensen. U hebt in ons geloofd en u hebt ons werkelijk gehoord. Wij kunnen u niet dankbaar genoeg zijn.'

De rechter worstelde met haar gevoelens, die aan flarden waren gerukt, en vocht als een tijger om haar afstand en zelfbeheersing te bewaren. Ze keek de componist aan, maar wist niet zeker of zijn woeste blauwe ogen nu werkelijk tot een mistig grijs waren verzacht of dat zij nog steeds overmand werd door onvergeeflijke emoties. Ze miste iets.

'Mijn bril! Ik ben mijn bril kwijt.'

Hij keerde alle stoelen aan weerszijden van de hare ondersteboven en vond de onbeschadigde bril onder de rij vóór haar. Op welk moment was ze hem kwijtgeraakt en had ze niet meer scherp kunnen zien? Ze had geen idee.

'Het spijt me,' mompelde ze, 'meestal laat ik me niet zo gaan.' Ze voelde zijn enorme handen zachtjes op haar schouders rusten.

'We zijn ons voortdurend tegenover elkaar aan het verontschuldigen, madame Carpentier. Maar dat is in uw geval helemaal niet nodig. Voor deze tranen mag u zich nooit verontschuldigen. Nooit.'

Deze laatste woorden klonken zo fel en intens, dat er opeens een gedachte opkwam in het hoofd van de rechter. Zij had de strijd van vanavond verloren. Zij was op het terrein van de vijand verslagen. Ik moet aan deze man ontsnappen. Nu.

Hij bracht haar naar de foyer en begon met een van zijn assistenten te onderhandelen. Opeens realiseerde ze zich dat ze de roodbruine kasjmieren sjaal had laten liggen, dus excuseerde ze zich en haastte zich de zaal weer in. De sjaal lag als een genezende wond aan het eind van haar rij op de grond. De rechter raapte hem op, vouwde de zakdoek van de componist open en snoot hard haar neus. Toen ze haar bril weer opzette en weer scherp kon zien, zag ze een dik, dichtgevouwen boekwerk, zo groot als een collegeblok of een schetsblok, op de stoel vóór haar liggen. Het was de partituur van de componist, de volledige partituur van Wagners *Tristan en Isolde*. Met de bedoeling het aan hem terug te geven, pakte ze het boekwerk op en terwijl ze terugliep naar de vestiaire bladerde ze het langzaam door. In het theater werd alles opgeruimd en klaargemaakt voor de nacht. Vanachter de gesloten gordijnen hoorde ze gebonk en stemmen. Waarschijnlijk werd daar het decor ontmanteld of weer in een andere opstelling opgebouwd. Op de balie lagen nog programmaboekjes, het *Spielplan* voor het voorjaar, met daarin een lijst van alle nog te verwachten voorstellingen, en brochures van het Muziekfestival, op keurige stapeltjes. De bar en snacks waren al opgeruimd. De deuren die naar het aangrenzende restaurant leidden waren donker en op slot. De rechter keek neer op de blauwe tekens en losse aantekeningen die in het Duits in de kantlijn waren geschreven. Het leek net alsof de componist hier reageerde op de muziek.

Opeens bleef ze staan en staarde naar het papier. Een akelig, vergeten fragment van haar brein dat was gedempt, verdoofd en tot zwijgen was gebracht stak opeens weer met een agressieve ruk de kop op. Want daar, naast de 'Liebestod', die verschrikkelijke lofzang op ondergang en eeuwigheid, schitterde, in de kantlijn een reeks ruw geschetste letters die veel leken op ongeaccentueerd Hebreeuws. Daar, in het handschrift van de componist, schitterde de levende, geheime taal van het Geloof.

7

DIENAREN VAN ISIS

'WAT MIJ HET MEEST DWARSZIT,' ZEI Gaëlle, op haar bovenlip kauwend, 'is dat je hem nog niet hebt laten arresteren.'

'Op verdenking waarvan?' antwoordde de rechter. 'Van het feit dat hij zichzelf op enig moment in de toekomst om zeep wil helpen? Of omdat hij wist dat zijn vrienden zelfmoord gingen plegen? Moeilijk te bewijzen. En trouwens, dat hij mensen in gevaar niet heeft geholpen, is het enige waarvan ik hem kan beschuldigen. Dat hij een heel oude en geheime taal kan lezen en schrijven? Dat hij zich gedraagt als een gestoorde gek en vervolgens al zijn charmes in de strijd gooit om het weer goed te maken? Dat zijn allemaal geen misdrijven, Gaëlle. Voor zijn wet niet en ook niet voor de onze. En ik heb niet eens voldoende informatie over het Geloof om het als een sekte te kunnen betitelen. Ik heb geen officiële leden, geen wettelijke of associatieve constructie, geen registratie of documentatie. En geen spoor van het geld. We hebben niet eens het wapen kunnen vinden dat is gebruikt om madame Laval dood te schieten.'

Gaëlle rommelde opstandig door haar dossiers.

'Nou, verzin dan wat. Verberg het pistool tussen zijn spullen. Net zoals ze op tv doen.'

'Mij best. Ik zal Schweigen meteen aan het werk zetten. Maar om Friedrich Grosz met dat pistool op te zadelen, zullen we het toch eerst moeten vinden.'

De rechter schoof drie dikke dossiers over het Geloof die de hele linkerkant van haar bureau in beslag namen, opzij en pakte de uitpuilende mappen over Agape: Genezen door Liefde, die een veel eenvoudiger karakter hadden. Al onze ziektes komen voort uit een gebrek aan broederliefde en de zorg van genezende handen. Bereid je voor op een eerste inschrijfgeld van drieduizend franc, zonder recht op teruggave – en na een serie van zes sessies met een zelfhulpgroep van gelijkgestemde gelovigen, onder leiding van een specialist, is alles – wonderen niet uitgesloten – mogelijk. De publicatie bevatte getuigenissen van mensen die zich hadden aangemeld als ongelovige thomassen en toch van alle mogelijke aandoeningen – van psoriasis tot kanker – genezen waren. Een vrouw leed aan 'tintelingen in de knieën', maar het geloof van haar Agapegroep had haar geest verheven naar grotere, hogere zaken en de tintelingen waren op wonderbaarlijke wijze verdwenen. De goeroe, Thucydides Magistos, naar alle waarschijnlijkheid een Griek, was een verdachte met wie ze al vaker te maken had gehad. De rechter was hem al eens tegengekomen als de leider van een Egyptische cultus, de Dienaren van Isis – *Wij zijn de dienaren van Isis en wij hebben gezworen Haar te gehoorzamen* – die deze oude religie in de westerse wereld wilden invoeren. De goeroe, destijds terzijde gestaan door een voluptueuze matriarch, verklaarde haar heilig, de enige ware reïncarnatie van de Godin zelf. De dame in kwestie geloofde hem. Zij bleek geen oplichtster te zijn, maar gewoon gek. Isis leed aan fantasieën over onmiddellijke vergoddelijking en eiste een mensenoffer, bij voorkeur een knappe Osiris. Zij zou hem met haar eigen machtige handen en tanden in stukken scheuren en daarna weer in elkaar zetten, waarbij ze heilige tranen als lijm zou gebruiken. De gewillige geïnitieerde werd gered, de godin Isis in een gesticht opgesloten en de goeroe kreeg een aantal buitensporige boetes opgelegd. De rechter kon geen doorslaggevend bewijs leveren om aan te tonen dat hij iets te maken had gehad met het offerplan en voor de rechtbank ontkende hij zijn betrokkenheid in alle toonaarden en beweerde dat Isis hem in haar macht had gehad.

Nu vertelde Thucydides Magistos aangrijpend en gedetailleerd zijn eigen bekeringservaring. Die had opmerkelijk veel weg van Paulus' ongemakkelijke ontmoeting met Onze Verlosser op de weg naar Damascus, zoals verhaald in de Handelingen der Apostelen. De rechter vermoedde dat dit verhaal wel eens de bron kon zijn geweest. Ik was trots, ik wilde niet geloven, maar Gods hand wees mij de weg. Hij zei mij naar de stad te gaan, want ik ben Zijn uitverkoren werktuig om Zijn naam te brengen voor heidenen en koningen en de kinderen Israëls. Zijn gefluisterde gebeden in het Grieks bleken buitengewoon effectief en maakten zelfs een eind aan het gangreen in de voet van een oude dame. De rechter bladerde door de medische verslagen van de artsen. De leden van Agape: Genezen door Liefde die ongeneeslijke ziektes hadden waren uiteindelijk toch overleden, maar wel in alle rust en vrede en omringd door hun zelf gekochte, trouwe vrienden.

Gaëlle typte hun onderbroken vraaggesprek met de componist uit en sloot toen de grote grijze luiken van hun kantoorramen tegen de middagzon. Die was zojuist weggegleden van de Kerk van Onze-Lieve-Vrouwe van Erbarmen en viel nu in een lange, brede lichtbundel over het donkere parket. De koele lucht die bleef hangen onder de hoge plafonds, hield de temperatuur in het kantoor op een aangename 23 graden. De rechter weigerde principieel airconditioning te laten installeren. De planeet moest worden behoed voor 'klimatisering', wat volgens de rechter overigens een verkeerd gekozen term was. Hun bureaus stonden tegenover elkaar, zodat de vrouwen niet op elkaars computer konden kijken en niet exact wisten welke documenten de ander onder handen had. Gaëlle kon het Geloof niet uit haar hoofd zetten, maar beschermde haar eigen onderzoeksresultaten voor de spiedende ogen van de rechter. Waarom kon zij de zaak niet gewoon opbergen onder 'In afwachting van nieuwe bewijzen', net als alle andere nog niet afgesloten zaken die ze in behandeling had? Haar probleem kwam voort uit een persoonlijke antipathie jegens zowel Schweigen als de componist. Zij bewaakte Dominique Carpentier met de woestheid van een jaloerse god en deze mannen namen te veel van de kostbare aandacht van haar rechter in beslag. Gaëlle bestudeerde de ballistische rapporten, vergeleek de diagrammen, grafieken en cijfers. Ten slotte waagde ze het de discussie weer nieuw leven in te blazen.

'Hé, luister eens. Als Anton en Marie-Cécile met hetzelfde vuurwapen zijn gedood en het forensisch team er toch vrij zeker van is dat ze zichzelf hebben neergeschoten, dus zonder hulp van derden, als je begrijpt wat ik bedoel, maar het zelfmoordwapen toch verdwenen is, betekent dat dan niet dat er altijd één persoon bij het massale vertrek aanwezig is die zelf niet meegaat? Eén persoon die achterblijft? En als er één persoon is die wij nog niet kennen, dan is er dus toch nog iemand over om te vervolgen,' hield Gaëlle vol, vastbesloten om door middel van deductie tot een oplossing te komen.

'Inderdaad,' zei de rechter, zonder op te kijken, 'maar dat hoeft niet beide keren dezelfde persoon te zijn geweest.'

'En in geen van beide gevallen kan het de componist zijn geweest,' verzuchtte Gaëlle, zichtbaar teleurgesteld. 'Zijn alibi is waterdicht. Hij is beide keren door minstens tweeduizend mensen gezien.'

Het was stil in het kantoor. 's Middags werd het altijd rustig in de stad.

'Maar denk je niet dat die ene persoon daar dan voor de rest van zijn of haar leven vreselijke nachtmerries aan heeft overgehouden? Ik bedoel – nadat hij iedereen die hij kende en liefhad daar dood heeft zien liggen?'

De rechter keek op.

'Dat hoeft niet per se, Gaëlle. Het hangt af van je relatie met de dood. Van wat je denkt dat de dood inhoudt.'

De rechter zag een jonge vrouw voor zich, die zich met uitgestrekte armen over een betoverd publiek heen boog, iedereen ervan overtuigend dat ons verlangen naar de eeuwige nacht nooit vergeefs zal zijn. Omhels de vreugde van de oneindige, oneindige nacht en volg, volg mij. De rechter huiverde zachtjes en wierp Gaëlle een strenge blik toe.

'Laat het Geloof nu maar even zitten, Gaëlle, en help me een eind te maken aan die gestoorde ziektegenezers. We krijgen snel genoeg weer met ze te maken.'

En zo verdween het Geloof, gebundeld in enkele uitpuilende dossiers, opgeborgen in de crèmekleurige kast in het kantoor van de rechter – onopgeloste zaken, *affaires non classées* – die lagen te wachten op nieuwe informatie en ontwikkelingen. Er gingen twee maanden voorbij. Gaëlle knipte alle artikelen uit de lokale en landelijke dagbladen waarin madame Lavals drukbezochte herdenkingsdienst werd beschreven, gehouden in hetzelfde parochiekerkje waar de rechter ooit was gedoopt. Er werd wel op discrete wijze verwezen naar de gruwelijke omstandigheden van haar tragische verscheiden, maar niemand gebruikte het woord 'zelfmoord'. Wel waagde *Le Nouvel Observateur*, waarin een reeks artikelen verscheen over hedendaagse sektes, het om het vertrek van nieuwjaarsdag als een slachting te beschrijven. De rechter belde hen op om te klagen. Die avond zat de rechter nog aan haar bureau, met haar sterrenkaarten voor zich uitgespreid over het groene leer. De kantoren waren al lang gesloten en de bewaker had zijn ronde gedaan, waarna hij naar het voetballen was gaan zitten kijken op het geheime televisietje dat op een beveiligingsbeeldscherm leek. Ze kon het niet maken om nog meer werkuren te spenderen aan haar gepieker over het Geloof, maar ze was ervan overtuigd dat er iets vreemds aan de hand was, iets wat vlak onder de oppervlakte lag, waar ze het net niet kon zien, maar wat overduidelijk was voor diegenen die de fascinerende weg van de sterren kon volgen.

De republiek van de rede leek in volle aftocht, want de jaarlijkse omzet van helderzienden, mediums, commerciële mystici en zieners bedroeg tegenwoordig al meer dan vier miljoen euro. Ze probeerde het bedrag om te rekenen in francs, maar gaf haar pogingen op toen ze las dat alle bewoners van Martinique in contact stonden met gene zijde. De verlichtende waarde die Dominique Carpentier hechtte aan rede, rechtvaardigheid en menselijke discipline was kennelijk niet meer van deze tijd. De kleine winkeltjes die afgodsbeeldjes, kristallen, geurkaarsen, boeddha's, krishna's, magische kruiden in zijden zakjes, kralen en bedeltjes met gegarandeerde gezondheid, een lang leven en seksuele vermogens op een voor normale mensen onvoorstelbare schaal te koop aanboden floreerden in elke stad. Ze vestigden zich in kleine hoekjes van boekwinkels, adverteerden in vrouwenbladen en konden onmiddellijk worden bereikt via onze website. Een witte heks, een goddeloze volgelinge van Gaia, gaf zelfs astrologische consulten via de telefoon. Het enige wat je nodig hebt is een goedgelovige ziel en een creditcard. De sekten werden naar een eeuwig zielenheil geleid door rijke mannen. De Griekse goeroe beschikte over een villa in Toscane en een appartement aan het strand van Miami, ontving royale geschenken van devote volgelingen, en hoefde die niet op te geven bij de belasting, want officieel had de goeroe geen persoonlijke bezittingen. Hij was de armoede ontstegen. Zijn ruime dojo in Parijs werd gefinancierd door een Engelse aristocraat, die elke woensdag het Kanaal overvloog om de wonderbaarlijke genezingssessies bij te wonen, waar iedereen, na vijf kwartier oefeningen in de oosterse vechtkunsten te hebben gedaan, contact maakte met zijn onderbuik. O Heer, ik wandel tussen de dwazen en treuzel voor de poorten van het paradijs, waar de engel staat, met getrokken zwaard. De rechter boog haar hoofd in ongelovig gebed en dodelijke vermoeidheid.

Haar mobieltje lichtte op en trilde zonder geluid te maken over haar bureau. Ze tuurde naar het nummer. Geen nummerherkenning. Ze keek op de klok. Kwart voor twaalf. Toen nam ze op.

'André? Waar ben je?'

'Buiten. Ik sta omhoog te kijken naar je raam. De beveiliging laat me er niet in.'

De rechter stond op, stram en blij. Ze gooide de luiken open en leunde naar buiten. Twee verdiepingen onder haar, op de smalle klinkerstraat, omhoog turend door de oranje schaduwen, stond André Schweigen. Ze begroette de brede lach en de vierkante trekken van de man die uit liefde voor haar met zijn blote handen vuren had gedoofd.

'Ik kom net aanrijden!' riep hij omhoog.

'Midden in de nacht?'

''s Middags is het veel te warm. Kom naar beneden. Ik heb nieuws. En nieuwe bewijzen.'

André Schweigen hield het Geloof levend. De zaak was belangrijker voor hem dan welke andere zaak ook, omdat het de poorten naar de rechter voor hem opende.

Haar huis hield zich ademloos en doodstil schuil op een kleine heuvel ten noordoosten van de stad, omringd door een kale stenen muur en een discrete barrière van pijnbomen. Zij besproeide haar tuin door middel van een computergestuurd systeem van buizen, die in het donker lagen te sissen en te spuiten. Toen ze uit hun auto's stapten hoorden ze het sproeien en roken ze het water. Schweigen aarzelde even voordat hij zijn kleine tas uit de achterbak haalde. Ze had hem niet uitgenodigd om te blijven slapen. Een warme wind ruiste door de takken van de onvolgroeide pijnbomen. Toen Schweigen in de geurende duisternis op het grind stond begon hij zich te verontschuldigen.

'Ik heb geprobeerd je te laten weten dat ik zou komen. Ik heb drie boodschappen achtergelaten op je antwoordapparaat,' zei hij. 'Op kantoor was er niemand meer om me door te verbinden en op je werk heb je je mobieltje meestal niet aanstaan.'

'Het geeft niet, André. Je mag vannacht wel blijven. Ik zat een beetje in de put. Ik ben blij dat je er bent.'

Ze morrelde met haar sleutels in het slot. Opeens gingen alle terraslichten aan en meteen gonsde het van de insecten. Haar moeders clafoutis lag onaangeroerd in de koelkast. Waren de vruchten al tot rubber gestold? Hoopvol prikte ze in de kleine vlaai.

'Ze heeft hem zondagochtend pas voor me gemaakt. Hij is verrukkelijk. Hier, pak een vork.'

Naast elkaar aan de keukentafel gezeten, als een stel ondeugende kinderen die zonder toestemming laat zijn opgebleven, smulden ze van de gepocheerde abrikozen en dronken gulzig een heel pak ijsthee leeg.

'Waar denkt je vrouw dat je bent?' vroeg de rechter, terwijl ze haar bordje van zich af schoof. Haar huis bleef zelfs 's zomers koel, achter de blauwe luiken en de dikke, stenen muren. Schweigen haalde zijn schouders op, geïrriteerd en enigszins vertwijfeld.

'Ik heb haar verteld dat ik bewijsmateriaal naar jou ging brengen. Dus ze denkt dat ik hier ben. Bij jou.' De rechter trok een wenkbrauw op en schonk hem haar ironische glimlach. Vervolgens zette ze haar bril af en wreef over haar voorhoofd. Hij keek aandachtig naar haar vermoeide ogen.

'Ik begrijp het. Nou? Waarom ben je helemaal hiernaartoe gekomen, André? Waar is het bewijsmateriaal?'

Schweigen haalde een verzegeld plastic zakje uit zijn tas, met daarin een klein blauw doosje en een opgevouwen velletje kerstpapier.

'Kijk.'

Hij pakte het doosje weer in in de glanzende gedecoreerde geschenkfolie. De rechter zag dat het papier perfect paste. Elke vouw zat strak en precies om het cadeautje. Ze hoefde het kaartje, dat aan een glanzend zilveren draadje bungelde, niet eens te lezen, want ze kende de woorden uit haar hoofd: *Voor mijn lieve Marie-T, Je t'aime, ma petite chérie, Bisous, Maman* – in het zorgvuldige, sierlijke handschrift van madame Marie-Cécile Laval.

'We hebben de inhoud van alle prullenmanden en alles wat maar enigszins van belang was uit de vuilnisbakken gehaald en meegenomen. Weet je nog? Dit doosje lag verstopt onder het onderste bed van het stapelbed in de kinderkamer en is pas teruggevonden toen we het chalet weer hadden vrijgegeven aan de eigenaars. Zij gaan het huis verkopen. Hoewel ik hun heb verteld dat er niemand in het huis zelf is overleden. De vrouw had het doosje voor alle zekerheid maar bewaard. Het papier had je beneden gevonden. Ik legde het verband door het adres op het doosje. Kijk zelf maar.'

Hij hield het dekseltje tegen het licht van de lamp boven haar keukentafel. De opgedrukte letters glansden goudkleurig tegen het blauw:

GOLDENBERG'S
Montpellier

'Ken je die?' Hij keek haar zelfvoldaan en verwachtingsvol aan.

'Natuurlijk. Daar heb ik mijn armband gekocht.' Schweigen keek fronsend naar het sieraad, jaloers op de voortdurende aanwezigheid ervan om haar arm.

'Het leek me wel een goed idee om uit te zoeken wat Cécile Laval haar dochter heeft gegeven. Ze had haar eigen dood al voorbereid. Het was haar laatste cadeau, dus het moet wel enige betekenis hebben.'

De rechter rekte zich geeuwend uit. Het was halftwee 's nachts. André had weer eens een onwaarschijnlijk en overdreven excuus gevonden om belastinggeld te verkwisten en haar op te komen zoeken. Zijn liefde maakte hem onbetrouwbaar en onprofessioneel.

'André! Wat als het helemaal niets te betekenen heeft? Wat als het een onschuldig gouden kettinkje of bedelarmbandje is? Wat als monsieur Goldenberg zich niet eens kan herinneren wat hij in de kerstdrukte aan wie heeft verkocht? Bovendien was Marie-T volgens mij niet eens in het chalet aanwezig toen ze met z'n allen de berg op gingen.'

'Ik wil het toch proberen.'

De rechter stond op en zette hun bordjes in haar kleine vaatwasser. Schweigen bleef naar haar kijken, eigenwijs en obstinaat. Zij keek hem aan met een ondoorgrondelijke blik in haar ogen. Maar toen zij zijn grijze ogen bekeek en elke diepe lijn aan weerskanten van zijn mond bestudeerde, begon zij, ondanks haar ergernis, zijn oprechtheid te begrijpen. Ze besefte dat hij haar liefhad met een passie die zij niet kon controleren of beantwoorden. Maar dat deze jacht op de overgebleven leden van het Geloof net zo oprecht was, en net zo meedogenloos. Beide passies waren in de man met elkaar verweven. Hij was al even geobsedeerd door zijn werk als zij: maar zijn zoektocht was niet onpersoonlijk, afstandelijk. Het blauwe doosje van Goldenberg's was geen onbenullig excuus. Zijn liefde sprak uit zijn gezicht, zijn schouders, zijn gebalde vuisten, en hetzelfde gold voor zijn vastberadenheid.

'Laten we naar bed gaan,' zei de rechter.

Schweigen slaakte een lange zucht van vermoeidheid en bevrijding, en reikte haar zijn hand. Zij klemde haar vingers in zijn handpalm en hij voelde haar korte, scherpe nagels tegen zijn huid.

'Schweigen is er zeker weer?'

Gaëlle perste met een nukkige blik haar lippen op elkaar. De maand juni liep op zijn eind, de stranden wemelden van de vroege toeristen en vakantiegangers en het Geloof was in de ijskast gezet. Het reisje naar Lübeck leek lang geleden, alle verhoren en verslagen waren geanalyseerd, uitgetypt en op schijf gezet en de informatie gedownload op de M-drive. Het spoor liep dood en toch liep daar weer André Schweigen, zelfverzekerd, agressief over het parkeerterrein. De rechter stond op, rekte zich uit en liep naar het raam. Ze keek omlaag naar de straat en de plek waar hij had gestaan. Na de korte nacht waarin zij amper vijf uur had geslapen leek ze nog zo lenig en fijntjes als een kat. Gaëlle wierp een dreigende blik op haar tere schoonheid, het gladde, zwarte kapsel, haar olijfbruine benen en haar platte, zwarte klassieke schoentjes.

'Nou? Wat doet hij hier?'

Ditmaal was de opstandigheid hoorbaar in Gaëlles beheerste stem en de rechter draaide zich om, klaar om haar griffier een draai om haar ruimschoots van piercings voorziene oren te geven.

'Hij heeft nieuw bewijsmateriaal voor de zaak, Gaëlle. Ik weet dat je hem niet mag, maar pas op je woorden.'

Er werd nooit een woord gesproken over de verhouding tussen Schweigen en de rechter, en deze stilte weerkaatste nu als een echo tussen hen tweeën, alsof ze twee stenen rotsen waren met een ravijn ertussen.

'*Oui*, madame de rechter. Wij zijn de dienaren van Isis, en wij hebben gezworen Haar te gehoorzamen.'

De rechter schoot in de lach om deze ingetogen, maar bewuste brutaliteit en gaf een tikje op Gaëlles grote, vergelende computer.

'Aan het werk, meisje. Weet je al iets over de privérekeningen van de pseudo-Griekse goeroe?'

'Nog niet. Interpol stuurt me een volledige uitdraai.'

'Mooi.'

'Zal ik het Geloof maar weer opgraven?'

'Nog niet. We wachten Schweigens telefoontje af.'

Dat kwam al snel. Even voor tienen belde Schweigen rechtstreeks vanuit de winkel van Goldenberg.

'Dominique? Wil jij monsieur Goldenberg ervan overtuigen dat hij geen vertrouwelijke informatie verstrekt als hij mij precies vertelt wat hij in het gouden medaillon heeft gegraveerd dat wijlen madame Laval cadeau heeft gedaan aan haar dochter voordat ze haar vertrek naar de sterren ging regelen? Ik heb geen zin om een bevelschrift te gaan halen voor een bestelbon.'

Op de achtergrond waren de drukke protesten te horen van de belaagde juwelier.

À ma fille bien-aimée
(Voor mijn geliefde dochter)
Marie-Thérèse
Suis-moi
(Volg mij)

Het ovalen medaillon had een recent fotootje bevat van een lachende madame Laval, digitaal bewerkt en vervolgens op maat geknipt. De liefhebbende boodschap waarvan de betekenissen zich verspreidden in golven van mogelijkheden, was in de geheime ruimte aan de binnenkant gegraveerd. De rechter streek de bestelbon glad en staarde naar de met de hand geschreven woorden. Toen keek ze fronsend op naar Schweigens triomfantelijke blik.

'André, dit bewijst hoegenaamd niets.'

Hij luisterde niet naar haar. 'Wil je het meisje hier laten komen voor een gesprek, of zullen wij naar haar toe gaan?'

Dat waren zijn alternatieven. Even aarzelde de rechter.

'Gaëlle? Wil jij het domaine Laval voor mij bellen? Als het mogelijk is, wil ik vanochtend nog een kort gesprek.' Ze draaide zich om naar Schweigen. 'Ik neem aan dat jij vanavond terugrijdt naar Straatsburg? Ja? Mooi zo. Dan gaan we met twee auto's. Het domaine ligt op je route.'

'Ik ga ook mee,' zei Gaëlle op bitse toon. Ze had zich alweer lang genoeg buitengesloten gevoeld.

8

PERSEPHONES DUBBELGANGSTER

ZE REDEN LANGS DE VILLA'S IN de voorsteden die omhooggeschoten uit de rode aarde en bereikten de wijngaarden die in kaarsrechte, eindeloze groene rijen wegvoerden van de stad. Een groot aantal nieuwe, langs lijnen geleide ranken, stonden teer en groen te glanzen, hun wortels volkomen vrij van onkruid. Aan het eind van elke rij was een jonge roos geplant. De rozen functioneerden als waarschuwingssysteem tegen odium, meeldauw en zwartrot. De rechter hield van het ritme van de jaargetijden in de wijngaarden. Het snoeien in januari en het besproeien van de planten met zwavel in het vroege voorjaar. De smalle wegen werden dan bepaald gevaarlijk vanwege de grote groene machines, die als langgerekte bewegende croquethoepels tussen de bloeiende greppels rolden. In de vroege zomer wierp het landschap al zijn waterreserves in een zee van witte bloemen en wolken van rode rozen, die voor het aanbreken van de grote hitte en verwelkende bladeren de vruchtbare periode van rijpend groen aankondigden. Het weer was heel belangrijk. Bid voor regen in mei en juni, gevolgd door een snikhete zomer met een enkele niet al te zware onweersbui, geen hagel, alstublieft God, geen hagel. En dan een warme septembermaand tot aan de wijnoogsten en het uitbundig inhalen van de seizoensarbeiders; toen zij nog een meisje was waren het Spanjaarden geweest, maar nu sjokten er Polen en Roemenen tussen de wijnstokken om de oogst binnen te halen. Soms waren het hele families, van alle leeftijden, die de grote rode plastic emmers op hun schouders namen en weigerden hun pas in te houden op de steenrode aarde van haar vaders land, en dat van zijn vader vóór hem. Haar hele jeugd had dit ritme gevolgd en als zij als oudste zoon was geboren had ze het familielandgoed nooit verlaten.

In de olijfboomgaarden hielden ze even stil om zich ervan te overtuigen dat Schweigen nog steeds achter hen reed.

'Jouw ouders verbouwen olijven, hè, Gaëlle?' De griffier zat zwijgend en strijdlustig naast haar en rammelde met haar sieraden alsof het de wapens van een gladiator waren.

'Ja, en?'

'Hielp jij toen je klein was ook altijd met de pluk?'

'Ik moest wel. We hadden verrekte weinig keus. Ze lieten me in de olijfgaarden werken en ik haatte het. Ik haatte het om vast te zitten in dat kleine dorp, waar iedereen alles over je weet. Ik wil nooit meer op het platteland wonen. Nooit meer.' Gaëlle keek naar de wijnstokken en gromde afkeurend.

De rechter onderdrukte een lach en concentreerde zich op Schweigens blauwe Clio die achter hen aan reed, langs een rij wiegende cipressen. De bomen zagen er gammel en topzwaar uit en hingen tegen elkaar aan en half over de weg. Toen ze naar Gaëlle keek veranderde haar binnenpretje in genegenheid; de rechter hoopte dat ze zelf nooit met zoveel ongekunstelde charme haar hart op haar tong had gedragen. Gaëlle zou een waardeloze rechter zijn. Wanneer ze boos was spuwde ze vuur, wanneer ze een hekel aan mensen had, vertelde ze hun dat gewoon, compleet met alle redenen die ze ervoor had, terwijl haar doodshoofdsymbolen schitterden van agressie.

Het domaine Laval strekte zich naar boven uit over de glanzend groene hellingen, waar de lange, glinsterende rijen wijnstokken lagen te schitteren in de wind en de zon. Het huis lag op het zuidwesten. Ze vingen een glimp van de voorzijde op toen de rechter de smalle weg naar de ijzeren poorten insloeg. De gebouwen bestonden uit simpele maar indrukwekkende, dikke muren van enorme stenen en glimmende rode dakpannen, met vaak smalle ramen met luiken ervoor. De daken waren recentelijk gerepareerd met een combinatie van oude en nieuwe pannen, en het was moeilijk te raden welk dak volledig was vernieuwd. Hoge cipressen vlijden zich tegen de muren en staken donker af tegen het glanzende gesteente. De rijkdom van de Lavals strekte zich voor haar uit in de lange rode hellingen van hun terroir en de steenrode aarde die duizenden jaren lang met liefde was gecultiveerd en verzorgd.

DOMAINE LAVAL
VIGNOBLES DU LANGUEDOC
VENTE DIRECTE
VIN EN VRAC

Het symmetrische kruis van de Languedoc in het midden van het familiewapen maakte het symbool compleet en stond afgebeeld op de etiketten op hun flessen. De rode wijnen wonnen prijzen, maar connaisseurs kochten liever de zeldzamere zoete witte wijnen van de hogergelegen hellingen. De hekken stonden open en het gebrul van landbouwmotoren denderde hen tegemoet, maar kwam toen sputterend tot rust. Op het erf stonden twee Nederlandse auto's, met de zonnedaken half open en gonzend van de opgesloten insecten. De honden, die languit op de betonvloer lagen, tilden even hun kop op, maar lieten hem vervolgens weer zakken, terwijl hun vel voortdurend rimpelde onder het zachte gegons van dikke vliegen.

Gaëlle en de rechter stonden pal voor de gewelfde stenen toegang tot de grote wijnkelder en rechts daarvan zagen zij de rookglazen deuren van de kantoorruimtes. Dit was de binnenplaats, waar het huis zelf met de rug naartoe stond. De immense muren van de kelders waren twee meter dik en hadden een koepelvormig dak, als van een kathedraal. De werkruimtes van het domaine stonden tegen de heuvel en een groot deel van de diepe opslagkelders liep als tunnels onder de grond, zodat de binnentemperatuur zomer en winter achttien graden bleef. De deur van het kantoor werd gesierd door afbeeldingen van alle bestaande creditcards, die als vlaggetjes langs de deurlijst waren geplakt. Binnen stonden de verschillende jaargangen in geschenkdozen uitgestald op een rij houten vaten. In de schuur stond iemand zingend een aanhanger schoon te spuiten.

De rechter parkeerde naast de Nederlanders, wierp een blik in het kantoor en zwaaide naar de vrouw die haar toeristen probeerde te verleiden met kleine slokjes wijn in mooie glazen, die eveneens verkrijgbaar waren in geschenkverpakking en waarin het familiewapen was gegraveerd.

'Myriam!' fluisterde zij.

'Excusez-moi!' De andere vrouw kwam door de glazen deur naar buiten en omhelsde Dominique.

'Madame de kleine rechter! Kom je voor Marie-T?' Ze keek naar Gaëlle, van wie de moordlustige uitdrukking nog erger werd toen Schweigen het erf kwam oprijden. 'Mijn god, de commissaris. Daar zullen ze niet blij mee zijn. Niet na wat er in februari is gebeurd, dat kan ik je wel vertellen. Hij is hier sindsdien niet meer geweest.'

Schweigen stapte uit zijn auto. De rechter verhief haar stem. Ze wist heel goed wat er in februari was voorgevallen, maar besloot maar meteen gebruik te maken van het debacle.

'Wat is er dan precies misgegaan? Dat heeft niemand me exact verteld.'

'Dat vertel ik je nog wel,' siste Myriam, terwijl ze eerst een angstvallige blik op Schweigen wierp en vervolgens op de Nederlanders, die van de gelegenheid gebruikmaakten om nog maar een flinke slok te nemen uit een fles die meer dan driehonderd franc waard was. 'Maar Marie-T verwachtte jou, alleen jou. En ze wil graag praten. Alleen met jou. Maar...' Schweigen bleef een eindje bij hen vandaan staan, maar kon toch horen wat zij zeiden. Myriam haalde haar schouders op, gaf het op en zei iets harder: 'Loop maar naar voren. Je kent de weg. Roep maar wanneer je onder aan de trap staat.'

De rechter knikte en liep weg, met haar griffier als een bloedhond op haar hielen.

'Gaëlle? Weet jij precies wat er gebeurd is?'

'O ja. Ik weet zeker dat ik je dat heb verteld. Schweigen kwam hier met zijn mannen. Vervolgens is het waarschijnlijk tot een handgemeen gekomen. En toen zijn ze eruit gegooid. In zijn verslag deed hij het voorkomen alsof de componist de agressor was. Maar ik wil wedden dat het om het even was.' Gaëlle glimlachte boosaardig. Ze haalde haar notitieboekje alvast tevoorschijn, klaar om het volgende gewelddadige voorval vast te leggen. 'Hoe ken jij Myriam? Is zij je spionne in het huis?'

'Zeker niet. Wij hebben bij elkaar in de klas gezeten.' Schweigen kwam naast hen lopen, trok zijn jasje uit en stroopte zijn mouwen op. De rechter draaide zich met opgezette stekels naar hem om. 'André, je houdt het beleefd en hoffelijk en je laat mij het woord doen. Marie-T is pas zeventien en we krijgen veel meer uit haar los door vriendelijk te zijn en goed te luisteren.'

Achter de glazen deur van het kantoor stond Myriam druk te gebaren. De rechter glimlachte terug en liep de hoek om.

Op het nieuwjaarsbal, nu vijfentwintig jaar geleden, hier in de grote zaal van het domaine Laval, had zij met Myriam gedanst. Dat was de goede oude tijd toen de oude heer, Bernard Laval, een goede jachtvriend van haar vader, nog heer en meester was over het domaine. Mademoiselle Marie-Cécile Laval had stralend haar rol van charmante oudste dochter gespeeld, net getrouwd en erfgename van het grootste deel van haar vaders vermogen; alle jonge meisjes op dat nieuwjaarsbal hadden zich aan haar schoonheid vergaapt, hadden haar benijd en bewonderd en allemaal precies zo willen worden als zij. Zij was de eerste die na het diner, toen de muzikanten hun plek innamen, de dansvloer was opgegaan, veilig in de armen van haar vader. Maar ondanks de luidkeelse aanmoedigingen van iedereen die boven de vijftig was en nog aan tafel zat of aan de bar stond te roken, ging er niemand anders de vloer op. De jongens, in hun onberispelijk gestreken witte overhemden, bleken te verlegen om de jongere meisjes ten dans te vragen en dus had Dominique Carpentier, met alle ernst van een ridder die zijn dame het hof maakt, een buiging gemaakt voor haar vriendin. Hierop had Myriam, betoverend in een gebloemde zelfgemaakte japon, thuis gemaakt, want er was nooit geld voor onpraktische kleren, blozend haar haar achter haar oren gestreken en haar ranke middeltje door haar danspartner laten omvatten. Ze dansten weg over de oude stenen vloeren, in een roes van champagne, houtrook, de geur van dennenappels in de haarden, ademloos, duizelig van verrukking. Toen de jongens moed hadden verzameld en op hen af kwamen slenteren, dansten de meisjes bij hen vandaan, lachend, wervelend, plagend, uitdagend, met uitwaaierende rokken en gezichtjes die straalden in het schijnsel van de vlammen. En de oude mannen en vrouwen die op de banken bij elkaar zaten, klapten en joelden om hun brutaliteit – Dominique Carpentier, het jongensachtige, bebrilde slimmerikje, en Myriam, net zestien, van wie de volle lippen en borsten de ouderen in vervoering brachten. Zij was een meisje vol beloftes en weelderige sensualiteit, voor wie een toekomst in het verschiet lag die overvloeide van liefde en kinderen. Het meisje Carpentier zal nooit trouwen. Zij heeft ander werk te doen in deze wereld. En nu keken die twee elkaar aan door een glazen deur, de een al tien jaar gelukkig getrouwd en moeder van drie kinderen, met een baan op het domaine waar ze ooit had gedanst, en de ander die eenzaam en onverzettelijk haar prooi achtervolgde door de wijngaarden van haar jeugd.

Het driekoppige gezelschap liep om het huis heen. De wijnranken reikten als een groene golf bijna tot onder aan de trap. Een smal met gras begroeid pad, dat bruin lag te worden in afwachting van de grote hitte, bracht hen naar de hoofdingang. Op de stenen balustrades stonden enorme aardewerken potten met overvloedig bloeiende rode geraniums. Het langwerpige terras lag in de schaduw, overdekt door een oranje met wit gestreept elektrisch bedienbaar zonnescherm dat als een grotesk versierde tumor uit de middeleeuwse muren stak. Helemaal aan het eind, waar het terras om het huis heen liep en twee grote deuren toegang gaven tot de keukens, stond de tafel al voor drie personen gedekt voor de lunch, compleet met gesteven witlinnen servetten, die liefdevol bijeen werden gehouden door gegraveerde zilveren servetringen.

'Is daar iemand?' riep de rechter, die de aanval leidde. 'Marie-T? Dominique Carpentier hier.'

In de salon bleef het schaduwachtig donker. Alle luiken waren gesloten tegen de felle zon. De rechter begon de stenen treden te beklimmen.

Opeens doemde de componist boven hen op, een verschrikkelijke verschijning, zijn strakke gezicht en witte haar fascinerend en excentriek.

'Bonjour, madame Carpentier. Wij verwachtten u, maar zonder gezelschap.' Hij kwam in de volle zon staan en hield hen tegen. Zijn gezicht vertrok van het felle licht. Hij knikte naar Gaëlle, maar wierp een onheilspellende blik op Schweigen.

'Wij komen niet voor de gezelligheid, monsieur Grosz,' snauwde de onwelkome commissaris, 'en wij komen al helemaal niet voor u.'

'Ik ben mademoiselle Lavals peetvader en wettige voogd. Ik ben niet van plan haar te laten verhoren en zeker niet door u, monsieur de commissaris. U kunt blijven, madame Carpentier. Maar uw griffier en monsieur Schweigen moet ik vragen onmiddellijk te vertrekken.'

Een impasse. De rechter nam een impulsieve beslissing.

'Heel goed.' Zij draaide zich om zodat de componist haar gezichtsuitdrukking niet kon zien en legde al haar overredingskracht in een lange, strakke blik naar Gaëlle en Schweigen. Als het in januari misschien niet daadwerkelijk tot een handgemeen was gekomen, dan leek een vechtpartij nu onvermijdelijk. Houd je in, André, houd je in godsnaam in. Dit is mijn beslissing en ik neem alle consequenties voor mijn rekening.

'Gaëlle, breng monsieur de commissaris terug naar het dorp. Jij weet de weg. Ik bel je vanmiddag wel bij je ouders en dan pik ik je op de terugweg op.'

Schweigen deed zijn mond al open om te protesteren. De rechter trok haar wenkbrauwen op. Er ging een enorme siddering door Schweigen heen terwijl hij zijn mond weer dichtdeed, maar hij bleef staan waar hij stond. Ga weg, André! Vlug een beetje! Het zweet liep over zijn opeengeklemde kaken. Toen draaide hij zich zonder nog een woord te zeggen om en beende uitzinnig van woede de treden weer af en de hoek om. Gaëlle bleef nog even staan. Het bloed dat van haar sleutelbeenderen omhoogschoot kleurde de zijkanten van haar hals bloedrood. Nog een impasse. De griffier is degene die alles vastlegt. Haar rechter van instructie hoorde geen officieel onderhoud te hebben zonder haar griffier. De jonge vrouw liet zich niet wegsturen.

'Gaëlle?' drong de rechter aan.

'Wij zijn de dienaren van Isis en wij hebben gezworen Haar te gehoorzamen,' snauwde de griffier en draaide zich kwaad om. Toen zij de trap af stormde vroeg de componist: 'Isis? Wat bedoelt ze? Waar heeft ze het over?'

'Gaëlle plaagt mij een beetje,' glimlachte de rechter.

Dit was zo duidelijk niet het geval en Isis was zo duidelijk bedoeld als een boze belediging dat de componist achter de griffier aan wilde gaan. Hij keek haar kwaad na, aarzelde even en wilde toen achter het meisje aan lopen. Wat was hij in vredesnaam van plan? Wilde hij haar soms een draai om haar brutale oren geven, met al die knopjes en ringetjes erin? De rechter legde een hand op zijn arm en hield hem tegen en het was dat onopzettelijke, eigenlijk heel intieme gebaar, dat de afstand tussen hen transformeerde. Hij draaide zich naar haar om en keek recht in haar ogen, langs haar glimmende brillenglazen, langs haar overbodige diplomatieke glimlach. Opeens begon de rechter te twijfelen of ze hier wel goed aan deed. Waarom had ze besloten alleen te blijven met deze man? De herinnering aan het gewicht van zijn handen op haar schouders bracht een bittere smaak in haar mond. Ze hoorde weer de verstikkende intensiteit van Wagners vreemde muziek, voelde de tranen weer over haar wangen stromen. Het gezicht van de componist vertrok in een massa onontwarbare lijnen en ze begreep dat hij zich dezelfde dingen herinnerde. Toen zag ze nog iets anders in zijn ogen: een prikkelende belangstelling, niet voor haar rol als rechter, maar voor haar, Dominique Carpentier, voor haar alleen. Ze hield haar adem in en proefde de droge smaak onder haar tong. De componist ontspande zich en boog voor haar, terwijl hij haar naar boven begeleidde, en eindelijk haar glimlach beantwoordde. Wanneer hij lachte veranderde zijn hele gezicht, alsof het masker van de dictator van hem af viel en er een andere man tevoorschijn kwam, die haar voor zich wilde winnen en haar wilde charmeren.

'Marie-T en ik hebben het gisteravond nog over u gehad. Ik wilde u heel graag een keer terugzien. Heel erg graag. Maar hoe moest ik u benaderen? Ik kon geen voorwendsel verzinnen. En dan – poef! – gebeurt het als bij toverslag. Er zijn drie maanden verstreken en wij bevinden ons duizenden kilometers bij elkaar vandaan en dan belt u opeens op dat u eraan komt. Ik vind het geweldig. Marie-T denkt dat ik drie keer over de lamp heb gewreven. Wilt u de lunch met ons gebruiken, madame Carpentier? Wij hoopten dat u zou blijven lunchen.'

Hij leidde haar het koele huis binnen. Ze was over de drempel.

De muren van het domaine waren ook twee meter dik en de voelbare daling van de temperatuur omhulde haar als een sluier van mousseline. Zij was Judith die het kasteel van hertog Blauwbaard binnenging. Was ze tijdens de bezoekjes in haar jeugd ooit in deze salon geweest? Ze herinnerde zich de stenen treden en de tijdloze potten vol rode bloemen, maar niet deze koele plek. De oude houten vloeren, spiegelglad gewreven, waren niet gemakkelijk om over te lopen. Opeens kwamen haar voeten een kleed tegen en toen ze omlaag keek zag ze een donkerrode vlakte. De luiken zaten potdicht tegen de hitte. Overal om haar heen stonden zware donkere kasten, twee glanzend gepoetste ladekasten, achttiende-eeuwse houten stoelen, die zich met hun donkere zittingen vaag aftekenden tegen de wanden. De kamer ademde duisternis, donkere rechthoeken met gouden omlijstingen verdrongen zich op de muren, maar ze waren zo donker dat ze er niets op kon onderscheiden. Ze bespeurde een lamp en een schrijfbureau. Een telefoon. Een sofa met een donker kleed erover. Een laag tafeltje met een witte vaas, en ze rook de lelies, die bleek oprezen in de duisternis. Opeens zag zij iets wat ze zich herinnerde: een groot stenen ei, versteend en onverplaatsbaar, een ei dat was achtergelaten door dinosauriërs. Tientallen jaren geleden was er op het landgoed een klein aantal van deze eieren ontdekt die nu deel uitmaakten van het karakteristieke marketingimago. Madame Laval had een nieuw etiket voor de witte wijnen ontworpen, met een afbeelding van de eieren onder hun naam en de kinderen hadden het hun *vin dinosaure* genoemd. Ze stak haar hand uit naar het stenen ei en raakte het even aan.

'Dit kan ik me herinneren. Het stond hier vroeger ook al.'

'Ik wilde dat ik me u kon herinneren. Iedereen herinnert zich u nog. U kwam hier toch altijd samen met uw ouders naar de dansavonden? Uw vader herinner ik me nog heel erg goed. U stond erom bekend dat u altijd als een van de eersten op de dansvloer stond. Volgens Myriam koos u altijd het mooiste meisje in de zaal. En volgens haar man was dat altijd Myriam. Marie-T herinnert zich u vol ontzag. U joeg hen allemaal de stuipen op het lijf met uw slimheid. Laat mij een aperitief voor u inschenken. We hebben een beetje van alles. Een glaasje muskaat?'

Zijn zorgvuldige, haperende Frans was in haar voordeel en wekte een illusie van veiligheid. Terwijl de mysterieuze, donkere kamer om haar heen vorm begon te krijgen, nam de rechter plaats in een lederen stoel met een hoge rugleuning en zette haar aktetas, die nu beladen en gevaarlijk leek, op de grond. Het kleine doosje van Goldenberg en het glanzende kerstpapier hielden zich als levende wezens schuil in hun plastic gevangenis. Ik moet ze tevoorschijn halen. Ik moet die verschrikkelijke dingen ter sprake brengen. De nietsvermoedende componist stond ijsblokjes te breken en een opsomming te geven van zijn zomerprogramma.

'... dus dan ben ik niet ver bij u vandaan. Wij geven een uitvoering op het festival in Aix en ik dirigeer drie uitvoeringen van *Aïda* in het theater van Orange. We krijgen er echte olifanten bij. Ja, ik kan u honderden naakte slaven beloven, echte olifanten en voor de terechtstellingsscène – echt zand. Stelt u zich eens voor! Wilt u ijs?'

'Hoe stel je iemand terecht met zand?' De rechter staarde hem niet-begrijpend aan.

'Ach, ik vergat even dat u de opera niet kent. Op de een of andere manier ga ik er steeds van uit dat u alles weet wat ik weet. De geliefden worden aan het eind levend begraven. We kunnen het Romeinse theater daar heel goed voor gebruiken. Het is in de openlucht, zoals u wel begrijpt – met een vreemde, galmende akoestiek. Maar we kunnen het zand gemakkelijk meerdere malen gebruiken. We bouwen een soort spelonkachtige graftombe op het toneel en die begraven we dan onder echt zand.'

'Levend begraven?' De rechter huiverde.

'Verdi had geweldige ideeën.'

De rechter voelde dat hij de leiding over het gesprek had overgenomen en begon zorgvuldig haar bril schoon te maken. Toen ze weer opkeek was er nog iemand de kamer binnengekomen. Een lang, bleek meisje, zo rank als een jonge loot in een lichtgroen jurkje, deed zachtjes de deur achter zich dicht en kwam meteen naar haar toe. De rechter stond op. De laatste keer dat ze madame Lavals dochter had gezien had zij, in het zwart gekleed, verlegen naast haar moeder gestaan, een kind nog, bang om te huilen of te snikken, met haar witte roos stijf tegen zich aan geklemd. Het kind was nog steeds zichtbaar in de schuwe blik van de jonge vrouw en in haar gebogen hoofd. Ze kwam regelrecht op de rechter af, die tot haar verbazing vaststelde dat zij zelf de kleinste van hen beiden was, en boog zich naar voren om zich te laten kussen, alsof de rechter een goede vriendin van de familie was.

'Bonjour, madame Carpentier, bedankt dat u bent gekomen.'

Even was de rechter sprakeloos. Hier stond Persephones dubbelgangster; een jong meisje, dat griezelig veel op Myriam leek toen die zeventien was, slank, behoedzaam, regelrecht uit Pluto's koninkrijk. Met grote ogen blikte de rechter terug in het verleden. Hier stond het meisje dat zij ooit had liefgehad; eindelijk was ze bij haar teruggekeerd met de belofte van eeuwige lente. Ze was van plan geweest er een officiële ondervraging van te maken. Die, nu opzijgeschoven strategie, had rekening gehouden met Marie-T's jeugdige leeftijd en haar verdrietige verlies, maar had een kalm en ernstig draaiboek gehad. Het meisje begon zich onmiddellijk te verontschuldigen.

'Het spijt me heel erg dat Friedrich monsieur Schweigen heeft verzocht om weg te gaan. Dat moet bijzonder onbeleefd hebben geleken, terwijl het niet eens zijn schuld was, maar de mijne. Ziet u, toen hij hier afgelopen februari was, bleef hij mij maar vragen stellen die ik niet kon beantwoorden. En hij praatte zo hard. En toen begon ik te huilen en kon niet meer ophouden. Hij zal wel denken dat ik niet goed bij mijn hoofd ben. En dat is helemaal niet zo. Ik mis maman zo verschrikkelijk. Ik weet dat ze gelukkiger is waar ze nu is, maar ik verlang elke dag naar haar.'

De componist streelde het meisje zachtjes over haar hoofd.

'Stil maar, ma petite. Ik weet zeker dat madame Carpentier het begrijpt.'

Het meisje legde haar hand in de grote knuist van de componist en kneep in zijn vingers. Toen stak ze de rechter dezelfde hand toe, alsof ze de rol op zich nam van schakel tussen hen beiden. De rechter nam de warme hand en diepgevoelde ernst van het meisje in ontvangst. Ze stelde zich voor hoe Schweigen tegen dit kwetsbare, zachte gezichtje had staan schreeuwen en voelde een golf van verontwaardiging. Als om blijk te geven van haar afkeuring jegens haar gevoelloze afwezige collega, zei ze op zachte toon: 'Ik vind het heel vervelend dat monsieur Schweigen je zo heeft laten schrikken. Hij meende er vast goed aan te doen, omdat het nu eenmaal zijn werk is.'

Ergens ver weg achter de gesloten deuren luidde een bel en het geluid gleed over de glanzende houten vloeren en door de verduisterde kamers.

'U mag uw glas meenemen, madame Carpentier. Wij eten altijd buiten, op het terras.'

De lelijke gestreepte markies was erin geslaagd een soortgenoot voort te brengen aan de schaduwzijde van het huis. Het viel de rechter op dat ze nog niet zo lang geleden waren geïnstalleerd en elektrisch bedienbaar waren. Marie-T zag de sceptische blikken van de rechter en excuseerde zich voor de concessies aan de moderne tijd.

'Maman had het nooit goed gevonden. Vroeger hadden we altijd een groot wit zonnescherm. Ik vind ze ook niet mooi. Dat heb ik nog tegen Paul gezegd. Herinnert u zich hem nog? Mijn oudere broer? Hij heeft ze vorige maand laten ophangen, toen hij over was uit Parijs. Hij is erg boos dat het onderzoek nog steeds niet is afgerond. Het betekent dat wij de erfenis niet kunnen afhandelen. Monsieur Schweigen was erg kortaf tegen hem. Hij zei alleen maar: "Basta! Je zult moeten wachten."

Wist u dat Friedrich mijn peetvader is? Ja, hij is peetvader van mij en mijn broer. Toen ik werd gedoopt heeft hij me vastgehouden in mijn kleine witte draagdoek. Uw oom was toen nog niet de curé, dat was zijn voorganger. Herinnert u zich Père Michel? Uw oom heeft nu veertien parochies onder zijn hoede. En er zijn maar twee priesters in de pastorie. Volgens mij zou de kerk ook vrouwen tot priester moeten wijden, vindt u ook niet? Maman dacht er ook zo over. We hebben toch ook vrouwelijke rechters, waarom dan geen vrouwelijke priesters? Gaat u hier maar zitten, dan hebt u uitzicht op de wijnstokken. Die zijn in alle jaargetijden een lust voor het oog, vindt u ook niet?'

Ze gingen zitten in wind en schaduw. Het rode stof waaide in kleine wolkjes op aan de wortels van de wijnranken, die groene zee die zich in het verblindende middaglicht voor hen uitstrekte. De componist wachtte tot beide vrouwen hadden plaatsgenomen voordat hij tussen hen in aan het hoofd van de tafel ging zitten. De rechter merkte op hoe stil het was. De tractoren en vrachtwagens op de binnenplaats aan de andere kant van het huis denderden niet langer over de hellingen of de oprijlaan. Rond het middaguur verstilden alle geluiden, zelfs het vage gekletter vanuit de keuken verstomde. Het domaine Laval raakte onder de betovering van de stilte. Hun servetten ritselden in de wind. In het harde licht dat weerkaatste van de groene ranken en de rode aarde, bestudeerde de rechter zowel de lunch als haar tafelgenoten. Charcuterie, huisgemaakt, dunne plakjes augurk, piepkleine, in azijn gemarineerde uitjes, een groene salade, die door de componist zelf werd aangemaakt, koude rosé, met een volle donkere kleur en zonder etiket, eigen product. Madame Lavals dochter beantwoordde de onderzoekende blik van de rechter met grote onbevangenheid. Was alles naar wens? Wilde ze wat olijven? Smaakte de *paté de campagne*? Maman heeft me geleerd die zelf te maken. Verder kan ik niets in de keuken. De componist hield zich op de achtergrond. Hij liet zijn petekind praten. Haar gestage woordenstroom, doorspekt met allerlei beleefdheden, leek volstrekt argeloos, spontaan en van een niet-aflatende ongekunsteldheid die de rechter op een afstand hield.

Wie was dit kalme meisje, dat nog geen vier maanden eerder haar moeder had begraven, en nu gastvrouw speelde voor de rechter? Ze deed Dominique Carpentier heel erg aan iemand denken. Ze had het gekwelde, rimpelloos gladde gezichtje van de duizend malen geportretteerde Persephone, de verloren dochter, teruggekeerd uit de onderwereld, gehuld in teer lentegroen. De rechter bestudeerde haar gelaatstrekken, zoekend naar een gelijkenis met het verzaligde, dode gezicht van Marie-Cécile Laval, maar kon die niet ontdekken. Deze ongewoon blanke huid en het blonde haar, onberoerd door de zon, deed eerder denken aan een heel ander ras, een verdwaald kind uit een noordelijk land, waar afstanden vaag bleven, waar de zon laag aan de hemel stond, rood en enorm, een land waar het 's zomers nooit nacht werd. Toen het meisje naar de rechter opkeek, zag zij dat haar mysterieuze gezichtje doordrenkt was van verstikt verdriet. De rechter aanvaardde deze onuitgesproken smeekbede zonder enige aarzeling. Dit meisje is aan mij gegeven en ik zal haar verdedigen.

Dominique Carpentier voelde hoe de grote handen van de componist haar glas omvatten, wijn voor haar inschonken, haar allerlei lekkere hapjes probeerden op te dringen. Ze wist dat hij naar haar keek. Telkens wanneer ze even opkeek, zag ze hem kijken. Hoewel ze niet begreep waarom hij geheel in beslag werd genomen door elk woord en elk gebaar van haar, voelde ze zich er niet ongemakkelijk bij. Het enige wat haar zorgen baarde was dat ze dat misschien wel zou moeten doen. Hij wekte geen vijandige indruk, maar uit alles bleek dat hij niets zonder bedoeling deed. Opeens drong het tot de rechter door wat voor man zij hier voor zich had. Wanneer hem een rechtstreekse vraag werd gesteld, zou het niet bij hem opkomen om te liegen. Was zij in haar eerdere ondervraging te voorzichtig geweest, te indirect? De meeste profeten en goeroes die zij had ondervraagd waren kwakzalvers, charlatans en oplichters, mannen die alleen maar op geld uit waren. Zij handelden uit financiële of corrupte motieven, of allebei. Liegen ging hen net zo vanzelfsprekend af als ademhalen. Vaak waren zij hun greep op de werkelijkheid al helemaal kwijt en hingen ze de wildste verhalen voor haar op, er intussen zelf ook van overtuigd dat zij buitenaardse wezens uit de hemel hadden zien afdalen. Een enkeling, onder wie de gereïncarneerde godin Isis, bleek een gevaarlijke gek, die rijp was voor het gesticht. De componist paste in geen van de categorieën waarin zij haar verdachten normaal gesproken indeelde.

Marie-T stond op om af te ruimen. Nee, nee, blijf jij maar zitten om met madame Carpentier te praten, zei de componist. Hij verdween naar binnen en kwam terug met een reusachtige schaal zeevruchten, oesters, mosselen en alikruiken, op een bed van ijs en omringd door glinsterende partjes verse limoen. Waren zij speciaal voor haar de hele ochtend met dit feestmaal bezig geweest? Onmogelijk. Gaëlle had het domaine pas na tienen gebeld. Waarschijnlijk was de verbazing van de rechter van haar gezicht te lezen, want de componist boog zich met een verkneukelde, jongensachtige grijns naar voren.

'Zodra wij hoorden dat u zou komen – u had het moeten zien – ging de hele keuken in de hoogste versnelling. Het hele huis in paniek. *De Bruiloft van Figaro!* Tweede bedrijf. Myriam is als een ware snelheidsduivel naar de stad gereden om op zoek te gaan naar oesters. Wij wilden u een feestelijk onthaal bereiden!'

Marie-T straalde van genoegen en wreef zich in haar lange, slanke handen. Toen zij opstond om nog een glas wijn in te schenken golfden de middagschaduwen op en neer langs haar rok. De rechter beperkte haar royale manier van schenken tot een half glas en nam hen met ongelovige argwaan op. Wat is dit? Wat heeft dit te betekenen? Proberen ze bij me in de gunst te komen en me om te kopen? De componist besmeerde een stukje brood met een dun laagje boter en overhandigde het haar als een geschenk.

Dominique Carpentier had met een stalen gezicht voldoende gesprekken geleid met gestoorde maniakken, oplichters en misdadigers om haar tegenstanders te herkennen. Haar oordeelskracht bleef scherpzinnig, helder en koel. Zij zag twee dingen in het vreemde, getekende gezicht van deze man en in zijn uitzonderlijk blauwe ogen: het verlangen haar te behagen en een gepassioneerde belangstelling voor iets onzichtbaars, iets wat diep in haar verscholen lag. Hij wilde bij haar in de gunst komen, zeker, maar hij luisterde tevens naar de verschuiving van haar gevoelens en reacties, alsof hij de stroming hoorde kolken onder het gepolijste oppervlak van haar gesloten gezicht. En ja, hij keek naar haar, was al haar wensen vóór, raapte haar servet voor haar op, zag dat de zon over de oude dakpannen naar haar toe kwam kruipen, liet het afschuwelijke zonnescherm zakken, en luisterde naar haar met een intensiteit die haar de adem benam.

Na de koffie gaf Marie-T de rechter de noodzakelijke kans om de verloren tijd goed te maken en haar onderzoek voort te zetten.

'Hebt u de tuin gezien nadat maman hem helemaal opnieuw heeft ingericht? Hij ziet er nu heel anders uit – na tien jaar werken en een nieuw irrigatiesysteem. Ze is er al mee begonnen toen ik een klein meisje was. Ik herinner me nog de doornstruiken die de kersenboom overwoekerden. O, toen was het al zo'n mooie tuin. Net een geheimzinnig oerwoud. Nu zit ik er graag; het is de plek waar ik haar het dichtst bij me voel.'

De rechter kon zich helemaal geen tuin bij het domaine Laval herinneren. Achter de binnenplaats met de caveau bevonden zich de wijnkelders, uitgehouwen in de zachte rotsen. De droge rivierbedding lag voorbij het dennenbos aan de voet van een kale rotswand en het kleine gotische kapelletje waaronder zich de grafkelder bevond die zij ooit met haar verrekijker had bespied, stond nog verder weg, aan de rand van de wijngaarden en aan het eind van een zandpad. Aan haar linkerhand strekten de wijnstokken zich uit over de hellingen en verdwenen in fel zonlicht en symmetrische paarse verten. Marie-T zag haar verbaasde frons.

'Bent u nooit in de tuin geweest? Ook niet toen hij nog helemaal overwoekerd was? O, dan moet u even meekomen. Kom.'

Zij stonden op.

'Ik wacht hier op u, madame Carpentier,' zei de componist, terwijl hij in de verbleekte kussens van een van de rieten stoelen plaatsnam met uitzicht op de wijnstokken. 'De tuin is Marie-T's grootste schat. Zij is de aangewezen persoon om u rond te leiden.'

9

GROENE GEDACHTE

ZIJ LIEPEN HET HUIS IN EN een koele gang door met aan weerskanten gesloten deuren. Aan het eind van de gang zag de rechter een rechthoekig stuk fel licht. Een koele luchtstroom, omhooggezogen uit de duistere dieptes van het huis, gleed onzichtbaar in de richting van het licht. Marie-T reikte haar kinderlijk vertrouwelijk haar hand.

'Kijk uit waar u loopt, want er staan altijd oude laarzen en tuinspullen in de gang. Mama's spullen. Ik kan het niet over mijn hart verkrijgen ze op te ruimen.'

Ze greep Dominique Carpentiers hand met een vanzelfsprekendheid en tederheid die de rechter ontroerde. Ook dit meisje was een Israëliet in wie geen enkele valsheid school, en het was haar onverbloemde verlangen om gewaardeerd en bemind te worden. Samen liepen zij voorzichtig naar het licht. Plotseling liepen zij door een grote, koude ruimte. De rechter was inmiddels gewend aan de spelonkachtige leegte van het domaine, maar hier bleef ze even staan om om zich heen te kijken. De reusachtige open haard stond er zwart en leeg bij, zonder haardroosters, houtblokken en haardstel. De kale muren verhieven zich in duisternis. De luiken voor de ramen, die op het zuiden keken, zaten potdicht. Ze voelde de oneffen kou van de flagstones door haar dunne leren zooltjes optrekken. Dit moest de grote zaal zijn. Haar metgezel bleef ook staan en draaide zich om. In het schemerlicht glansde Marie-T's gezicht als een bleek, ovaal portretje.

'Ja, dit is waar mijn grootvader altijd het nieuwjaarsbal hield. Het orkest zat dan op het balkon, daar aan de andere kant. We noemen het nog steeds de hooizolder. Ik denk dat dit vroeger de hooischuur was toen dit nog een boerenhofstede was.'

Ze stonden naast elkaar in de doodstille koude.

'Hier heb ik gedanst. Met Myriam.'

'Wilt u met mij dansen?' Het jaloerse stemmetje was niet dat van een vrouw, maar van een kind. De rechter keek verschrikt op. Toen begon ze te lachen.

'Maar natuurlijk.' De rechter boog voor het bleke, trieste gezichtje en spreidde haar armen.

'Kun je walsen? Vergeet niet dat je grootvader een echte heer was. We mochten niet rock-'n-rollen. We moesten dansen als dames.'

De rechter zag Marie-T een verraste blik onderdrukken. Het meisje stond klaar om in positie te worden gebracht, als een stijf poppetje dat gaat dansen op een antiek speeldoosje.

'Ik leid,' zei de rechter.

En daar, in de koele, dichte duisternis van de lege zaal danste zij met het meisje weg in een wijde, stille cirkel, onder het orkestbalkon door en langs de donkere opgestapelde stoelen en de hoge, stoffige gordijnen die bijna tot aan het dak reikten en vervolgens in mottige, fluwelen plooien op de stenen vloer vielen. Ze dansten door één enkele bundel wit licht, die naar binnen viel door één raam, vlak onder de dakrand, waarvan de luiken niet gesloten waren. Het licht doorsneed de flagstones als een schijnwerper. Opeens herkende Dominique Carpentier de stralende blik op het gezicht van haar danspartner. Marie-T had haar al eens eerder zien dansen en ernaar verlangd ten dans te worden gevraagd.

Het moment ging voorbij. Lachend en glijdend kwamen ze tot stilstand, verlegen en een beetje buiten adem.

'Het is veel makkelijker maathouden met een orkest erbij.' De rechter glimlachte. 'We moeten maar veel oefenen. En laat me nu je tuin maar eens zien.'

Even later stond ze boven aan een stenen trap met grote bloempotten aan weerszijden om te voorkomen dat iemand die de trap afliep over de bemoste rand zou vallen.

Ze bevonden zich nu aan de achterzijde van het huis. Ze voelde de hitte op haar hoofd en schouders, maar daarbeneden lag een vochtige, groene ruimte, vol kleuren, kleine, stekelige palmen en de geur van bloeiende seringen. De tuin lag tussen de grote, middeleeuwse funderingen van de oude hofstede en de rotswand zelf: een smalle ruimte, zonnig maar beschut, doordrenkt met stromend water en grote, druipende, groene bladeren. De zomerkleuren van de Languedoc, zowel van de huizen als de aarde, zijn hard en rood: omber, oker, gebrande sienna. Ook de groentinten zijn heel puur, de volle wijnstokken die de eerste druiven tegen de zon beschermen, het donkere dennenbos vol tjirpende cicaden en de fluistering van gevallen dennennaalden, die een bruin tapijt onder je voeten vormen. Tegen de middag hoor je er niets anders dan het getjirp van de cigales, maar hier in de zachte groene stilte van de tuin maakten ze een heel ander soort muziek, een vriendelijk geritsel, dat hun komst leek te begroeten.

Ze stond op een stenen pad in het gemarmerde licht onder een kersenboom die vol hing met rijpe vruchten. Marie-T reikte omhoog en plukte een handvol donkerrode kersen. Ze aten van de kersen en spuugden de pitten in hun hand. De rechter bekeek een voor een de façades van de tuin. Zo te zien was er geen andere manier om eruit te komen dan de manier waarop ze er zojuist binnen waren gekomen. Aan haar linkerhand strekte een oude, stenen, hoger dan manshoge muur zich uit in de volle zon, waarlangs een aantal goedverzorgde en gesnoeide perenbomen waren geleid. Een eindje ervoor stonden twee kleinere abrikozenbomen, die meer recentelijk waren geplant en waarvan de gouden vruchten nog niet rijp waren. Waar hield de tuin op? Een reusachtige massa wilde berenklauw onttrok het punt aan het zicht waar de muur en de rotswand elkaar troffen. De bladeren spreidden zich uit als donkergroene rokken, die zich vastklampten aan de rode aarde en de oprijzende rotsen. Ze liepen de weelderig begroeide, natte wereld in. De rechter hoorde water en het geluid van water dat in water viel. Al het gebladerte leek te ademen terwijl de tuin als een levend organisme in de middaghitte lag te rusten, te slapen. Het middelpunt werd gevormd door de kolossale kersenboom, maar de rechter zag ook olijven, citroenen en mandarijnen hangen. Links van haar stond een klein, wit prieel, overwoekerd door een volgroeide wisteria, waarvan de grillige stam zich had ontfermd over het fragiele, smeedijzeren gebouwtje en het versierde traliewerk had verzwolgen. De bloemen waren allang uitgebloeid en op de vloer lag een zwevend tapijt van verdorde blaadjes. Degene die de tuin had aangelegd had een voorkeur gehad voor witte bloemen en sterke geuren. Ze slenterden onder een welig met jasmijn en witte rozen begroeide pergola door. Even overstemde de jasmijn elke andere geur in de omgeving, maar zodra ze de pergola achter zich lieten was er opeens een andere geur die overheerste, zoetig, verstikkend en vreemd.

'Wat is dat voor geur?' vroeg de rechter nieuwsgierig.

'Datura. Hebt u die niet in uw tuin? Ze doen het juist zo goed in de Midi.'

De langwerpige, kokervormige bloemen hingen in trossen omlaag, als een orkest van zwijgende trompetten. De meeste waren ivoorwit, maar andere hadden juist krachtige kleuren, geel, oranje, goud. Toen Marie-T heel voorzichtig een van de bloemen optilde kwam de geur hun onmiddellijk tegemoet.

'Ze worden ook wel *trompette du jugement* genoemd. Is het niet vreemd om de Dag des Oordeels als iets vrolijks en kleurigs te zien? Maar maman zei dat het wel zo zou zijn. Die beschilderde sculpturen in de kerk zijn allemaal borrelende vaten met verdoemde naakte mensen. Ik vond ze altijd afschuwelijk en angstaanjagend.'

Dus dit was de tuin van haar moeder: een rustig, weelderig paradijs vol vochtige witte geuren. Ze naderden nu de rotswand en een kleine vijver waar het water in viel. Kleine rimpelingen golfden tegen de groene rotsen. Het bamboe dat aan de schaduwkant om de vijver heen was geplant was overvloedig aan het woekeren. De rechter zag overal nieuwe scheuten omhoogkomen in het gras. Aan de zonnige kant van de vijver lag een groot bed aronskelken, geurloos maar intens wit. Hun bladeren vormden een massief groene duisternis tegen het wit. De vrouwen namen plaats op een stenen bankje tussen het lommerrijke bamboe. De rechter zette even haar bril af. Het enige wat ze nog zag waren golvende massa's groen en wit. Marie-T boog zich naar voren en bracht met haar hand het water in beweging, als de engel die het water deed kolken. Terwijl zij dit deed viel de blik van de rechter op een klein gouden ovaal aan een fijn kettinkje dat uit de kraag van haar jurk viel. Dit was het moment om haar mond open te doen. Ze stak haar hand uit en pakte het glanzende hangertje vast.

'Marie-T, is dit het cadeautje dat je afgelopen kerst van je moeder hebt gekregen?'

Ze had geen idee welke reactie ze kon verwachten, maar het meisje glimlachte, maakte het kettinkje open en gaf het aan de rechter, met dezelfde argeloze onbevangenheid die zo typerend was voor alles wat zij deed.

'Ja, inderdaad. Kijk, zo gaat het open. Hier zit het slotje. En dat is de laatste foto die ik heb van maman. Hij is in november genomen, op mijn zeventiende verjaardag. Ze lijkt zo gelukkig, vindt u ook niet?' Het meisje boog zich over het geopende medaillon in de hand van de rechter en tuurde naar het lachende, verloren gezicht. De rechter probeerde maar niet de priegelig kleine inscriptie te lezen. 'Eerst kon ik het niet dragen. Het brandde gewoon in mijn hals. Ik was zo kwaad en onredelijk. Maar geleidelijk aan begon ik te begrijpen dat zij niet mijn bezit was. Ik kon niet voor haar beslissen. Friedrich is een enorme hulp. Ik praat elke dag met hem. Ik probeer de dingen te zien zoals hij ze ziet, maar dat lukt me niet altijd. Hij hield zoveel van haar, net zoveel als ik.'

De rechter zat doodstil, met koude rillingen over haar hele lichaam, in de onvoorstelbare ruimte die zich voor haar had geopend. Ze hoefde niet eerst het vertrouwen van het meisje te winnen, of haar te manipuleren. Marie-T opende eenvoudigweg haar hart, argeloos en vol vertrouwen. Tot het uiterste gespannen zat de rechter op het kille bankje. Ze voelde zich nerveus en schuldig. Voor het eerst in haar leven zette ze vraagtekens bij haar eigen gedragsnormen tijdens een verhoor. Haar interpretatie van rechtvaardigheid verlangde van haar dat zij te allen tijde met onberispelijke integriteit de hoogst mogelijke ethische normen zou hanteren. Dit hield in dat er nooit ruimte was voor twijfel. Zij was de nobele ridder op het witte paard die met getrokken zwaard tussen de heidenen galoppeerde en overal licht, rechtvaardigheid en deugdzaamheid bracht. En nu had zij zich in de rangen gevoegd van de denkbeeldige hertog der duistere praktijken, die goedgelovige schone maagden hun hartsgeheimen ontfutselde. Ze ging op precies dezelfde toon verder.

'Wist je wat er ging gebeuren?'

'Nee, anders zou ik haar hebben gesmeekt niet bij ons weg te gaan. Maar de mensen die samen met haar gestorven zijn, waren haar meest intieme vrienden. Haar vriendenkring. Ik kende hen allemaal heel goed. Friedrich kende hen ook. Ze waren hier altijd. Ze kwamen op visite. We gingen samen op vakantie.'

'En wist je dat zij allemaal leden waren van het Geloof?'

Het meisje huiverde zachtjes en speelde met het gouden kettinkje in haar handen. Toen greep zij de arm van de rechter en schoof wat dichter naar haar toe.

'Nee, nee, niet echt. Dat wil zeggen, ik wist wel dat ze allemaal deel uitmaakten van iets groots en belangrijks. Iets wat zij met elkaar deelden. Dat deed me eigenlijk het meeste pijn.'

Nu begonnen de tranen te vloeien.

'Ze sloot mij buiten. Ik hoorde er niet bij.'

De rechter sloeg een arm om Marie-T's schouders en trok haar tegen zich aan. Het meisje viste een zakdoek uit een verborgen zakje in haar jurk en snoot haar neus.

'Neem me niet kwalijk. Het gaat nu wel weer. Ik vind het niet moeilijk om over haar te praten.'

'Wanneer heeft ze je dit cadeau gegeven?'

'Op kerstavond. In het chalet. Wij geven onze cadeaus altijd op kerstavond, met champagne, voor het diner.'

Ze kan niet rijden. Ze heeft nog geen rijbewijs. Hoe is ze bij het chalet weggegaan? En wanneer? Waarom staat dit niet in het dossier? Hoe hebben we dit detail over het hoofd kunnen zien? Volgens Schweigens rapport was Marie-T niet in het chalet geweest. Zij was bij de componist in Berlijn. En ze had geen verklaring kunnen geven voor het kaartje van haar moeder, dat in de prullenbak was aangetroffen. Het kan zijn dat Schweigens rapport niet klopt. In dat geval heeft het meisje tegen hem gelogen – of liegt ze nu misschien? Maar ze kende André Schweigen veel te goed en zag hem voor zich zoals hij vier maanden geleden, dogmatisch en overweldigend, dit tengere, breekbare meisje had overdonderd en van haar had geëist dat ze over de suïcidale waanzin van haar moeder zou praten. En dat terwijl het kind naar hem opkeek door de diepe wateren van een bron, bodemloos en koud, in de wetenschap dat haar moeders lichaam stijf bevroren in een metalen lade lag, met een naamkaartje aan haar grote teen, zwevend tussen dood en begraven. Geen wonder dat ze had toegegeven aan haar verdriet. En dat hij niets anders uit haar had losgekregen dan tranen. Hoe moet ik dit nu verder aanpakken? Niet reageren. Aandringen. Maar heel zachtjes.

Maar ze hoefde niet omzichtig te zijn. Marie-T vloeide over van informatie. 'Op eerste kerstdag zijn we weggegaan. Maman zag er stralend uit. We aten soep en ham en zij zat naast me aan tafel. Er was slecht weer voorspeld, dus stond ze erop dat we vroeg zouden vertrekken.'

'We?' De rechter durfde amper adem te halen.

'Friedrich, natuurlijk. Ik ging met hem mee. Ik was dol op zijn nieuwjaarsconcerten. Ik heb er zoveel mogelijk bezocht. We hebben de middagvlucht van Straatsburg naar Berlijn genomen.'

De rechter dwong zich te ontspannen en haar vinger over de jonge bamboescheuten te laten glijden. Ze voelde een vijandige woede ten opzichte van Schweigen in zich opborrelen. Ze voelde rode plekken in haar hals verschijnen. Moet ik voortaan soms al mijn gerechtelijke onderzoeken zelf uitvoeren? Elk proces-verbaal zelf opmaken? En al het papierwerk doen?

'Dus met Kerstmis was je bij Friedrich – monsieur Grosz?'

'O ja. Hij is er altijd bij. Elk jaar. Hij heeft zelf geen familie. Wij zijn zijn familie.'

Cécile. Bel me vandaag. Ik smeek het je. Bel me zo snel mogelijk.

'Toen we die storm op televisie zagen zijn we gaan bellen. Zij zaten precies in dat gebied. Daarom waren we zo ongerust toen we niets hoorden. Tweede kerstdag belden ze dat alles in orde was. Er waren heel veel bomen omgewaaid, maar zij hadden in elk geval nog elektriciteit, die bij heel veel andere mensen was uitgevallen. Maar daarna – hoorden we niets meer. Maman stuurde me een sms'je. *Bonne Année*. De lijnen zijn natuurlijk altijd overbezet met oud en nieuw. Maar Friedrich leek een voorgevoel te hebben dat er iets mis was. Hij bleef het proberen. Hij is het tot het allerlaatst blijven proberen.'

Er viel een lange stilte. Als de componist op de hoogte was geweest van het geplande vertrek zou hij toch niet aan één stuk door zijn blijven bellen? Maar als hij zo nauw bij het Geloof betrokken was geweest als zij vermoedde, hoe kon hij er dan niet van op de hoogte zijn geweest? De rechter kreeg de emotionele puzzelstukjes niet meer passend. De besneeuwde bergen van de Jura leken ver weg in het verleden. Ze doemden voor haar op als geestverschijningen uit een andere wereld, verdwenen en nog slechts een vage herinnering.

'Marie-T, kijk me eens aan. Wat bedoelde je moeder toen ze je dit cadeau gaf? Suis-moi? Waarom zei ze *volg mij?*'

In haar moeders tuin leek het jonge meisje sterker terwijl ze zich tot de rechter wendde. Ze haalde diep adem.

'Maman? Wat ze bedoelde? Eh – dat zou ik niet kunnen zeggen.'

Haar ogen waren rood en vochtig. De rechter doorzag onmiddellijk de dubbelzinnigheid van dit antwoord. Voor het allereerst was Marie-T niet helemaal eerlijk. Hier werd eerder iets verzwegen dan verhuld. Haar houding werd opeens heel stijfjes en terughoudend, een keurig katholiek meisje, dat een belangrijke gast aangenaam bezighoudt.

'Ik vind het fijn dat u mijn moeders tuin hebt gezien. Zullen we nu teruggaan naar Friedrich?'

10

CONSEQUENTIES

Er waren vanzelfsprekend consequenties. De rechter was niet de enige die ziedde van verontwaardiging en verwijten. Gaëlle zat de hele terugweg naar kantoor in de adembenemende hitte te mokken met een heftigheid die tegelijkertijd verontrustend, onprofessioneel en gerechtvaardigd was. Er hing een donkere wolk rond haar zwaar met metaal behangen oren en de rechter was genoodzaakt elke vraag te herhalen. Eenmaal terug op kantoor belde ze Schweigens mobieltje. Hij zette zijn wagen even langs de weg, negeerde haar poging om haar gesprek onder vier ogen met Marie-T te beschrijven en begon tegen haar uit te varen.

'Ik begrijp jou niet. De ene nacht ga je met me naar bed en vervolgens stuur je me weg alsof ik niets voor je beteken en je me niet nodig hebt. Je houdt gewoon je eigen onderzoek. Je bent niet aardig, Dominique, je bent niet eerlijk, je bent niet eens redelijk.'

Ze ging er niet op in.

'Wanneer je weer normaal kunt doen, André, kun je me een e-mailtje sturen. Maar waag het niet, ik herhaal, waag het niet me terug te bellen.' En ze smeet de telefoon op de haak. Gaëlle, die elk woord had afgeluisterd, slenterde fluitend naar het fotokopieerapparaat.

De koele kantoorlucht omvatte de rechter alsof ze een voorwerp in een vitrinekast was, gemummificeerd en ordentelijk uitgestald. Ze bleef doodstil zitten. Dit was waarschijnlijk Schweigens eerste en enige affaire met een andere vrouw. Hij was zo bezitterig als een echtgenoot en al even potentieel onevenwichtig. De laatste tijd belde hij haar minstens twee keer per dag en dan galmde zijn stem jankend door de lijn. De rechter zette de telefoon uit en begon een koel, feitelijk verslag te schrijven van haar ontmoeting met de componist en zijn peetdochter, een verslag dat zo sober en afstandelijk was dat het gesprek hier net zo goed in haar kantoor had kunnen plaatsvinden. De onpartijdige beschrijving was dus niet helemaal correct. Als een ouderwetse antropoloog, verdwaald in de binnenlanden van Afrika, schreef zij zichzelf uit haar onderzoek, zodat zij er geen rol meer in speelde en geen invloed meer kon uitoefenen op haar eigen bevindingen. De bewoners van het domaine Laval kwamen naar voren als vreemdelingen in hun eigen land. Maar in de dagen die op de ontmoeting volgden, net toen de vakantieperiode hen als een enorme golf overspoelde, lieten de veronderstelde vreemdelingen zich ook niet onbetuigd.

Marie-T stuurde haar een kort, hartelijk briefje, waarin zij haar verlangen uitsprak elkaar snel weer te ontmoeten. Het verzoek was vormelijk, vurig, gemeend, alsof het jonge meisje inwendig werd verscheurd. De rechter begreep wat erachter school: de noodzaak tot geheimhouding en het verlangen haar hart te luchten.

De componist stuurde haar bloemen.

Een paarse, ingewikkelde constructie van orchideeën, vergezeld van minutieuze instructies betreffende hun verzorging en welzijn, werd bij haar thuisbezorgd. Het geheel was geschikt op takken en de wortels stonden in een oplossing die ze voor eeuwig in leven zou houden. Ze bestudeerde de eigenaardige, exotische vormen met grote nieuwsgierigheid en argwaan. Hoe was hij aan haar privéadres gekomen? Aan de andere kant had zij ook gezien waar hij woonde in Noord-Duitsland, en misschien was het allemaal wel heel onschuldig en hadden haar oom, Myriam, of zelfs haar ouders hem de informatie kunnen geven. Maar levende bloemen? Orchideeën, waarvan de vorm alleen al haar obsceen voorkwam? Het gebaar leek te intiem. Zij deed nota bene haar uiterste best deze man in staat van beschuldiging te stellen voor op z'n minst het geen hulp verlenen aan mensen in gevaar, en in het ergste geval voor morele corruptie, frauduleuze ontvreemding van gelden en medeplichtigheid aan moord. En nu trachtte hij haar voor zich te winnen met orchideeën. Hun kleur, duivels en suggestief, trok de aandacht op de keukentafel. Ze probeerde er niet naar te kijken.

Toen kwam de tweede brief; de tweede brief die alleen aan haar was gericht.

Beste madame Carpentier, schreef hij vormelijk in het Engels, *Neemt u mij niet kwalijk dat ik u niet in uw eigen taal schrijf. Mijn Frans is, zoals u weet, erg stijf en beperkt tot ruziemaken met zangers en musici. Ik kom binnen een week terug naar de Midi voor het Avignon Festival en hoop u weer te mogen ontmoeten. Ik realiseer me heel goed dat onze eerdere ontmoetingen hebben plaatsgevonden in de vreemde, verdrietige context van het verlies van mijn vrienden. Maar ik wil niet dat deze relatie beperkt zal blijven door de wettelijke grenzen van uw onderzoek. Sinds ik u in mijn theater heb zien staan terwijl de tranen u over de wangen stroomden, ben ik steeds aan u blijven denken. Ik zou het niet kunnen verdragen als er nu een einde zou komen aan onze connectie. Ik wil u beslist weer zien. Chère madame, sta mij alstublieft toe u te bezoeken, met u te spreken, onder vier ogen.*

Hierbij verblijf ik, uw toegewijde en dienstwillige dienaar,
Friedrich Grosz

Dienstwillige dienaar? De betekenis van deze archaïsche formulering ging het Engels van de rechter te boven. Ze moest het opzoeken in haar woordenboek en werd er niet al te veel wijzer van. Connectie? Relatie? Die hadden ze helemaal niet.

Maar hij was wel de belangrijkste persoon om wie haar onderzoek draaide. Ze liep door haar woonkamer en raapte hier en daar wat rondslingerende kranten op. Ze voelde zich schuldig en geërgerd om haar kolossale vergissing – ik heb mezelf laten overvallen, bijna laten uitschakelen, door een emotionele avond bij de opera. En deze man maakte misbruik van haar zwakheid. Haar tranen waren een pijnlijk geheim. Schweigen en Gaëlle mochten het nooit weten. Met een onrustige tinteling in haar vingers bekeek ze de brief en de enveloppe. De Duitse postzegel, zijn adres in de Effengrube, het poststempel van Lübeck, zijn stevige, duidelijke handschrift en de zorgvuldige, strakke vouwen. Ze voelde zich opgespoord, in een hoek gedreven. En toch was de toon van de brief verzoenend, smekend. Hij sprak haar aan als een smekeling, niet als een meester. De macht om te geven en te nemen lag bij haar en bij haar alleen. Maar was dat wel zo? Daar lag de brief, slap en inert, als een mislukte goocheltruc.

Terwijl ze met een kop koffie in haar opgeruimde, stille keuken stond voordat ze in de kortstondige ochtendkoelte naar haar werk reed, barstte de onrust en de onbehaaglijkheid van de rechter opeens in alle hevigheid los. Ze pakte de brief en las hem nog eens door. Wat ze hier in haar handen hield was een liefdesverklaring van een volmaakt onbekende. Zij bezat slechts de macht die hij haar wenste te geven; hij was haar op het spoor. Hoe kon dit oprecht zijn? Ze stond te beven van angst en onzekerheid, gevoelens die de rechter normaal gesproken vreemd waren. Deze ongepaste aanval op haar privacy en zelfstandigheid brachten haar uit haar evenwicht, net zoals maanden eerder de muziek van Wagner dat had gedaan. En toch ontwapende de directheid van de componist haar volkomen. Ze wist niet hoe ze moest reageren.

De vroege avonden van de daaropvolgende week was ze hoofdzakelijk bezig met het afweren van Schweigens telefoontjes en het bestuderen van de gecodeerde gids. Haar linguïstisch experts hadden geen sleutel gevonden tot de getekende symbolen. De tekst bleef geheim en ondoorgrondelijk. Ze concentreerde zich op kleine fragmenten van het boek die in het Duits en Grieks waren geschreven; toen herkende ze het symbool voor de zon – Helios. Veel sekten gebruikten mythen ter ondersteuning van hun zelfverzonnen geloof, en de rechter beschikte over een uitgebreide bibliotheek van goden en legenden. Wanneer zij zich in de publiciteit verdiepte stuitte ze soms op hele stukken pseudowetenschap die rechtstreeks uit de boeken was overgenomen die zij ook in haar kast had staan. Ze had wel eens overwogen mensen te vervolgen voor plagiaat in plaats van misleidende publiciteit, maar beperkte zich tot enkele droge opmerkingen in de kantlijnen van de corresponderende passages in haar verslag aan het parket. God, wat een dwazen zijn deze stervelingen. De rechter pakte haar geïllustreerde lijst van zonnegoden, waarvan de cultussen regelmatig nieuw leven werd ingeblazen.

De zon diende vaak als de belangrijkste en betrouwbaarste bron van goddelijkheid in opstandingsmythologieën. De rechter had een objectieve kijk op het fenomeen. Die grote bol exploderend waterstof en helium betekende niet meer voor haar dan om het even welke andere ster; onze zon, één enkele stervende ster, de kracht die alles van energie voorziet en al het leven naar haar vlammende kern trekt. De populairste versie van de zonnegod die jaar in jaar uit in haar dossiers bleef voorkomen was Ra, ook wel bekend als Re-Horakhty. Elke dag doorkruist de Egyptische godheid de hemel in een boot, in plaats van een strijdwagen, om aan het eind van de dag te worden verzwolgen door de godin Nut en de volgende ochtend opnieuw te worden geboren als een mestkever. Zijn symbool, prominent aanwezig op het omslag van haar naslagwerk over zonnegoden, was een gevleugelde schijf, maar op de titelplaat kwam hij terug in de gedaante van een man met een valkenkop. Ra. De zonnegod Ra. Zij tikte met haar wijsvinger op de gebogen snavel van de god. Goedenavond, Grote God Ra, leg mij uw evidente relatie met het Geloof eens uit. De oude Egyptenaren leken in sommige opzichten van cruciaal belang. Ze had een zorgvuldig getekend tablet met hiëroglyfen aangekruist, waar de werkelijke afmetingen netjes bij stonden genoteerd en dat zo te zien in zijn geheel was nagetekend. De code eronder moest een soort uitleg zijn, want de hiëroglyfen kwamen regelmatig in de tekst terug. Bij het symbool van de zon stond een reeks getallen; en dit is een saros, die de regelmaat van zonsverduisteringen beschrijft. Achttien jaar, elf dagen en acht uur, dus elk deel van de aardbol heeft ongeveer eens in de duizend jaar een kans een volledige verduistering mee te maken. Ra's gouden oog bleef haar strak aanstaren, zijn zwarte pupil groot en verwijd. En dit is een fragment van een gedicht:

Ja! Ich weiß woher ich stamme!
Ungesättigt gleich der Flamme

Ja! Ik weet waar ik vandaan kom!
Onverzadigbaar als vuur

De zinsnede klonk griezelig bekend. Dit maakt deel uit van iets anders, iets langers. Ik heb dit gelezen toen ik filosofie studeerde. Maar wie heeft deze woorden geschreven? Ze kon de bron niet achterhalen. Ze schreef de regels over en ook de twee coördinaten die erop volgden, en zocht toen de getallen op, die duidelijk maten waren.

Altarf (Mag 3.5) RA 8h 16m 38s Dec 09° 10' 43"
Sirius (Mag 1.47) RA 6h 45 m 15s Dec 16° 43' 07"

Cancer en Canis Major – de zwakste van de sterrenbeelden en het sterrenbeeld dat de helderste ster bevatte die zichtbaar is aan de hemel. Welke relevantie hebben deze tegenpolen? Hoe houden ze verband? De sterren in het sterrenbeeld Cancer of Kreeft, waren nota bene flauwer dan een van de sterrenhopen in het verre heelal, bekend als de bijenkorfcluster of M44, een open hoop van vijfenzeventig sterren in het midden van het sterrenbeeld. Wij gebruiken de sterren om tijd en afstand te berekenen. De sterren die we zien, of denken te zien, bestaan misschien wel niet meer, want het licht dat ze bij ons brengt legt een afstand af van miljarden jaren. Daarom kijken we eigenlijk regelrecht in het verleden.

De rechter vouwde haar sterrenkaarten uit en stond op, om beter naar het heelal te kunnen kijken, dat nu plat onder haar vingertoppen lag. Wij zijn nog maar net begonnen deze eindeloze leegte in kaart te brengen, dit beeld van de eeuwigheid zelf, onbekende materie die honderden en miljarden lichtjaren omspant. Wij kunnen ons er niets bij voorstellen. De rechter bekeek het wolkje insecten dat rondvloog in het schijnsel van haar bureaulamp. Ze dacht na over de grote muur van melkwegstelsels, zo'n vijfhonderd miljoen lichtjaren lang, tweehonderd miljoen lichtjaren breed en vijftien miljoen lichtjaren diep, maar het duizelde haar. Ze zweefde weg tussen die onvoorstelbare massa's helium, waterstofgas en stof dat voortsnelde door de massieve ruimte. Als materie goed is voor een luttele tien procent van de ruimte dan is het heelal dus voor het overgrote deel gewoon leeg, grote afgronden van niet-zijn, waar niets is. De aarde was woest en leeg. Uit niets komt niets voort. Zeg iets. Ze zei het hardop, haar stem hol in de warme lucht.

Hoe verhoudt Cancer zich tot Canis Major binnen de filosofie van het Geloof? De Romeinen noemden de tijd waarin Sirius tegelijk met de zon opkomt de 'Hondsdagen', omdat het de warmste tijd van het jaar was. Ze zocht Sirius op in de Egyptische kalender. Sirius was Sothus, de god die ervoor zorgde dat de Nijl buiten zijn oevers trad. Sirius is een van de sterren die het dichtst bij de zon staan. De zon staat gedurende de zomerzonnewende naar verluidt in Cancer. De rechter bladerde door Schweigens rapport over het eerste vertrek, de massazelfmoord op de bergtop in Zwitserland. Ja, de 21^{e} juni 1994, midzomernacht. Goed, maar er zijn zoveel sekten die de zonnewende als heilig beschouwen, onder wie de druïden, die tegenwoordig bijzonder respectabel zijn. Ze bekeek de nieuwste kaarten. De zon bereikt de zomerzonnewende in Gemini. En als al die getallen alleen maar lijsten van sterren zijn, wat doen ze hier dan? Ik bereik hier niets mee als ik die code niet kan kraken.

Maar de rechter was iets eigenaardigs en interessants opgevallen dat zij opsloeg om later nog eens over na te denken. De Gids was samengesteld op verschillende tijdstippen voordat deze zo prachtig was ingebonden door de vader van Herr Bardewig. Een aantal van de oudste benamingen voor de sterrenbeelden bleken te zijn gebaseerd op de Almagest van Ptolemaeus en de magnitudeschaal van Hipparchus uit de tweede eeuw. Maar er waren meer recente twintigste-eeuwse benamingen. En zelfs een paar met de hand geschreven aantekeningen met daarin informatie die alleen afkomstig kon zijn van de Cassini-missie, die nog steeds onderweg was en geacht werd in 2004 Saturnus te bereiken. En hier stonden gegevens die duidelijk waren toe te schrijven aan de Hubble ruimtetelescoop. Volgelingen van het Geloof bestudeerden dus nog steeds de sterren en noteerden alle nieuwe informatie. Maar waarom? Opeens vond ze een passage in het Engels. De vertrouwde letters lachten haar toe tussen de code. *Wie zijt gij? Wij moeten toch antwoord geven aan hen die ons gezonden hebben. Wat zegt gij van uzelf? Hij zeide: Ik ben de stem van een die roept in de woestijn.* 'Johannes.' De rechter fluisterde zijn naam keer op keer: 'Johannes.'

Toen hield de rechter het wat de hemellichamen betreft voor gezien en richtte haar aandacht op aardse zaken: bankrekeningen. Schweigen had namelijk eindelijk kopieën bemachtigd van de recentste rekeningafschriften van de componist en de recentste gecontroleerde rekeningen op naam van het orkest. Dit materiaal, dat niet allemaal op rechtmatige wijze was verkregen, en dus ontoelaatbaar was voor de rechtbank, was zojuist in twee dikke mappen bij haar bezorgd. Nieuwsgierig en verrast bladerde ze door Friedrich Grosz' bankafschriften. Hij was een bijzonder vermogend man. Die orchideeën had hij ongetwijfeld ondergebracht onder algemene onkosten. Ze zag de grote regelmatige betalingen aan het orkest, dat werd geleid als een artistieke onderneming op non-profitbasis en dat regelmatig uitvoeringen gaf op liefdadigheidsconcerten voor prachtige goede doelen: orkanen in Bengalen, de aardbeving in Iran, de weduwen van een mijnramp in China. Ze las de naam van het orkest – *An die Freude*, dat betekent vreugde – orkest van de vreugde. Er was geen bestuur, maar wel een liefdadigheidsgenootschap waarvan Grosz zelf voorzitter was. *An die Freude Freunde* – vrienden van de vreugde. Het comité kwam twee keer per jaar bijeen om de aangekondigde programma's, de reisplannen en lijsten met gastartiesten te bekijken en het budget te controleren. Dezelfde namen keerden steeds weer terug. De secretaris van het genootschap speelde in het orkest – eerste viool. De penningmeester trad regelmatig op als bas-bariton, een knappe zwarte man met gedistingeerde trekken die ook populaire commerciële cd's maakte, met gospelsongs ('Swing Low Sweet Chariot'), calypso's ('Jamaica Farewell') en coveruitvoeringen van Frank Sinatra's grootste hits ('My Way'). De winst van al deze producties kwam regelrecht ten goede aan het orkest.

In geval van twijfel, volg het spoor van de harde contanten. Volg het geld dat stilletjes over grenzen en door onbekende steden stroomt, zoek de duistere rekeningen waar alleen acroniemen boven staan en geen echte namen. De rechter zette haar bril recht, schonk zich nog een glas koud water zonder bubbels in en zette zich aan de lange, trage taak van het in kaart brengen van geldmutaties. En het was er allemaal: vlak voor haar op het groene scherm en in de lange uitdraaien met kartelrandjes van Interpol. Hier had je de grote bedragen die werden aangemerkt als persoonlijke schenkingen, legaten die waren vrijgesteld van alle belastingverplichtingen, of waarop de administratie van het orkest de belasting weer terugvorderde. Deze rekeningen zijn akkoord en overgeboekt. Ze legde de lijst met namen van beide massale zelfmoorden ernaast en bestudeerde Gaëlles zorgvuldige dubbele kolommen: schenkingen in Engelse ponden, dollars, Duitse marken, Zwitserse francs. Gaëlle had elk bedrag in de oorspronkelijke munteenheid laten staan, maar de bedragen wel omgerekend in Franse francs en euro's, zodat de rechter onderscheid kon maken tussen regelmatige betalingen en bijzondere schenkingen.

Haar oog viel op een kleine serie hoofdsommen, vaak van aanzienlijke omvang, die eruit sprongen als flauwe maar zichtbare sterrenstelsels – 1992, 1993, 1994, 1997, 1998, 1999. Ze begon de bedragen die door de gecontroleerde rekeningen van het orkest passeerden te vergelijken met de schenkingen en legaten die waren achtergelaten door de zelfmoorddoden – de enige bekende leden van het Geloof. En in die lijst van bedragen straalde opeens de waarheid haar tegemoet. De anonieme contante donaties begonnen, als gestolen antiek, een identiteit te krijgen, een geschiedenis en een specifieke herkomst. Dit was dus waar op z'n minst een deel van de verdwenen sommen geld gebleven was. Het orkest fungeerde als financiële dekmantel voor het Geloof. Dit was hun *siège social*, hun rechtspersoonlijkheid. En een centrale plek in deze constructie werd ingenomen door de componist, zo solide en constant als de zon in het ptolemeïsche heelal.

Zo wordt het dus allemaal gefinancierd. Eens zien waar al dat geld naartoe gaat. En hier wachtte haar een vreemde verrassing. Dit is een geheime liefdadige organisatie: deze goede daden gebeuren allemaal in stilte en in het geheim. Het geld wordt doorgegeven door musici om de wonden van de wereld te helen. De rechter was nog nooit een sekte tegengekomen die financieel boven elke blaam verheven was. Ergens moest iemand zijn zakken vullen, dat kon niet anders. En dus ging ze door; tot in de koele vroege ochtenduren zat ze achter haar computer en bekeek websites van liefdadigheidsinstellingen, ziekenhuizen, woestijnklinieken, scholen, studiebeurzen, stichtingen voor wetenschappelijk onderzoek, een reddingsboot in Noorwegen, helikopterreddingsdiensten, woningbouw, boerderijen, ontwikkelingsprojecten. Ze vond een heel netwerk van namen, zo logisch als een labyrint waarvan ze nu de sleutel in handen had. Om een uur of drie 's ochtends had ze honderdtwintig namen verzameld, van levenden en doden, een rijke oogst van de goedopgeleide, bevoorrechte elite, machtige, hooggeplaatste vrouwen en mannen, die allemaal met elkaar verbonden waren door een eigenaardige lijst van goede doelen. Maar de kolossale bedragen die in de nasleep van de nieuwjaarszelfmoorden verdwenen waren kwamen niet tevoorschijn en lieten zich niet achterhalen. Ze stond langzaam op, deed haar ogen dicht en rekte zich uit. Haar scherpte en energie waren uit haar weggevloeid, alsof het Geloof, vast van plan haar in zijn netten te vangen, al haar krachten had weggezogen. Het werd al bijna licht.

Ze reed naar huis door de glinsterende straten en zag de eerste mensen naar hun werk gaan. De Bijbelse citaten die kriskras door de hele *Gids* te vinden waren, kristalliseerden zich opeens tot een vreemd doolhof van betekenis, een raamwerk van goedheid, toegankelijk voor rationeel begrip. Ziet toe, dat gij uw gerechtigheid niet doet voor de mensen, om door hen opgemerkt te worden, want dan hebt gij geen loon bij uw Vader, die in de hemelen is. Leden van het Geloof opereerden net als de vrijmetselaars: hun credo was een heilige tempel, gewijd aan rechtschapenheid en verlossing. De rechter gaf gas en alle plastic waterflesjes die ze in de vakjes in haar autoportieren had gepropt trilden en rammelden. Ik geloof het niet, het klopt gewoon niet: een geheim zelfmoordgenootschap gewijd aan gerechtigheid, waarheid en barmhartigheid? Er is iets wat ik niet zie. En ik zie het niet omdat ik te moe ben om na te kunnen denken. Als ze deze wereld willen redden, waarom willen ze ons dan zo graag verlaten? Welke andere koers zien zij in de sterren? Maar laat, als gij aalmoezen geeft, uw linkerhand niet weten wat uw rechter doet. Ik ben het oog van God. Ik wil de linker- én de rechterhand zien.

11

FLAMME BIN ICH SICHERLICH
(Ik ben waarlijk vlam!)

De volgende ochtend verscheen ze om halftwaalf weer op kantoor in een recht jurkje van crèmekleurige zijde, een zonnebril op sterkte en een breedgerande zwarte strohoed. Het effect was agressief, charmant en excentriek. Haar versleten aktetas belandde met een harde klap te midden van de op haar bureau achtergebleven chaos van de boekhouding van het orkest.

'Gaëlle,' zei ze een beetje bits, op die toon die aangaf dat ze geen tijd had voor humeurigheid of nukken, 'bel André Schweigen voor me. Ik heb zijn deskundigheid op het gebied van de Duitse taal nodig om zeker te weten dat ik de belastingformulieren en de gecontroleerde boekhouding goed begrijp. We moeten een hooggeplaatst iemand op het Berlijnse belastingkantoor te spreken zien te krijgen. En we moeten de componist weer ontbieden.'

Gaëlle, die net met een grote kan rinkelende ijsblokjes op weg was naar de waterkoeler op de gang, gooide de deur open. Haar reactie, op beminnelijke en spottende toon, liet niet op zich wachten.

'De componist ontbieden? Dat is niet nodig. Hij is hier al. Zal ik jullie dan maar alleen laten?'

Waarop zij weer wegbeende, met rinkelende sieraden, langs Friedrich Grosz, die in de deuropening stond, groot, bruinverbrand, met een verschrikte blik omdat hij verwacht en zelfs aangekondigd werd, terwijl hij er zo te zien niet al te zeker van was geweest hoe hij zou worden ontvangen. Hij boog en begroette haar in het Frans, waarna hij begon met een serie zorgvuldig gerepeteerde zinnen.

'Madame Carpentier? Hopelijk stoor ik u niet? Ik vroeg mij af of u mij de eer zou willen doen samen met mij de lunch te gebruiken?'

Voor deze ene keer was de rechter blij dat ze nog niet officieel aan haar werkdag was begonnen en hierbinnen haar zonnebril nog ophad. Er viel een ongemakkelijke stilte en beide partijen aarzelden, verbijsterd, in verlegenheid gebracht. De plafondventilator boven hen gonsde en klikte. De rechter wilde zo snel mogelijk ontsnappen aan de boekhouding die over haar hele bureau verspreid lag en aan Gaëlles boosaardige voldoening bij het zien van haar gêne. Ze zette haar hoed af en legde hem over zijn naam, in zijn eigen handschrift, de naam die onmiddellijk opviel op een tiental documenten die duidelijk in het zicht lagen.

'Nog bedankt voor de orchideeën, monsieur Grosz, en ja, het zou mij een bijzonder genoegen zijn met u te lunchen.'

Ze liep recht op hem af, zodat hij gedwongen werd achteruit haar kantoor weer te verlaten. Op het laatste moment griste ze haar aktetas van haar bureau. Ze voelde het *Boek van het Geloof* erin opgloeien als een radioactieve baksteen.

'Had u een bepaalde gelegenheid in gedachten?' vroeg ze liefjes.

Het bleek dat dit inderdaad het geval was.

De componist zette de aktetas zorgvuldig in de kofferbak van zijn Mercedes en hield het portier voor haar open. De twee lage zwartleren stoelen, waarin je diep kon wegzinken, leken op de schietstoelen waarmee astronauten uit de raket werden geschoten als er iets misging tijdens de lancering, en het schuifdak was onzichtbaar in het karkas van het beest verdwenen.

Tijdens het rijden wapperde zijn witte haar om zijn zonnebril. Ze zag dat zijn roomkleurige overhemd precies bij haar jurk paste, en dat iemand de mouwen in scherpe, elegante vouwen had gestreken. Ze voelde de wind aan haar schildpadklem rukken en leunde naar achteren, terwijl ze haar losrakende zwarte haar vasthield. Ze was al meer dan twintig jaar niet meer rondgereden in een sportwagen. Het hele uitstapje leek opeens op een onverantwoordelijke, puberale grap, alsof ze van school aan het spijbelen waren. Toen ze voor een stoplicht stonden, boog de componist zich naar haar toe.

'Is de wind niet te erg? Hebt u er last van? Zal ik het zonnedak dichtdoen?'

Ze hoorde de zachte klank in zijn stem. Ze wist zeker dat ze zich niet vergiste. Eén ogenblik lang kromp haar maag ineen van verwarring en schrik. Leid ons niet in verzoeking, maar ze duwde het gevoel snel weg. Deze man, met zijn luimen en zijn roem, zijn naam die mij niets zegt, is nog steeds het middelpunt van mijn onderzoek, de persoon die ik in mijn web probeer te vangen. Hij mag niets van mijn bedoelingen merken. Ik kan me op elk moment terugtrekken. En toch reikte zij heimelijk, stiekem in haar schoudertas om haar mobieltje uit te zetten en daarmee de veiligheid van haar verlaten kantoor achter zich te laten. Waarom was zij van gedachten veranderd? Hoe rechtvaardigde ze het risico? Het antwoord was duidelijk: deze man verdiende op z'n minst haar volle aandacht.

Dominique Carpentier beschouwde haar charisma als iets vanzelfsprekends. Op haar zevende trok ze al ieders aandacht in de kerk, snoezig in haar eerstecommuniejurkje, met die enorme witte kaars, die veel te groot voor haar was om vast te houden. Op school wachtten de onderwijzers op haar opgestoken vinger, dol op het intelligente fronsje van het allerslimste kind. En in de winterse duisternis van het nieuwjaarsbal had het hele gezelschap in de grote zaal staan kijken hoe zij danste. Ze was gewend aan bewondering en verwachtte altijd de dienst te kunnen uitmaken. Ze ging ervan uit dat ze dit intellectuele steekspel met de componist zou winnen, zoals ze altijd alles had gewonnen.

Het gebied langs de Route Nationale ging over in uitgestrekte kustmeren, ondiepe watervlaktes vol flamingo's, en de afgebakende rijen oesterbedden, die donkere vlekken vormden tegen het rimpelende blauw. Af en toe riep de componist iets naar haar, maar verder keek hij naar de weg en reed heel hard. Ze kwamen lange konvooien vrachtwagens tegen, bumper aan bumper, vakantiegangers in auto's met uitpuilende imperialen, een groep fietsers op weg naar Spanje. Ze zag de onwerkelijk vage omtrekken van de groene heuvel van Sète uit de hitte opdoemen. De componist wist precies waar hij naartoe ging. Ze vermeden de haven en de drukke straten aan weerszijden van het kanaal. Ze passeerden de half verlaten spoorwegemplacementen en reden vervolgens tussen de ruige dennenbomen en de comfortabele villa's en smalle, door muurtjes omzoomde weggetjes voorbij de Église Saint-Louis en het Quartier Haut omhoog. De componist vertelde haar dat de gemeenteraad van plan was de boulevard uit te breiden tot een lange wandelpromenade die helemaal tot het strand liep. Ze schoof haar bril omhoog, wreef in haar ogen en probeerde zich zijn laatste bankafschriften te herinneren. De Mercedes was niet nieuw. Bezat hij meer auto's? Ze arriveerden bij een rustige, zachtgele villa in overvloedig besproeide tuinen waar het barstte van de zoete geuren en het getjirp van cicaden.

'Waar zijn we?'

'Dit is Hôtel Belvédère. Het is klein en rustig. Er komen hier voornamelijk mensen op leeftijd die al jaren naar het zuiden komen voor hun vakantie. Zoals ikzelf.' Hij grijnsde, een heerlijke jongensachtige lach onder zijn zonnebril. 'U zult hier waarschijnlijk de jongste zijn. U houdt van vis, mag ik hopen? Je kunt hier geweldig eten. *Poisson du jour, selon arrivage.* Vis van de dag, naargelang de aanvoer. Iets anders mag u van mij niet eten.'

'Dan is het maar goed dat ik van vis hou.'

De rechter keek als terloops naar het kenteken van de auto, die geregistreerd stond in Montpellier.

'Hebt u uw aktetas nodig?' Hij zag dat ze naar de kofferbak stond te kijken. Ze tikte zichzelf op de vingers.

'Nee, ik dacht het niet.'
Hij zette zijn zonnebril af en wierp haar een strakke, strijdlustige blik toe.
'Bent u van plan gedurende de lunch uw onderzoek voort te zetten, madame Carpentier? Of gunt u mij het genoegen van uw gezelschap?' De angstaanjagend blauwe ogen namen haar van top tot teen op. Ze zette haar eigen zonnebril af en verving hem door haar gewone bril met het zwarte montuur. Dit had het effect van een ridder die voor het betreden van het slagveld het vizier van zijn helm dichtklapt, en daar op het grindpad in de zingende schaduwen stonden zij met getrokken zwaarden tegenover elkaar.
'Misschien moeten we van tevoren één ding duidelijk stellen, monsieur. Ik ben hier als uw gast, maar ik blijf een rechter van instructie en een van de openstaande dossiers op mijn bureau gaat u aan. U, uw vrienden – zowel dood als levend – uw orkest, alle connecties die u hebt met de familie Laval en die mysterieuze sekte die u het Geloof noemt. Als u denkt dat ik dat allemaal laat varen terwijl ik met u vis ga zitten eten dan vergist u zich deerlijk.'
Hij verschoot van kleur en leek, als een soort Incredible Hulk, te groeien.
'Sekte? Denkt u dat wij een sekte zijn? Zoiets als de Christian Scientists? Of de Moonies?'
Het gebruik van de eerste persoon meervoud ontging Dominique Carpentier niet, maar haar betweterige inslag kreeg de overhand.
'De Christian Scientists worden in Frankrijk niet als een sekte beschouwd en zij houden er over het algemeen bijzonder verstandige ideeën op na. Ik raad u aan Mary Baker Eddy's *Science and Health* eens te lezen. U verwart hen waarschijnlijk met de Scientology Kerk, die heel lang onderworpen is geweest aan onderdrukking van staatswege en tegenstanders van sektes, vooral in de Verenigde Staten. En wat de Verenigingskerk van dominee Sun Myung Moon, of zoals u ze noemt, de Moonies, betreft, zij zijn een van de godsdienstige bewegingen die de elementen die worden gebruikt om een sekte te definiëren

afbakenen, en in de regel worden zij in Frankrijk wel degelijk als een sekte beschouwd.'

Zij stak haar betoog uiterst beheerst af, alsof ze verwachtte dat hij aantekeningen zou maken. Een ogenblik lang keek de componist haar boos en verontwaardigd aan. Opeens begon hij te bulderen van het lachen.

'Ik aanbid u, madame Carpentier. U bent de meest buitengewone vrouw die ik ooit heb ontmoet.' Opeens onderging zijn gezicht een totale verandering en vertrok het in een grimas: 'Maar u weet al dat ik u aanbid. Waarom hebt u mijn brief niet beantwoord?'

En nu lachte hij niet langer. Deze radicale verandering van onderwerp bracht haar, als een keiharde vuistslag tegen de borst, volledig in verwarring. De brief! In haar enthousiasme voor zijn bankafschriften, was ze de brief helemaal vergeten. Maar ze herstelde zich snel.

'Die hebt u zelf beantwoord, monsieur. U hebt wat u wilde. U praat nu met mij, precies zoals u wilde, onder vier ogen.'

Hij begon te schreeuwen. Op het terras boven hen gluurde een rijtje belangstellende gezichten tussen de geraniums door.

'Ik heb u heel duidelijk gemaakt, madame Carpentier, dat ik verliefd op u ben, en ik heb er totaal geen moeite mee dat hardop te zeggen. En om het tegen u te zeggen. U kunt mij onmogelijk verkeerd hebben begrepen.' Hij keek haar woedend aan en toen verscheen er een scherpe, sluwe blik op zijn gezicht. 'U hebt mij niet verkeerd begrepen. Daar bent u veel te intelligent voor. Waarom bent u dan hier?'

De rechter, uit het veld geslagen door zijn felheid, deinsde twee passen achteruit in de schaduw van een parasolden die werd belaagd door rupsen. De zijden webben die hun aanwezigheid verraadden, verstikten een groot deel van de takken. Het zal niet lang meer duren voordat deze boom doodgaat. De componist stond voor haar. Hij beheerste de hele oprit, met zijn handen op zijn heupen, zijn jasje naar achteren geduwd en zijn ogen half dichtgeknepen tegen de zon.

'Nou?' snauwde hij, 'geef antwoord.'

Ze herstelde zich onmiddellijk.

'Ik geef leiding aan een onderzoek, monsieur Grosz. En uw persoonlijke gevoelens zijn uw probleem. Niet het mijne.'

Een ogenblik lang stond hij als verstijfd, woest; toen herpakte hij zich en liep een rondje over het grind. De toeschouwers achter de geraniums trokken zich een beetje terug, maar zij kon zien dat ze op de ontknoping bleven wachten. De componist keek haar treurig aan, glimlachte en boog toen voor haar.

'Touché, madame. Dat is helemaal waar, het is mijn probleem en van niemand anders. En nu ben ik heel erg onbeleefd. Ik ben al vóór de lunch met u aan het ruziemaken, in plaats van erna. Denkt u dat u mij dit ooit zult kunnen vergeven?'

Hij reikte haar zijn hand. Op dat moment waagde een kelner in een wit kostuum het om tussenbeide te komen. Hij had met open mond boven aan de hoteltrap staan wachten, maar zag nu dat het meningsverschil niet uit de hand dreigde te lopen.

'Bonjour, monsieur Grosz,' piepte hij, 'uw tafel is gereed.'

'Ah, dank je, dank je. Madame?'

Hij stond nog steeds met uitgestoken hand voor haar; het moment siste in de hitte. De toeschouwers tussen de geraniums leunden naar voren – wat gaat ze doen? En dit kleine gebaar, ogenschijnlijk zonder al te grote betekenis, bepaalde de eigenaardige gebeurtenissen die zouden volgen. Want Dominique Carpentier overwoog wel degelijk haar aktetas te pakken, met haar mobieltje een taxi te bellen en, na een gepaste afwezigheid die lang genoeg was om met de vijand te hebben geluncht, terug te rijden naar haar kantoor en ervoor te zorgen dat zij nooit, maar dan ook nooit meer alleen zou zijn met deze man. Maar wat haar irriteerde, boos maakte en opwond, alle drie ongeveer evenveel, waren zijn vrijpostigheid, zijn directheid en zijn charme. Hij stond nog steeds voor haar, zijn open hand naakt als een onvoorwaardelijke belofte, alweer een Israëliet waarin geen enkele valsheid school, een man die niet in staat was tot bedrog. Ze wist, en dit werd haar ingegeven door haar zesde zintuig, dat hij niet alleen nooit tegen haar zou liegen, maar niet eens tot liegen in staat was. Niet alleen tegen haar, maar tegen wie dan ook. Op de een of andere vreemde en afschuwelijke manier waren zijn muziek, zijn passies en het Geloof met elkaar verbonden door heilige boeien die maar moeilijk te verbreken waren. Zij was de rat in het pakhuis, die aan de verborgen ketenen zat te knabbelen, de vaten omgooide en haar neus in die grote bergen graan stak. En toch, en toch wilde zij niet ophouden, kon zij dit niet loslaten. Ze stak haar hand naar hem uit. Hij trok haar over de kleine afstand die hen nog scheidde en kuste haar vingertoppen. Ze stonden samen in de zon, midden in de herrie van de cicaden, opgesteld als een vormelijke compositie van een stel dat op het punt staat te gaan dansen. De gezichten achter de geraniums trokken zich opgelucht glimlachend terug.

'Zeg dat u het mij vergeeft dat ik ruzie met u heb gemaakt,' drong hij aan.

In haar haast om hem tegen te spreken had ze van bril gewisseld. Nu ze opnieuw verblind werd door het felle licht voelde ze zich weer wat minder zeker. Hij hield nog steeds haar hand vast met die intieme intensiteit die haar bang maakte. Deze man gedraagt zich in het openbaar precies hetzelfde als hij achter gesloten deuren zou doen. Het maakt hem niet uit wie ons ziet en iedereen mag meeluisteren. Ze tuurde naar boven.

'Ik vergeef het u. Maar u bent op proef, monsieur Grosz. U bent gewaarschuwd.'

Hij grinnikte en sloeg een lange arm om haar heen. Terwijl hij haar mee naar boven voerde begon ze zich af te vragen hoe hij in zijn eigen auto had gepast. De onfortuinlijke ober stond nog steeds in de deuropening, nerveus en in de war.

'Het terras, monsieur? Met het uitzicht? U wilde immers uitzicht op zee?'

'Wat als ik deze lunch had afgeslagen?' fluisterde de rechter, terwijl de ober hen voorging naar champagne en puntige gesteven servetten.

'Dan had ik mijn dorade in mijn eentje moeten opeten, me heel zielig gevoeld en me moeten bezatten aan de champagne.'

De bejaarde stellen in de eetzaal keken allemaal op naar de lange, witharige reus van een man en het beeldschone prinsesje dat hij had veroverd, want zij maakten een bijzondere entree in de bovenwereld, als de verloren bruid en haar bruidegom. Zij namen plaats aan een tafeltje met uitzicht over de reusachtige, ronde, oneindig blauwe uitgestrektheid. De rechter zette haar donkere bril weer op om het menu te bekijken. Het hele restaurant hield het vreemde paar nauwlettend in de gaten voor het geval zij opnieuw tegen elkaar zouden gaan schreeuwen. Ze zag dat de componist over de wijnkaart heen naar haar zat te kijken. De ober bood aan de champagne te openen.

'Dank u. We trekken hem straks zelf wel open.' Toen siste hij over de tafel heen: 'Laat mij voor u bestellen.'

'Ik ben gewend voor mezelf te bestellen, monsieur Grosz,' antwoordde ze bits. De gasten aan de tafeltjes naast hen legden hun vorken neer.

'Gun me dat plezier!' smeekte hij. Toen leunde hij naar haar toe en fluisterde: 'Uw haar begint los te raken.'

En hij had gelijk. Dominique Carpentier zag eruit als een vogeltje dat haar veren heeft uitgeschud, slordig en in de war. Ze wilde al opstaan om even naar de damestoiletten te gaan, maar zijn grote hand sloot zich onmiddellijk om haar pols.

'Ga niet weg. Doe het hier. Dat kan niemand iets schelen. Ik kan het niet verdragen u uit het oog te verliezen. Ik ben veel te bang dat u opeens verdwenen bent.' Zijn stem klonk angstig.

Terwijl ze zich weer terug liet vallen op haar stoel drong het belachelijke van haar situatie tot haar door. Ze pakte haar kam en draaide haar zwarte haar weer in de gebruikelijke wrong. De andere gasten zetten zich weer behoedzaam aan hun *moules*, hun brasem, lotte, *terrine de poisson, tarte au citron, tarte tatin* en sorbets in alle soorten en maten. Hij staarde haar als gebiologeerd aan. Zij wierp boze blikken terug. Hij pakte de champagne. De weigering van de componist om zich te gedragen zoals dat van hem verwacht werd ondermijnde al haar aanvalsplannen. Wat doe ik hier als ik niet eens het gesprek in de hand heb? Wie deelt hier de lakens uit? Is dit een acceptabele gang van zaken? Opeens begon ze te lachen. Ze kon niet langer net doen alsof zij vreemden voor elkaar waren.

'Ik moet u vertellen wat er gisteravond tijdens de repetities gebeurde. We geven een uitvoering van Beethovens Negende. Een plaatselijk koor – ze zijn erg goed, hun koordirigent heeft hen perfect gedrild – en mijn gebruikelijke solisten. De uitvoering verloopt altijd goed als we een koor uit de omgeving hebben: van alle zangers zit dan de hele familie in de zaal en al die mensen willen dat het goed gaat en de muziek neemt je mee in vervoering van vreugde. Maar goed, de bas is een Amerikaan, een grote zwarte man, gebouwd als een kleerkast en een fantastische zanger, en toen hij inzette...'

Hier vergat de componist waar hij was en begon te zingen. '*O Freunde, nicht diese Töne* – en prompt sprongen alle knopen van zijn vest en schoten als kogels uit een machinegeweer – ping, ping, ping – naar de eerste violen, chaos in het orkest en de sopranen gilden het uit en kregen natuurlijk de slappe lach!'

'Hoe houdt hij het uit in een vest? In deze hitte?'

'Precies. Dat is bijna onmogelijk. Marie-T heeft een oplossing gevonden. We treden buiten op, op de binnenplaats van het paleis. Voor het koor heb ik een enorm canvas zeil geregeld dat boven hen hangt om te voorkomen dat het geluid opstijgt en in het niets verdwijnt. Dus het is allemaal niet zo formeel. We hoeven geen smokings te dragen. Marie-T heeft een overhemd voor hem in elkaar gezet op de naaimachine van haar moeder. Ze heeft er alles bij elkaar acht uur aan gewerkt. Het hemd is een en al Hamlet-achtige mouwen en plooien en de tenor draagt ook een wit hemd met een wijde hals. We zijn hier niet in Berlijn of in Wenen. Hier kunnen we wat informeler zijn.'

Hij strekte zijn armen; de roomkleurige mouwen waren teruggeslagen en het haar op zijn onderarmen glansde asblond.

'Kijk,' zei hij, 'dit was een van Marie-T's prototypes voor het concerthemd.'

Daarna praatten ze nog wat over Marie-T. De componist nam zijn rol van voogd duidelijk heel serieus.

'Volgend jaar doet ze eindexamen. En weet u wat ze wil gaan studeren? Rechten! En dat komt allemaal door u.'

'Door mij? Maar daar heb ik het nooit met haar over gehad.'

'Dat was ook niet nodig. U bent haar voorbeeld. Marie-T heeft altijd net zo willen worden als u. Als klein meisje heeft zij u zien dansen.'

De rechter trok één wenkbrauw op. Dus Marie-T had hem niets verteld over dat vreemde moment in de grote zaal van haar grootvader.

'Vertelt u mij eens wat u wilde worden toen u zo oud was als zij. Ik voel me zo oud wanneer ik met haar praat. Ik kan me niet voorstellen wat zij voelt of hoe zij tegen deze wereld aankijkt. Ik ben van 1936. Van voor de oorlog. Kunt u dat geloven? Ik ben niet eens van de generatie van haar ouders.'

'Maar u lijkt helemaal niet oud,' peinsde de rechter hardop. Ze keek snel op, bang dat ze misschien onbeleefd had geklonken.

'Het doet mij deugd u dat te horen zeggen, madame Carpentier. Ik lig 's nachts soms klaarwakker, zo bang ben ik dat u mij als een soort dinosaurus beschouwt. Ik ben meer dan twintig jaar ouder dan u. Niet dat tijd mij interesseert. Maar ook ik zit opgesloten in deze wereld.'

Hij gebruikte het werkwoord 'enfermer', wat de rechter verwonderde. Opgesloten, ingesloten, als kippen die wachten op de vos. Hij vroeg haar naar haar jeugd en de rechter haalde herinneringen op aan de eindeloze verveling van haar meisjesjaren.

'Tja, van achtenzestig en de seksuele revolutie was in ons dorp niets te merken.' Ze glimlachte. 'Ik wilde filosoof worden, zoals Sartre of Michel Foucault. Ik dacht eerst helemaal niet aan rechten. En om iets te kunnen worden moest ik in elk geval afscheid nemen van mijn ouders en mijn kindertijd.'

Ze vertelde hem wie ze vroeger was, en dat kleine, ontzettend ambitieuze tengere meisje dat zo dol was op dansen leek net zo ver weg en voorgoed verloren als de tijd van geborduurde spijkerbroeken met wijde pijpen. Net zoals het agitprop straattheater, de MLF en *Le Torchon brûle*, glamrock, de chansons van Jacques Brel en revolutionaire socialistische politiek. In het begin bracht de geconcentreerde manier waarop hij naar elk woord luisterde haar in de war. Het deed haar aarzelen en twijfelen, maar langzaam maar zeker wist zijn aandacht, het feit dat hij zo duidelijk elk fronsje en elk gebaartje in zijn geheugen prentte, en de diepe rust die zij in hem voelde en hoorde, haar juist te kalmeren. De componist was een man die in harmonie was met zichzelf, ondanks al zijn irrationele uitbarstingen. Het was juist dat wat zijn aanwezigheid aan het tafeltje voor haar verankerde. Achter hen stroomde de eetzaal langzaam leeg en het middagbriesje rukte zachtjes aan het tafelkleed. Tegen de tijd dat ze van tafel gingen, vol vis en champagne, waren haar zintuigen niet langer gespannen omdat ze haar moesten waarschuwen voor zijn gevaar. Ze voelde zich gekoesterd, veilig.

'Zullen we in de tuin koffiedrinken?'

Hij hield zijn arm voor haar op, zo galant als een negentiende-eeuwse prins, en zij aanvaardde hem zonder aarzeling.

De belvedère waaraan het hotel zijn naam ontleende, bleek een prieel te zijn aan de rand van het laatste terras boven het hoofdgebouw. Een steil trapje met vochtige treden voerde omhoog naar het frivole koepeltje, dat was beschilderd met piepkleine witte bloempjes en werd omringd door een veranda. Het rieten meubilair, overladen met kussens, riep gedachten op aan een rustig middagdutje in de doezelige, slaapverwekkende warmte. Een zeebriesje beroerde de blauweregen die zich om het balkon strengelde, maar vóór hen lag niets anders dan één grote witte waas. Zelfs de zee verdween in een witte nevel van licht, alsof er een sluier over hen was neergedaald die hen afzonderde van de rest van de wereld. De rechter strekte zich met haar koffie uit op een gebloemde bank, die duidelijk was ontworpen voor oudere mensen. Zonder iets te zeggen boog de componist zich over haar heen en trok haar schoenen uit. Dit gebaar, dat haar eerder amuseerde dan ergerde, gaf hun de maat van de exacte afstand die zij in twee uur tijd hadden afgelegd. Ze krulde zich op en stak haar tenen uit naar een plekje waar de zon nog een beetje doordrong. De wind streek langs haar voetzolen. Ondanks het geluid van de onzichtbare cicaden, was ze zich intens bewust van elk naderend geluid en het ritme van de zee in de verte.

Hij ging naast haar zitten en tuurde in het licht.

'U bent niet zoals de meeste Françaises. U bent niet geverfd.'

'Vanmorgen had ik nog lippenstift op,' corrigeerde zij hem. 'En aangezien u mij geen moment alleen hebt willen laten, heb ik geen kans gezien mijn verf, zoals u dat noemt, een beetje bij te werken.'

'Goed zo. Dat moet u ook niet doen. Als ik op proef ben, dan staat u onder arrest. U moet begrijpen hoe hebberig ik ben wat u betreft. Ik heb u nu dicht bij me, een paar kostbare uurtjes lang. Maar u zult nooit veel tijd voor mij hebben.'

Bij het horen van de verdrietige klank in zijn stem keek zij naar hem op.

'Integendeel. Bijna elk ogenblik dat wij niet samen zijn denk ik aan u en probeer ik informatie op te duiken over uw achtergrond, persoonlijkheid, geschiedenis en loopbaan. En de afgelopen twee uur hebben maar weer eens ruimschoots de beperkingen van mijn manier van werken aangetoond. Ik heb dossiers vol feiten, die geen van alle passen bij de man.'

Zijn opgetogen, bulderende lach deed zijn grote lijf en de stoel waarop hij zat schudden. Het witte haar viel voor zijn ogen en hij gooide zijn hoofd naar achteren.

'Echt waar? Geweldig! Dus ik ben erin geslaagd mijn opvliegendheid, mijn autocratische gedrag en mijn onmogelijke karakter te verbergen.'

'O, volledig.'

Er viel een plezierige stilte die meestal kenmerkend is voor vrienden die elkaar al jaren kennen.

'Moet u geen repetities bijwonen?'

'Ja. Vanavond. Mijn belichtingsman heeft me eruit gegooid omdat ik me overal mee bemoeide. We werken al tientallen jaren samen, dus hij mag alles tegen me zeggen wat hij wil. Ik zal hem eens aan u voorstellen. Hij beschouwt licht als een abstracte taal, net als muziek.'

Hier moest ze even over nadenken.

'Maar dat is het toch ook? Licht gebruikt geen woorden, maar bezit het vermogen om gevoelens los te maken.'

'En dat, Dominique, is de wortel van jouw wantrouwen jegens muziek.'

Het was de eerste keer dat hij haar voornaam gebruikte. Ze besloot geen aandacht te besteden aan deze ingestorte barrière. In plaats daarvan knikte ze instemmend, offerde haar pion, en deed een weloverwogen zet over het bord.

'Als ik je iets vraag over het Geloof, vertel je me dan de waarheid?'

Vreemd genoeg leek de vraag helemaal niet meer riskant of impertinent. Ze was eindelijk zeker van haar zaak en ze zaten hier naast elkaar, dicht bij elkaar, naar de zee onder hen te kijken. Ze kon zijn handen zien, zijn knieën, zijn versleten jeans en zijn mocassins. Ze zag de rand van zijn jasje op de tegelvloer hangen, maar zijn gezicht kon ze niet zien. Hij antwoordde zonder aarzeling of ergernis.

'Ja natuurlijk. Je mag me alles vragen. En je weet heel goed dat ik je altijd de waarheid zal vertellen zoals ik die begrijp – en zover ik weet wat de waarheid is.'

'Waar komt het gedicht vandaan –

Ja! Ich weiß woher Ich stamme!
Ungesättigt gleich der Flamme
Glühe und verzehr' Ich mich.
Licht wird alles, was Ich fasse,
Kohle alles, was Ich lasse.
Flamme bin Ich sicherlich!

Ja, ik weet waarvan ik stam!
Onverzadigbaar als een vlam
Ik gloei en verteer mijzelf
Wat ik vastpak dat wordt licht
Wat ik achterlaat wordt as
Ik ben waarlijk vlam!'

'Ik zie dat je de *Gids* hebt bestudeerd! Ik zou het wel voor je willen opschrijven, maar ik denk niet dat ik het in goed Frans kan vertalen.'

'Ja, ik heb in dat geheimzinnige boek zitten lezen. Maar we hebben de code nog niet gekraakt.'

Ze staarde naar haar eigen tenen. Hij lachte zachtjes.

'Er zijn maar enkele ingewijden die de taal kennen. Maar het zou mij een waar genoegen zijn jou te mogen leren dat boek te lezen.'

De hitte overspoelde hen als een vloedgolf, maar terwijl hij dit zei, gingen de haartjes op haar armen rechtovereind staan tegen een inwendige koude windvlaag, vreemd en onverwacht, en schoot er een tinteling van angst door haar heen. Het instinct tot zelfbehoud kolkte in haar maag en trok door naar haar hart. Ik mag die geheimen nooit, nooit kennen. Ik mag zijn code nooit begrijpen. Ze ging rechtop zitten en keek hem aan. Een van de kussens viel op de grond. Maar de componist leek niets te merken van haar angst. Hij leunde kalm en loom achterover en aan niets was te merken dat hij iets verontrustends of ongewoons had gezegd.

'Vertel mij eens,' want nu zette ze alles op alles en de vraag was onvoorbereid en dus niet professioneel, maar diep vanbinnen hoorde ze haar angst schreeuwen: red jezelf, red jezelf, 'wat is het Geloof?'

Hij pakte haar beide handen en draaide zich naar haar om. Zijn stoel schuurde over de tegels en hij keek haar recht in de ogen. Ze zag kleine bruine vlekjes in het gevaarlijke blauw. Ze was nog nooit zo dicht bij hem geweest. Hij verhief zijn stem niet; er lag geen dwingende overtuigingskracht of aarzeling in zijn woorden, alleen het verlangen om zo duidelijk mogelijk te zijn.

'Het Geloof is een manier van leven in deze wereld en een ingang tot het leven dat nog komen gaat. Het is een oeroude weg die naar wijsheid leidt en hij heeft altijd bestaan in de marges van andere geloven. Dat wil niet zeggen dat het Geloof, zoals jij het noemt – want het heeft zeker nog een andere naam, een geheime naam – op enigerlei wijze een afgeleide is. Onze leer en de verborgen kennis die wij overdragen, zijn door de eeuwen heen overgeleverd door leden van ons volk die soms hooggeplaatste vertegenwoordigers waren van andere monotheïstische religies: jodendom, christendom of islam. Sommigen van ons zijn verbrand als ketters of verraders. Wij zijn, net als de graalridders, bezig aan een lange zoektocht, maar wij zijn ook wakers, de mensen die wakker blijven terwijl alle anderen slapen.

Wij zijn ook wel bekend als het volk van de duisternis, omdat wij in onze eigen mythologie, die honderden jaren bestudeerd is, volgelingen zijn van de Donkere Begeleider, de wagenmenner, Auriga. Misschien heb je in de *Gids* de sterrenkaarten van de nachthemel aangetroffen. Auriga, aan de noordelijke hemel, is gemakkelijk te vinden vanwege Capella, de noordelijkste ster van de eerste magnitude en de op zes na helderste ster aan de hemel. Je weet dat astronomen altijd bezig zijn geweest de nachtelijke hemel in kaart te brengen. Die kaarten werden door zeelieden gebruikt om hen over de hele wereld te leiden. Dat zijn onze tradities, dat is onze erfenis. Maar Auriga heeft iets heel kenmerkends. Binnen deze sterrenhoop bevinden zich twee eclipserende dubbelsterren. Begrijp je dat?'

De rechter hield haar adem in en zei niets.

'Goed, de ene is Zeta Aurigae, de geleerden noemen dit tegenwoordig een oranje reus – een term die mij wel bevalt – die een kleinere blauwe ster in zijn baan houdt. De reus verduistert de blauwe ster elke 2,7 jaar. Dit leidt ertoe dat de ster voor een periode van zes weken minder helder is. Maar in hetzelfde sterrenbeeld zien we ook Epsilon Aurigae. De oude Arabische naam voor deze ster, die wij nog steeds gebruiken, is Almaaz. En dat is wat moderne astronomen een eclips-dubbelster noemen, want Almaaz heeft een mysterieuze donkere partner, die wij niet kunnen zien, maar die de ster elke zevenentwintig jaar verduistert. En die eclips duurt twee jaar. Dit wil zeggen dat deze reuzenster – die zich ongeveer tweeduizend lichtjaren van de zon bevindt – wordt verduisterd door iets wat veel groter is dan hijzelf. Maar wat die duistere partner precies is, dat weten wij niet. Mijn volk noemt het de Donkere Begeleider. Astronomen denken dat het een andere ster is die wordt omgeven door een wolk van materie. Misschien komen we het ooit te weten. De eerstvolgende eclips begint eind 2009.'

Hij zweeg; en overal om hen begon het daglicht onmerkbaar weg te ebben, ondanks de dreunende cicaden en de winderige hitte. De rechter voelde de verandering onmiddellijk, alsof de Duistere Aanwezigheid die hij aanriep uit zijn woorden sijpelde en de gloed van de zuidelijke zomer aantastte, de hitte dempte, de geluiden verzachtte en de wereld verduisterde. De wind ging liggen.

'Wij weten uitsluitend van het bestaan van de Donkere Begeleider door wat hij verbergt. Maar we horen zijn Duistere Aanwezigheid in het hart van de wagenmenner, van wie de twee paarden in de richting van de eeuwigheid staan. We kunnen zijn stem horen'

'Dat ding kan dus praten?' De rechter had genoeg gehoord. Ze werd verraden door de geringschattende klank in haar stem. Ze schoof ongelovig bij hem vandaan en stak haar voeten in haar schoenen. Hij haalde zijn schouders op en glimlachte flauwtjes, alsof hij haar reactie wel had verwacht.

'Ik ben een musicus, geen astronoom. Je kunt het professor Linford vragen, van het Jodrell Bank Observatorium in Engeland. Hij is de belangrijkste expert op het gebied van Epsilon Aurigae. Hij gebruikt maar zelden de naam Almaaz. Hij beluistert de radiosignalen al tientallen jaren en kan je precies vertellen of wat ik je heb verteld waar is of niet.'

'Dus wij worden aangesproken door iets in de sterren?' Haar zelfbeheersing, die weer helemaal terug was, verwijderde haar van hem en haar stem klonk afgemeten, spottend en kil. De componist vertrok geen spier, maar bleef haar aankijken.

'Toon wat meer respect, Dominique, en luister naar wat ik nog meer te zeggen heb. Wij maken deel uit van alles wat is. Het is de stem van onze eigen zielen die over oneindige afstanden tot ons spreekt. Verwacht je soms dat ik je hier ga zitten vertellen over kleine groene mannetjes en vliegende schotels? Die bestaan niet en zullen ook nooit bestaan. Wij zijn het enige wat er is en de Grote Geest spreekt in ons en door ons.

Wij vinden de liefde van God in elkaar. Hemel en aarde zijn met elkaar verbonden in de eeuwigdurende explosie van schepping en eeuwigheid. De tijd in zijn geheel is gevat in het drama van een versplinterde seconde. Wij volgen onze kleine leventjes als een levensdraad door de weinige jaren die wij bezitten zolang wij in dit wereldrijk wonen. Maar in elke seconde hier op aarde, in elk ogenblik dat ik hier voor jou sta – en meer van je hou dan je ooit zult kunnen bevatten – beroer ik de kolossale ruimte van de eeuwige nacht, *die ewige Nacht*. Daar is geen verlies, geen verdriet, geen voortschrijdende tijd, alleen de eindeloze nacht van eenheid en vreugde, het moment dat eeuwig duurt, dit moment dat wij nu kunnen vastgrijpen, met onze blote handen. Wij zijn zulke eenzame wezens, arme zielen die verlangen naar gezelschap, naar troost. Die eenzaamheid is een illusie, want wij worden omringd, beschermd. Je weet – want zo staat het geschreven – dat zelfs de haren van je hoofd alle zijn geteld. "Heilig, heilig, heilig de Heer, de God der Heerscharen, vol zijn hemel en aarde van Uw grote heerlijkheid." Hoe vaak heb je die woorden niet uitgesproken zonder ze echt te begrijpen of te geloven?

De leden van het Geloof behoren tot die heerscharen. Wij staan aan beide zijden van de poort, wij zijn de bewakers van de toegangspoorten en de tweesprongen.'

Hij spreidde zijn grote handen en keek op haar neer als een beschuldigende godheid.

'Kijk me aan. Zeg iets,' zei hij op dwingende toon.

'Hier ben ik. Ik luister,' antwoordde ze bits.

'Ik hou van je, Dominique Carpentier, en niet alleen nu, op dit moment, in dit leven. Maar tot in alle eeuwigheid.'

Toen de rechter tegen vijven eindelijk weer terugkwam op kantoor werd Gaëlle tevredengesteld met twee slagroomgebakjes. Ze kuste haar griffier op beide wangen en overhandigde haar de versgebakken steekpenningen. Gaëlle grijnsde en kuste haar terug en zo werd tussen hen de vrede weer hersteld.

'Is er nog gebeld?'

'Schweigen. Voor mijn gevoel om het halfuur. Hij heeft informatie over de boekhouding.'

'Ik zal dit eerst allemaal maar eens opruimen.'

De boekhouding lag er nog, begraven onder de zwarte strohoed. Ze gingen allebei zitten.

Om hen heen begon de middag donker te worden. Die eerste schaduw die de rechter onder het witte prieel had voelen naderen werd steeds langer en breidde zich uit over de stad en het omringende platteland. Ze maakten een uitdraai van al het materiaal op de diskettes en openden een nieuw bestand voor de financiële gegevens van het Geloof. Tegen zevenen waren ze bijna klaar, toen een plotselinge stroomuitval een voortijdig eind maakte aan hun werkzaamheden. De rechter zag het groene beeldscherm trillen en vervagen en dankte de hemel voor haar stapels uitdraaien.

'Er is iets wat ik niet begrijp,' zei Gaëlle toen ze naast elkaar voor het raam stonden, uitkijkend over de klamme donkere straten, zwanger van de donder en de naderende storm. 'Waarom maken wij ons zo druk om die achterlijke sekte? Ze doen alleen zichzelf kwaad met hun krankzinnige zelfmoordceremoniën. Voor zover wij weten verduisteren ze geen geld en misbruiken ze geen kinderen. En volgens mij vermoorden ze alleen hun beste vrienden. Jij beweert dat ze allerlei goede doelen steunen waar wij nog nooit van hebben gehoord – en hoogstwaarschijnlijk laten ze daar al hun geld aan na. Dus waarom laten we hen niet gewoon hun gang gaan en elkaar uitmoorden?'

De rechter verroerde zich niet en dacht diep na. Toen zei ze: 'Luister goed naar me, Gaëlle, ik wilde je niet ongerust maken. Jij bent een jonge vrouw met nog een heel leven voor je. De reden waarom ik me zo druk maak om het Geloof is omdat ik niet geloof dat we hier te maken hebben met zomaar een zelfmoordsekte, zij geloven in de naderende Apocalyps. Ze verlaten de aarde en nemen hun kinderen met zich mee. Ze denken dat het einde van de wereld eraan komt. Nee, ik weet wat ik altijd heb gezegd – er zijn zoveel mensen die denken dat de wereld morgen op haar eind loopt. De mens hecht nu eenmaal veel waarde aan voortekenen en wonderen. Maar de leden van het Geloof, of in elk geval degenen die ik ken, bekleden allemaal hooggeplaatste functies in de maatschappij. Het zijn geen onaangepaste types, drop-outs of vrouwen die erachter zijn gekomen dat hun echtgenoot niet meer van hen houdt. De belangrijkste regeringsadviseur op het gebied van milieu en de opwarming van de aarde bevond zich onder de slachtoffers in Zwitserland. Net als twee geleerden van het nucleaire onderzoeksstation in Grenoble en het Hoofd Research Astrofysica. Met hoevelen zijn ze? Wie zijn er nog? *En waar zijn zij mee bezig?*'

Gaëlle sloeg haar handen voor haar mond, verbaasd om haar eigen stommiteit.

'Denk je dat ze gezamenlijk naar die Apocalyps toe werken? Denk je dat ze proberen die te bewerkstelligen?'

De rechter keek naar de eerste onweersflits die de hemel in tweeën spleet en in de aarde verdween. Ze wiste het zweet van haar voorhoofd en begon te tellen.

'Ik heb er geen harde bewijzen voor, Gaëlle. Ik weet het niet zeker. Maar er zit een patroon in de data van hun massale vertrek en in de sterren loopt een belangrijk spoor dat te exact en te rationeel is om toeval te kunnen zijn.'

Ze had berekend dat de storm nog minstens vijftig kilometer bij hen vandaan was, maar ze had zich vergist. De storm barstte los boven de bergen van Haut-Languedoc, in een dramatisch spektakel van witgloeiend vuur en zwarte regen, veel dichterbij dan waarmee zij in haar oorspronkelijke berekeningen rekening had gehouden.

12

AGAPE: GENEZING DOOR LIEFDE

De derde brief arriveerde binnen twee dagen. Poststempel Avignon; waarschijnlijk was hij daar nog druk met het festival. Met de brief in haar hand liep ze regelrecht vanuit haar keuken de kleine werkkamer in. Langzaam verscheen het muzikale programma op haar beeldscherm: Beethovens Negende, volledig uitverkocht, alleen nog geannuleerde kaartjes – stond voor zaterdagavond op het programma. Vrijdag dirigeerde hij een concert van zijn eigen muziek in het theater, ook uitverkocht. Bestond er misschien gevaar dat hij zich aan de repetities zou onttrekken en opeens bij haar op de stoep zou staan? Daarvoor zou hij het orkest in de steek moeten laten. Nee, ze hoefde niet bang te zijn voor plotselinge verschijningen. Ze haalde diep adem en maakte de brief open. Hij was opnieuw in het Engels geschreven.

Mijn allerliefste Dominique,
Ik besef dat ik je woede riskeer door je zo aan te spreken, maar ik kan niet wachten. Ik ben een ongeduldig man. Maar in één opzicht ben ik net een vrouw – wanneer mijn hart ergens vol van is moet ik spreken. En mijn hart is vol van jou.

Denk alsjeblieft niet dat ik niet naar je luister of je niet begrijp. Dat doe ik wel. Door jouw roem als de sektenjaagster, was het onvermijdelijk dat je dit verschrikkelijke onderzoek zou gaan leiden. Toch kan ik niet wensen dat het anders was gelopen, want het heeft je bij mij gebracht. En ik weet, zonder dat je me dat met zoveel woorden hebt verteld, waarom je alle godsdiensten verafschuwt en waarom je iedereen wantrouwt die wordt beheerst door een grote gedachte of zelfs een wilde hoop. Jij bent iemand die helemaal alleen is en die eenzaamheid komt voort uit een waarlijk onafhankelijke geest. Jij bent het kind dat in een hoekje van de speeltuin zit te lezen. Jij kijkt vol minachting neer op de behoefte van zwakkere mensen om deel uit te maken van iets wat groter is dan zijzelf. En je hebt een hekel aan iedereen die graag van een ander wil horen wat hij moet doen en hoe hij moet leven. Ik begrijp dit aspect van je felle karakter. Maar ik ben niet alleen componist; ik ben dirigent van een orkest. Een orkest is één groot, ademend, levend wezen, een soort lichaam dat de opdrachten van het brein afwacht. Soms moet je met anderen samenwerken om iets te creëren wat groter is dan jezelf. Dat moet je begrijpen, Dominique. Zonder mijn musici en mijn zangers kan mijn muziek niet bestaan.

Begrijp me alsjeblieft niet moedwillig verkeerd. Want als je dat doet vergis je je in mij.

Ik wil je absoluut weer zien. Heel snel. Sta mij alsjeblieft toe je te komen opzoeken. Ik kom wanneer het jou schikt en ga akkoord met alle voorwaarden die je wilt stellen. Mijn verplichtingen hier zijn zondag ten einde en mijn assistent zorgt verder voor het orkest. Ze krijgen vijf dagen om zich te verpozen voordat we beginnen met de repetities voor Salzburg. Kilometers Mozart natuurlijk. Laat alsjeblieft iets weten. Ik smeek het je. Wat jou betreft ken ik geen trots en geen schaamte. Ik hou van je met heel mijn hart en het is mij een grote vreugde je te kunnen vertellen dat dit altijd zo zal blijven.

F.G.

Sommige woorden moest ze opzoeken in het woordenboek. Verpozen betekende 'uitrusten', maar leek eigenaardig archaïsch. Ze was het woord nog nooit in een brief tegengekomen, hooguit in advertenties voor vakantieparken. Ze stelde zich het orkest voor, levenloos en bevroren als een enorme moderne sculptuur, terwijl het lag te verpozen, om vervolgens weer tot leven te worden gewekt door Mozarts crescendo's, glashelder en veeleisend, als een grote bel die een afstand van tweehonderd jaar wist te overbruggen. Bij de muziek van Mozart voelde de rechter zich niet ongemakkelijk. Mozarts composities ademden logica en zekerheid. Ze vormden geen emotionele dreiging. De symboliek van schoonheid stond haar niet tegen. De opera's had ze nooit bewust gezien of gehoord.

Hij verwacht dat ik deze brief beantwoord, maar hij geeft me geen adres, telefoonnummer of e-mail. Misschien denkt hij wel dat het allemaal in zijn dossier op mijn bureau zit. Ze belde Gaëlle om te zeggen dat ze later op kantoor zou zijn en zocht het domaine Laval op in haar persoonlijke adresboekje. De commerciële tak van de onderneming was te bereiken onder Myriams werknummer.

'Myriam? Je spreekt met Dominique.'

'Salut, ma belle. Je hebt hier heel wat ophef veroorzaakt. Marie-T heeft het over niemand anders meer. Gefeliciteerd! Je hebt haar betoverd. Ik dacht dat ze nooit meer zou lachen nadat haar maman zo schandelijk uit haar leven was verdwenen. Ik weet dat we geen kwaad mogen spreken van de doden, maar ik zal je vertellen dat er hier heel wat boze mensen rondlopen, die geen goed woord overhebben voor madame Laval, nu we van de eerste schrik bekomen zijn. Ik bedoel, hoe heeft ze het kunnen doen? Haar zoon is een monster en het zit er dik in dat hij het landgoed gaat erven. Heb je gezien hoe hij het aanzicht van het grote huis heeft verziekt met zijn oranje zonneschermen? Ik voel er veel voor om de Beaux-Arts eens te bellen. Het is een middeleeuws gebouw dat op de monumentenlijst staat. Maar waarvoor belde je, schat? Wanneer kom je weer bij ons langs? Volgens Marie-T ben je er volgende week ook bij.'

'Volgende week?'

'Mais oui, ben je hier dan zondag niet voor het feest ter ere van het orkest? Of was je van plan later in de week langs te komen?'

De rechter verzon een banale reden om snel weg te moeten, verzocht haar de groeten te doen aan Marie-T en verbrak de verbinding. Ze schonk zich een kop sterke, bittere koffie in en bleef roerloos naar de telefoon zitten kijken. Ze werd van alle kanten tegemoetgezien, verwacht, in een hoek gedreven, onder druk gezet. Wat moest ze nu doen? Terwijl ze onrustig en piekerend naar haar werk reed, besloot ze helemaal niets te doen. In geval van onzekerheid is het altijd het beste om niets te doen. Observeer, luister, wacht. Laat de ander de eerste zet maar doen en zich blootgeven, laat hen maar naar mij toe komen. Gaëlle zat ook naar de telefoon te kijken, maar zij had haar grote, zwarte horloge, waarvan het bandje bezet was met spikes, plat op haar bureau gelegd en had een groot vel wit papier met een geheimzinnige lijst cijfers en letters voor zich liggen.

'Bravo! Je bent er. Kijk, ik hou de stand bij. Schweigen en de componist wedijveren nu met elkaar om jou als eerste te pakken te krijgen. Ze bellen om beurten, steeds met dezelfde tussenpozen, het lijkt wel een pavane.'

'In godsnaam, Gaëlle, waarschuw de centrale dan even. Zet het automatisch antwoordapparaat erop en blokkeer het geluid. Anders komt er helemaal geen werk uit onze handen.'

Om halfeen lieten ze pizza's bezorgen. Gaëlle was goedgehumeurd en babbelde honderduit.

'Hier, neem jij die plakjes salami maar. Veel te heet voor mij. Is het geen erg gevaarlijk spel wat je speelt? Schweigen is buiten zichzelf van bezorgdheid.'

'Welk spel?'

'Met de componist.'

'Welk spel?' De rechter zond Gaëlle een dodelijke blik toe, maar de jonge vrouw walste er gewoon overheen.

'Mij is het wel duidelijk, maar ik geloof niet dat Schweigen je tactiek doorheeft. Je infiltreert in de groep, hè? De componist is er vrijwel zeker van overtuigd dat hij je uiteindelijk zal kunnen rekruteren voor de collectieve zelfmoordwaanzin. En als ik jou was zou ik zover gaan als ik durfde. Probeer door te dringen in de kring van vertrouwelingen. Waarschijnlijk loop je daar monsieur le procureur tegen het lijf. Ik heb altijd al gedacht dat hij rijp was voor het gekkenhuis. Dan kun jij mooi zijn baan inpikken en mij meenemen en dan krijgen we een veel groter kantoor en twee secretaresses.'

Gaëlle knabbelde op de korstjes, schudde het miniflesje vinaigrette onnodig hard door elkaar en goot het over de salade.

'Zal ik het husselen? Ik bedoel, iedereen kan zien dat de componist stapelgek op je is. En dat is heel begrijpelijk. Wel een beetje vreemd – je kunt hem nu elk moment laten oppakken voor fraude en moord. Maar het feit dat hij je aanbidt kan wel van pas komen. Je kunt hem straks binnenhalen als Ahabs walvis.'

'Ik wist niet dat jij Melville las.'

De rechter strooide zout op haar hardgekookte ei en nam er een hapje van.

'De film was gisteravond op tv. Version originale. De hele bemanning van de Pequod leek op leden van het Geloof. Of van een van onze andere sekten wat dat aangaat – geobsedeerd, volkomen gestoord!'

'Dus jij denkt dat hij zal proberen me te rekruteren?'

'Zonder enige twijfel. Het is zoals je zei: ze willen mensen met een goede maatschappelijke positie, goede banen, invloed. Van die dingen.'

Gaëlle beet in een stuk tomaat, het sap droop langs haar bleke kin en liet een vlek achter op haar witte huid, die ze zorgvuldig beschermde tegen de zon. Meestal zag ze eruit als een vampier. Er viel een lange, bedachtzame stilte.

'Het is allemaal heel duister en vaag. Ik wou dat ik met jouw tv-scenario te maken had,' zei de rechter, opeens met een bezorgde, droevige klank in haar stem.

'Maar het is altijd duister, of niet soms? Alsof je een soort dubbelspion bent. Als ik jou was zou ik Schweigen bellen. Hij is nog steeds ernstig van de kaart vanwege die dag in het domaine en hij heeft je sindsdien niet meer gezien.'

'Hij is getrouwd, Gaëlle.'

De griffier trok allebei haar gepiercete wenkbrauwen op, die helemaal verdwenen in haar pony, die stijf stond van de haarlak.

'O ja, zeg? Goh, wat een verrassing. Dat zou ik nou nooit hebben gedacht!' Ze lachte naar de rechter, maar haar stem, waar de ironie van afdroop, suggereerde een heel andere kijk op de feiten. Gaëlle vermoedde dat Schweigens vrouw en zoon belangrijker voor de rechter waren dan zij ooit officieel zou kunnen toegeven, voor welke rechtbank dan ook.

Om twee uur had de rechter een afspraak met de plaatselijke politiearts om de zaak van een van de Agape-slachtoffers te bespreken. De ongelukkige vrouw, die aan terminale leverkanker leed had, nadat ze onder invloed van de sekte was geraakt, alle giftige chemische kankerbehandelingen geweigerd. Ze had zich gestort op de holistische, organische optie van rauwe vruchten en groenten, frisse lucht en ademhalingsoefeningen, omringd door haar liefhebbende groep. Toen zij overleed had iedereen rond haar bed gezeten, zingend en biddend en een tsunami van steun en liefde uitstralend. De familie klaagde de sekte prompt aan voor doodslag en eiste een schadeloosstelling van de organisatie.

'De vraag is hoelang zou ze nog hebben geleefd als ze was doorgegaan met de conventionele kankerbehandeling? Dat is heel moeilijk te zeggen, Dominique. Hier heb je het verslag, met daarin vier vergelijkbare gevallen, allemaal met dezelfde soort kanker. Haar ziekte was terminaal. Ze had nog enkele weken te leven, niet eens maanden, en als je mijn eerlijke mening wilt, dan was die sekte het beste wat haar had kunnen overkomen. Ze werd in haar laatste dagen bijgestaan door liefhebbende vrienden, niet door hysterische, veeleisende familieleden. Geloof me, ik kan het weten, ik heb met de familie te maken gehad. Ze weigerden te geloven dat ze stervende was en lieten haar de boodschappen en het huishouden doen, terwijl ze amper nog kon lopen. Tegen het eind was ze rustig, sereen, in harmonie met zichzelf. Ze accepteerde dat ze ging sterven. Ze is vertrokken als een veertje. Ze zweefde weg. Ik was erbij.'

De rechter bladerde door zijn rapport.

'Maar de feiten, Michel? Denk je dat ze langer had kunnen leven?'

'Een week? Hooguit twee? En dusdanig onder de morfine dat ze praktisch een plant was geweest. Ze had overal uitzaaiingen. Ze was beter af met die mannen en vrouwen die haar geen verwijten maakten omdat ze hen in de steek liet.'

'Goed.' De rechter zuchtte en tekende zijn rapport. Het dossier puilde uit over de rand van haar bureau.

'Hoe staat het met die zelfmoordsekte? Zijn er nog meer boven komen drijven? Ik heb het rapport uit Salzburg gelezen. Ik geloof dat alle lichamen nu wel aan de families zijn vrijgegeven.'

'Het is stil geworden,' zei de rechter.

'Stil?' riep Gaëlle ongelovig en met rinkelende oorbellen uit. 'Er zijn hier regelmatig uitbarstingen op kantoor. Drie dagen geleden hebben we hun goeroe hier nog gehad.'

De rechter draaide zich om in haar stoel en keek haar strak aan.

'Sorry!' Gaëlle sloeg haar beide handen voor haar mond. De politiearts stond op en hield afwerend zijn handen op.

'Oké, oké.' Hij glimlachte breed. 'Topgeheim,' voegde hij er in het Engels aan toe en liep de deur uit.

Om vier uur 's middags bekeek de rechter haar e-mail. Ze hadden een nieuw Outlook-systeem, dat een lange, flikkerende vertraging opleverde tussen het lezen van de lijst met nieuwe berichten en het toegang krijgen tot de tekst van je keuze. Het nieuwste bericht, dat om 15.57 uur was verzonden, was van Schweigen. Haar vingers bleven even boven de toetsen hangen. Schweigen bleef maar voor haar deur staan schreeuwen, als een boos kind dat alleen dreigt te worden achtergelaten. De maîtresse wordt meestal geacht machteloos te zijn in dat ordinaire theatertje waar het voorspelbare drama van de bedrogen echtgenote, de getrouwde man en die andere vrouw zich ontvouwt in een doorlopende voorstelling. En meestal is ze ook machteloos. Maar in dit geval had de maîtresse de winnende kaarten in handen en was zich daar heel goed van bewust. Als ik hem zou vragen uit liefde voor mij zijn vrouw, zijn kind en zijn carrière op te geven, zou hij geen ogenblik aarzelen. Daarom houdt deze situatie een onaanvaardbaar risico in. De consequenties zijn niet te overzien, omdat monsieur de commissaris een onvoorspelbare, impulsieve man is. Hij is niet voorzichtig of tactvol, hij is zenuwslopend en gevaarlijk. Ik kan zijn gevoelens niet overzien en ik ben absoluut niet in staat zijn gedrag in de hand te houden. De getrouwde man behoort de spin in het middelpunt van het web te zijn, koud, egoïstisch, manipulatief, onbetrouwbaar. André barst in woede uit als een idioot en laat zijn collega's gewoon meeluisteren. Opeens glimlachte ze. Ik heb nog nooit de liefde bedreven met een man die zich zo kan verliezen, met bijna jongensachtige ongeremde overgave – het maakt hem niets uit wie kan zien wat hij voelt en hij heeft zich er nooit om bekommerd wie het weet. Voor hem gaat deze liefde vóór alles en hij wil en kan niet veranderen.

Het kleine elektronische pijltje bleef op Schweigens naam staan en het beeldscherm kwam tot leven.

Dominique, ik kan je telefonisch niet bereiken en je mobieltje staat uit. Ze zeggen dat je de hele dag in vergadering bent. Gaëlle heeft me verteld dat je drie dagen geleden weer een gesprek hebt gehad met Friedrich Grosz en dat je hulp nodig hebt van de Brigade Financière. Wanneer kan ik je verslag verwachten? Ik respecteer je manier van werken en zal me nergens mee bemoeien. Maar sluit me alsjeblieft niet buiten.
André

Dit redelijke en bescheiden verzoek verraste en ontroerde de rechter. Ze verplaatste het pijltje naar het vakje beantwoorden en bleef even naar het lege, flikkerende scherm zitten kijken.

Op haar bureau begon de interne telefoon te trillen.

'Madame Carpentier? Er staat een bezoeker voor u bij de receptie. Zij zegt dat u haar verwacht.'

'Gaëlle? Heb ik nog een afspraak staan?'

'Nee, dan had ik het wel gezegd.'

'Wie is het?' vroeg ze bits.

'Marie-Thérèse Laval.'

Er volgde een eigenaardige pauze terwijl de rechter aarzelend de naam herhaalde en intussen haar griffier aankeek. Ze slaan niet voor me op de vlucht, ze zoeken me juist op.

'Zal ik haar even gaan halen?' bood Gaëlle aan.

'Nee, ik ga zelf wel.'

Dus drukte de rechter op VERZENDEN en sloot haar e-mail af. En zo kreeg André Schweigen, die honderden kilometers verderop aan zijn lege scherm gekluisterd zat, zijn eigen zorgvuldig gekozen woorden terug. De woorden die hij had overgehouden uit de stortvloed van woede en verlies die hij in eerste instantie had geschreven, een lege elektronische impuls, met een zwijgende witte ruimte erboven, waarin de rechter niets had geschreven. Het voelde als een klap in zijn gezicht en hij liep met grote stappen naar de toiletten waar een collega hem even later zijn opvallend kale hoofd in een spoelbak vol koud water zag dompelen.

Toen stormde hij weer terug naar zijn kantoor, beukte er een heel andere e-mail uit en drukte zonder het bericht nog een keer door te lezen op VERZENDEN.

Hoe waag je het mij niet te antwoorden? Reken maar niet op verdere medewerking van mijn bureau.

Het was tien minuten over vier toen de rechter de laatste bocht in de stenen trappen nam en de marmeren gang met de grote witte bollen die aan ijzeren stangen boven haar hoofd hingen in liep. De blinden waren niet helemaal gesloten, zodat grote witte vlakken middagzon de vloer met regelmatige tussenpozen verlichtten. Licht, donker, licht. Ze liep met vaste tred de lange, koele ruimte door. Haar blik viel op het figuurtje dat onderuitgezakt in een leren leunstoel bij de ingang hing.

Marie-Thérèse Laval zat met haar armen over haar buik geslagen en haar hoofd helemaal naar achteren, haar benen voor zich uit gestrekt over de witte vloertegels. Ze droeg lichtgroene slippers, als een bacchantische danseres, en ze tuurde recht omhoog naar de fries van mythologische figuren die ronddartelden over het plafond. Iets in dat uitgerolde betoverende lange lichaam van haar, die achteloze gebruikmaking van alle beschikbare ruimte, de argeloze houding en het gemak waarmee ze zich in deze openbare ruimte gedroeg, gaf een indruk van de aristocrate, de vrouw die gewend was aan mooie dingen om zich heen. De vrouw van wie de elegantie en gereserveerdheid niet voortkwamen uit verlegenheid, maar uit de loomheid van grote huizen, waar al het noodzakelijke werk wordt gedaan door personeel. Haar lichaam straalde van alle kanten rust en rijkdom uit. De rechter bleef even in de schaduw staan, geconcentreerd op wat zij voor zich zag.

Was het de ranke, elegante gestalte van de jonge vrouw? Was het de manier waarop zij een lange arm boven haar hoofd hield om haar schouders te steunen tegen de ronding van de stoelleuning? Was het de manier waarop haar lange haar over haar rug viel? Of kwam het door haar kleuren, goud, asblond? De gelijkenis was nu zo sterk dat de rechter zich afvroeg hoe ze zo stompzinnig had kunnen zijn – de feiten van de zaak kwamen opeens over de koude tegels op haar af rollen, suggestief, dubbelzinnig, onmiskenbaar.

Natuurlijk, ze is zijn dochter. Dit meisje is de dochter van de componist. En hoewel zij een onwrikbaar vertrouwen bleef houden in haar eigen intuïtie, moest ze nu een dikke cirkel trekken rond dit brokje informatie dat ze had ontdekt. De tweede gedachte kwam, bijtend, argwanend, als een fluistering naar haar lippen.

'Wie weet dit nog meer?'

'Madame de rechter!'

De vormelijke begroeting van het meisje stond in schril contrast met de manier waarop ze op Dominique af sprong en haar enthousiast omhelsde. Ze drukte zich tegen de rechter aan, zo opgewonden als een hazewindhond die eindelijk haar baasje terugziet.

'We hebben zondag een feestje op het domaine voor het orkest. Het duurt de hele dag, met een lunch op de binnenplaats en later een etentje met Friedrichs collega's en makkers. De zangers hebben een klein concert beloofd. Alleen voor ons. Om ons een plezier te doen. U komt toch ook? Friedrich heeft me gesmeekt u ook te vragen. Hij heeft al zijn vertrouwen in mij gesteld als zijn afgezant.'

De rechter keek naar haar op. Ze was ongekunsteld, stralend, dwingend. Dominique zag alleen nog maar zijn gezicht, zo vaag als een geest, in de glimlach van de jonge vrouw. Haar erfenis, subtiel maar zichtbaar, gloeide als een landkaart in lichte lijnen over haar jukbeenderen, in de lijnen van haar mond en de zachte donshaartjes onder haar oren. Zo zag hij eruit als jongeman.

'Hij had geen overtuigender boodschapper kunnen sturen,' glimlachte de rechter. 'Dank je. Natuurlijk, ik kom heel graag.'

Marie-T maakte een klein vreugdedansje. 'Bent u nu vrij? Kunt u een kopje koffie met me gaan drinken? O, alstublieft, tien minuutjes maar.'

De rechter stuurde via de receptie een boodschap naar Gaëlle en samen liepen ze naar buiten, de warme, zomerse straten op, waar de bladeren slap aan de bomen hingen in de windstille maalstroom van het verkeer, en waar rondvliegende druppels van de fontein onmiddellijk verdampten op de gloeiende stenen. Marie-T gaf de rechter een stevige arm en boog zich opzij om haar te kunnen verstaan en haar aan te kunnen kijken. De intimiteit van dit onbewuste gebaar en de geconcentreerde intensiteit ervan deden haar nog sterker aan de componist denken dan de gelijkenis die zij voor zich zag. De rechter lette goed op wat ze zei en koos zorgvuldig haar woorden. Weet ze het? Ze noemt hem Friedrich, maar ze betitelt hem als haar peetvader, haar voogd, de officiële vertegenwoordiger van de kinderen. Maar kent ze hem als haar vader? Hoe kan ze het niet weten terwijl het voor iedereen die hen samen ziet zo overduidelijk moet zijn? Ze moet het weten. Diep vanbinnen, ergens, moet ze het weten. En toch – de rechter was eraan gewend die kloof te overbruggen tussen iets weten en de waarheid te horen krijgen. Ze luisterde naar een stortvloed van vrolijk gebabbel; ze kon haar geheime inbreuk in het leven van anderen nog gemakkelijk verhullen.

'Het is de eerste keer dat we een groot feest voor zoveel mensen organiseren zonder maman, en ik heb de leiding. Eerst vond ik het een beetje eng, maar Myriam helpt me met de catering en we schenken onze eigen wijnen – te beginnen met de aperitief van kastanjes – hebt u die geproefd? Nee, de koffie is voor mijn rekening; ik heb u weggelokt van uw werk – waarschijnlijk worden er op dit moment allerlei mensen in de gevangenis gegooid omdat u hier bij mij bent. Wilt u een amandelgebakje? Ik neem er een. De wijn is dus geen probleem, maar het gaat meer om dingen als de bloemen. Maman zette altijd enorme vazen bloemen neer, allemaal uit haar eigen tuin, en ik weet niet wanneer ze het deed, maar ze dropen altijd van het verse water. En dan de stoelen, die huren we van de feestzaal, maar iemand zal ze moeten gaan halen. Eerst konden we de plastic tafelkleden niet vinden die we altijd gebruikten, en toen we ze eindelijk vonden stonken ze verschrikkelijk en waren ze bedekt met grote zwarte schimmelplekken. Friedrich heeft gisteren het hele zooitje verbrand – grote stinkende rookwolken – en we hebben nieuwe moeten kopen. Nu hebben ze allemaal vrolijke kleurtjes: geel en blauw met olijfjes en krekels. De Duitsers en de Zwitsers zijn dol op zulke dessins. De tafels zullen er prachtig uitzien. Maar ik moet alle glazen, kopjes, borden en het bestek nog uittellen en controleren of we van alles genoeg hebben. Maman gebruikte nooit van die papieren rommel of picknickplastic. Het is allemaal mooi serviesgoed dat van haar familie is en er breekt altijd wel iets. Elk jaar. O, en we zetten de grote deuren naar de zaal open. Dat is nog een heel gedoe en vorig jaar kwamen er hele nesten enorme spinnen tevoorschijn en liep iedereen te gillen. Friedrich ook. Hij beweert dat het niet zo is en dat hij niet bang is voor spinnen, maar hij stond net zo te trillen van angst als maman en wij allemaal.'

Ze zweeg even, keek naar de door haar brillenglazen vergrote ogen van de rechter en straalde van tevreden vreugde.
'Ik ben zo blij dat u komt. Friedrich zal in de wolken zijn. Hij heeft het alleen nog maar over u.'

13

HET FEEST

EEN GLOEIENDE WIND VERSCHROEIDE de bergen op de dag van het feest en rukte aan de glimmende zeildoekse tafelkleden, die klapperden als zeilen, omsloegen en wegwaaiden in het stof. Er werd iemand naar het dorpscafé gestuurd om twee dozijn plastic clipjes te halen om de kleedjes mee vast te zetten. Toen de rechter arriveerde, voorzichtig, aan de vroege kant, zodat ze vast haar terrein kon afbakenen en de arriverende oppositie kon beoordelen, trof ze een grote chaos aan op de binnenplaats. De componist liep vertwijfeld servetten vast te klemmen onder de borden en Myriam stond, hulpeloos en over haar toeren, in een wervelwind van rode aarde. Twee van de bedienden waren bezig de tafels met het aperitief, glazen, olijven, schaaltjes chips, rolletjes gerookte zalm op kleine toastjes en geroosterde paprika's in vinaigrette terug te brengen naar de grote zaal, buiten het bereik van de hete vingers van de genadeloze wind.

Myriam en de componist zagen haar gelijktijdig uit haar auto stappen en haastten zich de binnenplaats over om haar te verwelkomen. Myriam was er als eerste, gaf haar drie zoenen en jammerde als een kind.

'Ma petite chérie! Help! We hebben je nodig.'

De componist liep, met een vrolijk pakketje gele servetten in zijn hand, bijna tegen hen op.

'Madame de rechter!' Hij keek in haar kalme, ernstige gezicht, pakte haar hand en kuste haar vingertoppen. 'Je treft ons een uur te laat in de hof van Gethsemane. Die wind is een ramp.'

Myriam bazelde maar door en had nergens oog voor, zelfs niet voor de veelbetekenende stilte tussen de componist en zijn rechter.

'Waar is Marie-T?' De rechter besloot eerst haar gastvrouw te begroeten.

'In de keuken. Het is de Bérézina! Hebt u ooit zo'n wind meegemaakt? Maar wat moeten we beginnen? Het waait zo hard dat er vast tafels gaan omvallen. En straks zit er nog stof in het eten.'

De rechter nam de leiding.

'We verplaatsen de tafels naar de achterkant van het huis. Verder onder de bomen. De wind komt uit het noordwesten. Daar waait het ook wel, maar de tafels hebben er geen last van harde windvlagen en wanneer de zon achter het huis staat zitten we in de schaduw. Ligt er een tuinslang in de schuur? Dat stof krijgen we er wel onder met een kunstmatig buitje.'

'Wat een geluk dat je bent gekomen.' Myriam gilde door een van de ramen naar binnen: 'Marie-T! Madame Carpentier is hier en ze heeft iemand nodig om de sproeiers te gaan halen.'

En zo begonnen de rechter en de componist, gekleed voor een trouwerij in hun mooie zomerse kleding, eensgezind met tafels en stoelen over de binnenplaats te slepen, om ze in de schaduw van de hoge platanen neer te zetten, onder de gespikkelde witte boomstammen en de grote bladeren, die al gelig begonnen te verdorren in de augustushitte. Toen Marie-T en haar helpers beladen met nog meer borden en messen in de deuropening verschenen, troffen zij de eregast verhit en enigszins stoffig aan terwijl zij de uitgedroogde aarde stond te besproeien.

'Goed verspreiden. We willen geen modderplassen.'

De componist draaide wat aan de sproeier, keek haar lachend

aan en richtte toen opeens de andere kant op, zodat de rechter van top tot teen door zacht sproeiwater werd bedekt. De koele druppels zorgden ervoor dat de donshaartjes op haar armen rechtovereind gingen staan.

'Maar wat doe je nu?' riep ze, terwijl ze achteruit sprong, zich er niet van bewust dat ze de formele aanspreekvorm had laten varen. Ze had hem altijd met 'vous' aangesproken.

'Kom mee naar binnen,' zei hij, terwijl hij haar bij haar arm pakte en meetrok. 'Je ziet er verhit uit. We hebben allebei een glas ijskoud water nodig.'

Hij leidde haar door de grote zaal. Iedereen kon hen verstaan, de hele staf van het domaine had getuige kunnen zijn van de vrijpostigheid en volharding van de componist. Bij de keukendeur aangekomen bleef de rechter even staan, het was er een drukte van belang en de kookgeuren kwamen haar tegemoet. De bijkeuken, die zich vier deuren verder bevond, hing half boven de geheime tuin tegen het klif. Door het tralievenster zag zij het felle licht op de stoffige bladeren van de fruitbomen. De componist rukte de koelkast open en het binnenlampje schitterde in het donker.

'Ah. Evian. Hier staan alle flessen.'

Glazen waren er niet. Hij draaide een flesje open en reikte haar het koele, geribbelde plastic aan. De rechter klokte een derde van het flesje leeg en streek toen haar wijnrode strakke jurkje glad, waar nu twee plooien in zaten, één onder haar borsten en één aan de bovenkant van haar benen. De jurk was bijna opgedroogd en het verraste haar hoe goed ze zich voelde nadat ze water had gekregen als een bloem. Ze voelde zich opeens weer fris, herboren en energiek. De componist nam het flesje uit haar hand en dronk, met halfgesloten ogen en zijn gloeiende hand nog steeds om haar arm, de rest op.

'Blijf bij me. Laten we hier even gaan zitten.'

Ze keek de langwerpige bijkeuken in, er stonden nergens stoelen. Hij tilde haar voorzichtig op de grote vriezer, die onder haar stond te gonzen en te borrelen, leunde toen loom tegen de muur en keek door de ijzeren tralies de tuin in. Het zat haar niet lekker dat ze zo ongeveer als een pop op een plank was gezet, zodat haar voeten niet meer bij de vloer kwamen. Zijn duidelijke behoefte om haar aan te raken, fysiek dicht bij haar te zijn, verbaasde haar en bracht haar in verlegenheid. Ze voelde zich gecompromitteerd in de ogen van anderen.

'Vond je de tuin mooi?' Ze schrok een beetje van zijn onverwachte vraag.

'Ja, hij is prachtig.'

'Haar moeder heeft alles zelf geplant, begrijp je. Het was haar geschenk aan ons.'

De rechter begon af te koelen en kon weer nadenken. Hoewel ze boven op een vriezer zat, begon haar gebruikelijke zelfvertrouwen, dat haar in staat stelde altijd degene te zijn die alle vragen stelde, langzaam terug te keren. Ze waagde het erop de gevaarlijke vragen te stellen, heel kalm en bijna achteloos.

'Jij mist haar vast net zo erg als Marie-T. Zijn jullie lang samen geweest?'

De componist bleef met zijn blik van haar afgewend tegen de muur leunen. Het plastic flesje kraakte in zijn hand.

'Ja, ik mis haar zeker. Vooral in dit huis. Ooit waren wij geliefden. Ik was nog een jongeman. Nadat Marie-T was geboren mocht ik haar niet meer zien. Haar echtgenoot was een boze, jaloerse man en dat was een van de voorwaarden. Maar het landgoed was van haar, net als het geld. Toen ze weduwe werd stond de deur weer open. Maar intussen was de hele wereld veranderd. Mijn leven was ergens anders; we zagen elkaar zo vaak mogelijk, maar hebben onze verhouding niet voortgezet. Maar aan onze gevoelens veranderde niets.'

De rechter zat doodstil, tot het uiterste gespannen. Als ik hem er nu naar vraag, vertelt hij me alles. Ik heb de val gezet. Maar ze kreeg de kans niet hem met haar vragen in het nauw te drijven, hij was haar te snel af en zijn emoties waren nog te vers. Opeens zette hij zich af van de muur en nam haar in zijn reusachtige greep.

'Vraag me niet naar het verleden. Het doet nog te veel pijn. En eigenlijk zou dat niet moeten. Ik zie de dingen niet duidelijk. Ik zie jou. En ik zie jou alsof je wordt verlicht. Je hebt mijn brief niet beantwoord. Je geeft me nooit antwoord. Je bedenkt alleen maar steeds nieuwe vragen. Ik heb je hier mee naartoe genomen om je te dwingen tegen me te praten. Mijn vragen te beantwoorden.'

Hij hield haar stevig vast. De rechter slaagde er niet in van de vriezer te klimmen.

'Zet me op de grond.'

Eén akelig ogenblik lang keken zij elkaar aan. Hun gezichten waren slechts centimeters van elkaar verwijderd en hij rook naar warm zweet en kaneel. Ze verzette zich tegen zijn woedend makende greep en trachtte zich eraan te ontworstelen. Hij tilde haar van de vriezer op de vloertegels. Zij zag het tralievenster en de tuin daarachter en haar bril, die een beetje scheef was gezakt in de worsteling, besloeg.

'Monsieur Grosz, beheerst u zich toch.'

Hij liet haar onmiddellijk los.

'Eindelijk heb je mijn naam gezegd. Of in elk geval een deel ervan. Waarom noem je me nooit bij mijn naam?'

De rechter streek haar jurk en haar boosheid glad en begon met de voering van haar rok haar bril schoon te poetsen.

'Doe dit alstublieft nooit meer. Als u mij nog één keer als een stuk speelgoed behandelt laat ik u vervolgen wegens geweldpleging.'

'Een stuk speelgoed? Maar ik lig aan uw voeten, madame.' Hij lachte en streek zijn witte haar naar achteren.

'Ben ik te oud voor je? Is dat het?' Opeens betrok zijn gezicht zichtbaar overstuur.

De rechter smolt. 'Gaëlle vindt van wel.'

'Ik wist het. Zij spreekt kwaad over mij.'

Hij nam de hele ruimte tussen de vriezer en de deur in beslag, als een reusachtig symbool van de macrokosmos. Onwillekeurig moest ze om zijn onbeschaamdheid en openhartigheid lachen. De rechter wist, had altijd geweten, wanneer een man loog. Ze bezat een neus voor meineed en deze man was een en al waarheid. Het raadsel dat moest worden ontrafeld school dus niet in de componist zelf, maar in zijn entourage en in de doolhof van relaties, vriendschappen, connecties en herinneringen die hem omringden. Zij twijfelde niet aan deze liefdesverklaring. Zijn hardnekkigheid was niet alleen opmerkelijk maar ook vleiend, en ze realiseerde zich dat ze het exacte moment waarop hij instortte preciezer kon bepalen dan hijzelf. Want ondanks haar ontbrekende bril en troebele zicht herkende zij weer diezelfde geobsedeerde en gepassioneerde blik waarmee hij haar had aangekeken in de schouwburg in Lübeck, maanden geleden. Toen had hij haar voor het allereerst gezien.

'Stoor ik?' Er verscheen een gestalte in de deuropening.

De taal was Duits, de stem wellevend, bekend, kalm. De componist slaakte een kreet van vreugde.

'Johann Weiß – mag ik je voorstellen aan Dominique Carpentier. Dit is de leider van mijn orkest, mijn eerste violist en mijn rechterhand. Hij spreekt al mijn talen en naar ik aanneem ook al de jouwe.'

'Aangenaam, madame.' De violist, die al een glas van het befaamde kastanje-aperitief in zijn hand hield, maakte een diepe buiging. 'De feestelijkheden kunnen beginnen!'

Tot haar opluchting werd de componist weggeroepen om zijn orkest te verwelkomen dat nu in hoog tempo werd uitgebraakt door een hele stoet auto's en verscheidene minibusjes. Johann escorteerde de rechter terug door de grote zaal en naar buiten, onder de bomen. Hij sprak vloeiend Frans, met een opzettelijk komisch accent en bruiste als een man die voortdurend op het punt staat in lachen uit te barsten. De rechter besefte dat zij de enige vreemde was, verder kende iedereen iedereen. Marie-T gaf haar in het voorbijgaan een uitbundig kneepje in haar arm en droeg Johann op goed voor hun dierbaarste gast te zorgen. De spraakverwarring van talen stroomde in de donkere ruimtes van het huis en waaide door de kleine draaikolkjes van stof die nog over de binnenplaats wervelden. De wind ging liggen en de kleurige jurkjes van de vrouwen vielen sluik over hun benen. De rechter haalde haar zonnebril op sterkte tevoorschijn en keek undercover naar de feestelijke menigte, haar blik zo strak als een kompasnaald die het noorden zoekt. Ze verviel in de veilige, professionele rol waarin zij zich het best thuis voelde: die van de vrouw die toekijkt, informatie in zich opneemt en weigert overhaaste conclusies te trekken, de vrouw die afwacht. Maar zij werd aan de lopende band afgeleid. Vrijwel alle orkestleden zochten haar op om haar de hand te schudden en met haar kennis te maken. Ze was meer dan welkom, er was naar haar komst uitgekeken, ze werd verwacht, geëerd. Dit was even verontrustend als aangenaam. Zij werd zelf ook in de gaten gehouden, met een geobsedeerde, opgetogen aandacht die haar zelfvertrouwen ondermijnde. Wat had hij hun verteld? Wie denken ze dat ik ben? De rechter knikte en glimlachte, als een verre nicht die op het bruiloftsfeest arriveert en opeens tot de ontdekking komt dat ze de moeder van de bruid is.

De componist zette haar tussen Marie-T en zijn eerste violist. Ze maakte geen bezwaar tegen deze zorgvuldige tangbeweging, want zij zaten aan het hoofd van de tafels, zodat zij een uitstekend plekje had vanwaar zij gezichten, stemmen en gebaren kon volgen. De orkestleden namen aan weerszijden van de tafels plaats, onder veel gegrinnik en geschuif met stoelen en wankele banken. Ze voelde zich omringd door gesprekken en gelach. Waren ze ingedeeld op instrumenten of op taal? Ze had geen idee. De componist werkte charcuterie, kleine zure uitjes en verscheidene glazen muskaat naar binnen, terwijl hij intussen een verhitte discussie over Mozart voerde met een vrouw links van hem, aan wie zij nog niet was voorgesteld. Hun Duits was te snel en te technisch voor haar om te kunnen volgen. De rechter zat geïsoleerd en voelde toch een lichte irritatie opkomen. Ik zou nu thuis kunnen zitten en wat werken of lezen. Wat heeft het voor zin om hier te zitten als ik hen niet kan bespioneren en hun gesprekken niet kan volgen? Hij stortte zich op haar als een reusachtige wilde kat.

'Wat vind jij, Dominique? Jij hebt vast wel een mening over de symfonieën van Mozart.'

'Nee, hoor. Ik ben geen musicus en ik bezoek zelden concerten.'

De eerste violist grinnikte. 'Dan moeten we onmiddellijk aan de slag om u te bekeren.'

Hij knikte naar de componist, maar Friedrich Grosz zat haar met zijn intense blik weer aan te staren en volgde de spieren in haar gezicht en de spanning in haar schouders. Ze voelde hem zoeken naar de herinnering aan haar onbeheerste tranen op het moment dat de jonge sopraan haar hartstocht en haar verlangen naar de oneindige nacht had uitgestort, in een eeuwigheid waarin geen verlies, geen scheiding, geen tweedracht meer was. Zie, wij hebben de plek bereikt waar de sterren nog stralen en waarin de tijd niet langer voortijlt, de plek waar uren, dagen, weken bewegingloos en bevroren zijn, gevangen in de heldere kring van onveranderlijke eeuwigheid.

Gehypnotiseerd door de energie van zijn blik, vervolgde ze: 'Je weet heel goed dat die muziek mij in de war brengt.'

'Precies!' riep de componist uit, alsof zij hem al het bewijs had geleverd dat hij nodig had om met de overwinning te gaan strijken, en hij begon weer tegen zijn gesprekspartner te kletsen.

Opeens hield hij op, wendde zich tot haar en Johann Weiß, zweeg even en verklaarde toen in het Engels: 'Alleen muziek opent de poorten tot de onderwereld. Het was het lied van Orpheus dat Pluto's hart brak en Eurydice bevrijdde. De aantrekkingskracht is onweerstaanbaar. Maar doet muziek ook beloftes die ze niet kan waarmaken? Want het is de meest romantische van alle schone kunsten' – bij deze gedachte ging hij even over op zijn moedertaal – '*denn nur das Unendliche ist ihr Vorwurf*. Maar eeuwige liefde is Orpheus nooit vergund geweest. Hij keek achterom.'

De rechter fronste, verbijsterd.

'Gelul,' riep Johann, ook tegen de rechter, 'je weet heel goed dat de belofte – *das Versprechen* – er is en dat die te allen tijde zal worden gehouden. Muziek opent de deuren van het onbekende koninkrijk, de wereld die niets te maken heeft met de externe wereld der zintuigen. En dat rijk is zowel de bron van al ons verlangen als ons doel, ons uiteindelijke doel. We hebben het recht om onverzadigbaar te zijn in deze wereld, en alles, alles zal ons gegeven worden. Maar we moeten ons wel aan ons deel van de afspraak houden. En tot dusverre hebben we ons daar in alle opzichten trouw aan gehouden.'

De rechter, die vol aandacht zat te luisteren, knabbelde intussen van haar warme toast met geitenkaas. Ze kon de details van de woordenwisseling niet volgen, maar ze was er zonder meer van overtuigd dat wat zij hier aan tafel hoorde, vrijuit gesproken, de geëxalteerde taal van het Geloof was.

Toen de schemering inviel begon Johann Weiß te spelen. Insecten verdrongen zich rond de lampen die hoog aan de muren van de grote zaal hingen en de reusachtige dakspanten en het stoffige pleisterwerk verlichtten. Myriam schopte haar schoenen uit en sloeg haar arm om de rechter heen en zo zaten zij tegen elkaar aan geleund in witte plastic stoelen bij de hoge, met siernagels beslagen middeleeuwse deuren. De eenzame, droevige melodie rees op in het oude gebouw, voedde het zachte gerinkel van borden uit de keuken en het ruisen van de platanen die werden beroerd door de wind die eindelijk ging liggen. Iedereen zat onderuitgezakt, met rode gezichten, moe en voldaan, klaar om stil te zijn en het geluid in te ademen van een enkele viool en de melancholieke manier waarop die de oude liederen opnieuw vertelde. De rechter dwong haar jachtig werkende brein in de wachtstand. Ze had in acht uur tijd twee glazen alcohol gedronken. Ze was waarschijnlijk de enige nuchtere persoon te midden van deze vrolijke honderd, die stuk voor stuk veel blijer leken dan zij. Dit waren de plekken van haar jeugd. Hier had zij gespeeld tussen de grote vaten en hier had ze zich na schooltijd verstopt voor haar vader en Myriam. En hier had ze gedanst, op dezelfde tegels en had ze alle ogen op zich gericht geweten. Had de familie toen ook al uit ingewijden bestaan, volgelingen van de offersekte die hun fortuin, toekomst en elk vooruitzicht op autonoom geluk opslokte? Wie had ervan geweten? Was het er toen al geweest, hier, vlak voor haar neus? Ze keek naar Myriams donkere hoofd en de kleine gouden ringetjes in haar oren. Wat had haar beste vriendin geweten, maar nooit verteld? Nee, wat Myriam betreft was haar bazin gedupeerd en vermoord, door middel van bedrog overgehaald om deel te nemen aan een luguber moordpact. De gebeurtenissen van nieuwjaarsavond hadden de geweldige madame Laval ontmaskerd als zowel laf als goedgelovig, een minder geweldige vrouw dan wij allemaal hadden geloofd, en niet de grote dame die tientallen jaren aan het hoofd had gestaan van een winstgevend bedrijf. De rechter speelde met de zwarte Japanse kam, in plaats van haar gebruikelijke schildpadklem, en dus minder comfortabel, die haar haar hoog op haar hoofd hield, als dat van een geisha die zich heeft opgemaakt voor een afspraak in een bar ergens in Tokio. De viool ging de diepte en de hoogte in en toen kwam er een eind aan de droevige liederen. Ze werden verbannen van deze vrolijke avond en het dansen begon.

Waar hadden ze hun instrumenten verstopt? Want nu waren er opeens nog drie violen en een contrabas die lachend begonnen te improviseren, zonder muziek voor zich. Ze voelde de benauwende concentratie van de componist op zich gericht. Zijn ogen verlieten haar gezicht geen seconde. Hij zat in de schaduwen tegen de opgestapelde tafels geleund en Marie-T stond achter hem en sloeg op zijn schouders in het steeds sneller wordende ritme van de muziek. Twee mannen waren begonnen met dansen. Was het de *sevillana* uit Bizets *Carmen?* Of gewoon een melodie die iedereen kende? Ze keek naar hun gekromde ruggen en strakke heupen. De dans ontvouwde zich in een drama van stampende voeten, woeste fronsen en de strakke, duistere blikken van bezetenen. Er was ook iemand die zong, een vurige kreet, en Johann Weiß stampte met zijn hiel op de grond terwijl hij speelde. Iedereen klapte met de muziek mee. En toen, net zo plotseling als hij begonnen was, was de dans ten einde en hieven de beide mannen, de ruggen tegen elkaar als triomferende gladiatoren, hun armen.

'Herinner je je het?' Myriam kneep zachtjes in haar schouders. 'Weet je nog, schat? Hoe we vroeger dansten?'

'Mais oui. Natuurlijk weet ik dat nog.'

En daar was Myriam, soepel en slank, een jong meisje van zestien, wervelend als een wilde djinn, dansend in haar armen. Ik ben hier opgegroeid. Dit is het vriendinnetje uit mijn jeugd. Maar wat kon ze zich nog meer herinneren dat had kunnen doorgaan voor een van de natuurlijke eigenaardigheden van het volwassen leven, maar dat in werkelijkheid de aanwezigheid aangaf van iets gevaarlijks en vreemds? De rechter zocht haar eigen verleden af naar voortekenen en wonderen, naar iets wat haar kon vertellen hoelang het Geloof al geworteld was in haar geboortegrond, maar ze bleef met lege handen staan.

Ze kon niet weggaan zonder haar jonge gastvrouw te bedanken. Marie-T, die haar bedolf onder dankbetuigingen, slaagde er desondanks in onmiddellijk op te lossen in de zingende nacht toen de componist ongeduldig aan haar zijde verscheen.

'Waar staat je auto?'

Ze liepen naar de andere kant van de gebouwen, waar de wijnstokken begonnen. De stokken, waarvan de grootste bladeren waren weggehaald om de druiven bloot te stellen aan de zon, huiverden in de eerste koelte van de avond. De muskaatdruiven zijn altijd de eerste. Op deze hellingen waar de warmte van zee landinwaarts werd gedragen door de verzengende wind, begon de oogst soms al in de laatste week van augustus. De rechter prikte met haar sleutels in een volle tros om het vochtgehalte te schatten.

'Wanneer zie ik je weer? Ik heb nog vijf dagen voordat ik weer naar Oostenrijk moet. Ik vind alles goed, Dominique, zolang je je maar niet voor mij afsluit. Meer vraag ik niet van je.'

'Je vraagt wel meer van me.' Ze voelde zich ongemakkelijk en ongeduldig. 'Begrijp je dan niet dat ik je zolang het onderzoek nog loopt niet kan ontmoeten zonder mezelf hopeloos te compromitteren? Ik moet nota bene rapporten over je schrijven. Over vandaag moet ik ook een rapport schrijven.'

Er lag een stille afstand tussen hen. Ze zag het verwarde witte haar op zijn voorhoofd en hoorde in de verte het lachen in de nacht. Hij spreidde zijn armen in een gebaar van gefrustreerde ergernis. Zijn mouwen waren opgerold, hij was klaar voor de strijd. Hij torende boven haar uit als een worstelaar.

'Nou en? Wat maakt dat uit? Ik ben geen alledaags iemand. En ik heb niets voor je te verbergen. Voor mijn part mag je rapporten schrijven zoveel je wilt.'

Niemand kon hen hier horen en niemand was getuige van dit gesprek. De rechter voelde zich veilig voor vreemde ogen, veilig voor alles behalve haar eigen opvliegendheid. Ze haalde diep adem, klaar om zich te onttrekken aan de eisen die hij aan haar stelde. Maar terwijl zij nog zocht naar een kort antwoord dat eindigde met goedenavond, voelde de componist haar aarzeling en sloeg toe.

'Je bent met me meegegaan naar het Belvédère. Je mag mijn brieven dan niet hebben beantwoord, maar je hebt ze ook niet teruggestuurd en ik weet zeker dat je ze niet gewoon boven op de groeiende stapel papieren voor je dossiers hebt gelegd. Je bent vandaag gekomen. Je geeft me goede hoop, Dominique, hoop dat je misschien ooit van mij zult gaan houden, of in elk geval een heel klein beetje van de liefde die ik voor jou voel zult kunnen beantwoorden.'

Dat was de bekende druppel. Geen enkele man had het ooit gewaagd haar te vertellen wat ze moest doen. Zelfs de procureur gaf haar de vrije hand. Geen enkele man had ooit gemeend haar gevoelens of haar beweegredenen te kunnen doorgronden en geen enkele man haalde het in zijn hoofd commentaar te leveren op haar voornemens of beslissingen. Deze man stond haar geestelijke en lichamelijke bewegingsvrijheid in de weg. Verbolgen, getergd en nu ook ziedend van woede hief de rechter een gebalde vuist naar hem en beet terug: 'Hoop maar liever niet. Laat je hoop maar varen. Reken niet op mij.' Ze stond tegen hem te schreeuwen. Hij drukte haar armen tegen haar zijden en haar rug tegen de auto en riep toen midden in haar gezicht. 'Je kunt me er niet van weerhouden van je te houden. En wat je ook doet, daar zul je nooit verandering in kunnen brengen.'

Hij deed een stap naar achteren. Zij sprong in haar auto en liet de sleuteltjes uit haar trillende handen vallen. Ze zag zijn reusachtige witte gestalte, zo indrukwekkend als een kolossus, tussen de wijnstokken door weglopen om de poorten van het domaine te openen. Even ving ze zijn grimmige gezicht in haar koplampen, maar toen passeerde ze hem in een wolk van stof. Ze weigerde vaart te minderen of op te kijken.

De rechter werd wakker in de grijze, koele vroege ochtend en stond in het halfdonker voor haar koelkast vruchtensap te drinken, regelrecht uit het pak. Er begon haar iets te dagen. De aanwijzingen schitterden in piepkleine hoekjes van haar geest, als kralen aan een ketting die van het gebroken snoer waren gevallen en nu over de vloertegels rolden en stuiterden. Ze hoorde Johann Weiß luidkeels en triomfantelijk zeggen – *je weet heel goed dat de belofte er is en dat die voor altijd zal worden gehouden* – en daarna hoorde ze zijn muziek, de sombere, droevige klank van verdriet, afwezigheid, verlies, zijn eerbetoon aan de reizigers die waren voorgegaan, die in de glanzende duisternis het pad hadden betreden dat wij eens allemaal moeten volgen. Ze wiegden mee op de droevige liederen en accepteerden hun collectieve verdriet: niemand vroeg hem iets anders te spelen. Toen hoorde zij de toonsoort overgaan in majeur en begon het vrolijke dansen. Die wenend 's nachts is neergezegen, gaat met gejuich het zonlicht tegen. Iets in het patroon van de uitvoering en de vorm van het feest zelf zond de rechter een waarschuwing toe: het feest en daarna het dansen. Ze bleef doodstil staan, dorstig en uitgeput, uitkijkend over het steeds lichter wordende grijs. De vertrouwde omtrekken van struiken, palmen en fruitbomen werden donkerder naarmate het lichter begon te worden. De luiken stonden nog open. Ze had niet de moeite genomen ze dicht te doen toen ze thuis was gekomen en had alleen maar haar tas en sleutels op de keukentafel gegooid. Het vertrouwde gebrom van het automatische sproeisysteem hield op. Nog even en het was dag.

Had Friedrich Grosz voor het feest betaald? In gedachten begon ze een kostenraming te maken – er hadden meer dan tachtig, misschien wel honderd mensen aan die lange tafels gezeten. Het orkest ademde een aangenaam gevoel van rijkdom uit. De musici droegen dure, informele kleding en leken zich bij elkaar op hun gemak te voelen. Goed, de verschillende talen hadden haar in verwarring gebracht, maar wanneer je niet precies kunt verstaan wat er wordt gezegd, ga je op andere dingen letten en naar andere dingen luisteren. Zoals een onwillekeurige spanning tussen de sprekers, de manier waarop zij zich afzijdig hielden, kleine vanzelfsprekendheden, een nauwelijks waarneembare band die alleen zichtbaar was in een achteloos gebaar, een intieme blik, een knikje. Deze mensen kenden en gaven om elkaar als leden van één grote familie. Zij hadden zich opengesteld om haar op te nemen in hun midden. Waarom? En waarom hadden ze zoveel intiemer geleken dan collega's of vrienden? Gedeeltelijk kon ze het wel verklaren. Ze werkten samen, leefden samen, reisden samen, ze brachten waarschijnlijk veel meer tijd met elkaar door dan met hun gezinnen. Veel strijkkwartetten bestonden voor een deel uit bloedverwanten. De intimiteit die ze tussen leden van dit orkest had opgemerkt wees op banden die minstens zo sterk waren. Ja, ze waren er nog, overgebleven leden van het Geloof, in elk geval nog een paar, en zij had met hen aan tafel gezeten en hen zien praten, eten en dansen tot diep in de nacht.

Maar wat kon ze met die informatie beginnen? Zolang ze in de buurt van de componist bleef, bevond ze zich in de kern van de sekte. Daarvan was ze overtuigd. Maar de componist had het vertrek van Marie-Cécile Laval en haar kerstgasten niet zien aankomen, daaraan twijfelde ze evenmin. Zijn verdriet was immens, niet geveinsd en net zo sterk als zijn liefde voor zijn niet-erkende dochter.

En waar was André Schweigen op dit moment mee bezig? Behalve met haar te overladen met lompe en opdringerige e-mailtjes?

Opeens zag de rechter twee bijpassende glinsterende kralen van de gebroken ketting naar elkaar toe rollen alsof ze gemagnetiseerd waren. André Schweigen deed nog steeds onderzoek naar de onvoorstelbare sommen geld die waren verdwenen, samen met de vermogende doden die in de nieuwjaarssneeuw tussen de omgevallen bomen waren achtergebleven. Al zijn pogingen het geld te achterhalen waren op niets uitgelopen. Zelfs uiterst bescheiden giften aan ongespecificeerde goede doelen bleken onmogelijk na te trekken. Eén superbonusspaarrekening op een bank in Zürich, waarop een bedrag van tweehonderdduizend Zwitserse francs had gestaan, was in de aanloop naar de kerstdagen helemaal leeggehaald. Niemand geeft zoveel geld uit aan kerstboomversieringen of oesters.

Alles zal ons gegeven worden, maar dan moeten we ons wel aan ons deel van de afspraak houden.

De rechter pakte haar bril, trok haar katoenen kimono strak om haar middel en liep haar werkkamer in. De computer stond op stand-by. Ze opende haar e-mail en negeerde alle wachtende berichten. Een ervan was van Schweigen. Ze opende het. En daar lag de bruuske weerlegging van zijn twee laatste berichten. *Hoe waag je het om niet te reageren? Je hoeft van mijn kantoor geen enkele medewerking meer te verwachten.* De rechter zat verbijsterd voor haar grote computer. Hoe kan ik dit over het hoofd hebben gezien? Ik heb toch zeker gereageerd? Ze zag nog een ander bericht, dat haar aanraadde een website getiteld Artsen en Verpleegsters te bezoeken, maar daar besteedde ze verder geen aandacht aan en ze begon snel haar eigen nieuwe bericht te typen.

Datum: Ma 14 aug 2000 04:57:23
Van: Dominique Carpentier
Aan: André Schweigen
Onderwerp: Financiën van het Geloof
Prioriteit: Hoog!
Headers: Toon alle

André, ik doe nog steeds onderzoek naar de financiën van het orkest en ik heb dringend nog wat informatie nodig. Zoek uit waar hun hoofdkantoor zich bevindt. Probeer Berlijn of Lübeck. Waarschijnlijk kan de Brigade Financière je wel helpen. Het gezelschap heeft zojuist een bezoek aan het Avignon Festival afgesloten en speelt volgende week op het Festival van Salzburg. Friedrich Grosz is niet alleen artistiek directeur, maar ook voorzitter van het bestuur. Of van hun vereniging, wat de officiële benaming daarvoor in Duitsland ook moge zijn. Eis inzage in alle rekeningen die verband houden met het orkest. Ga terug tot 1990 (minimaal, en nog verder terug als je vreemde dingen tegenkomt) en zorg ervoor dat je alle facturen te pakken krijgt die niet te maken hebben met lopende uitgaven. Ik heb nog geen bewijzen voor substantiële schenkingen in het afgelopen financiële jaar die corresponderen met het geld dat na de nieuwjaarszelf-

moorden is verdwenen. Controleer elke rekening die op naam staat van de belangrijkste ondertekenaars van de beleidscommissie van het orkest. Houd me op de hoogte. Dominique.

PS Ik zal je berichten altijd beantwoorden, alleen misschien niet op de manier die jij verwacht. Wij zijn nu veel meer dan collega's, André. Ik verwacht je medewerking. Ik kan je alles vragen en ik laat me niet afschepen.

Deze e-mail, maandagochtend om 4:57 uur verzonden vanaf het privéadres van de rechter, wachtte André Schweigen met een rood uitroepteken toen hij op kantoor kwam. Hij belde onmiddellijk haar mobieltje, maar kreeg alleen haar gebruikelijke ingesproken boodschap te horen. Toch stortte hij zich vol opgewonden overgave in de strijd. Ze was terug. Ze had hem nodig. En dit wilde ze van hem. Als een jager die een twijgje hoort knappen in het bos en de omvang van zijn prooi overschat, zette Schweigen een omvangrijke expeditie op stapel en maakte zich op voor de jacht.

14

GEBED VOOR DE DODEN

VEEL MENSEN ZIJN EIND AUGUSTUS nog op vakantie. Dus ook al slopen de avonden steeds koeler en vroeger door de stad, 's middags brandden de trottoirs nog steeds en de tafeltjes in de *allées* zaten nog steeds vol luidruchtige buitenlanders in korte broeken. Op kantoor was niet veel te doen zolang ze nog zaten te wachten op de beloofde rapporten die nooit kwamen. Gaëlle zat een groot deel van haar tijd in dossiers te bladeren en internet af te zoeken. Ze archiveerden alle op niets uitgelopen zaken. Met het oog op leugenachtige claims las de rechter een compleet manuscript over gebedsgenezing. Zij hoorde niets van Schweigen of van de componist. Ze zette zich schrap voor een nieuwe uitbarsting in haar kantoor, maar de radiostilte duurde al vijf lange dagen en ze zag de volgende week met teleurstelling en opluchting tegemoet.

Toen ontdekte Gaëlle iets vreemds, waar zij allebei van schrokken.

'Hé, herinner je je dat astronomische fenomeen waar de componist je over heeft verteld? Die eclipserende ster?'

'Ja?' De rechter had een zorgvuldig aangepast verslag van het gesprek in het Belvédère bijgesloten in haar dossier over het

Geloof. De eigenaardige beweringen van de componist leken vrij veilig terrein en daarom had ze vrijwel elk woord dat hij had gezegd opgeschreven.

'Nou, ik heb hier iets over die ster gevonden. Het is een gebed uit het Egyptische *Dodenboek*, dat dateert uit omstreeks 3000 voor Christus.'

De rechter stond op en boog zich over Gaëlles computer. Daar, in een opsomming van curiositeiten van het British Museum, op een belangrijk plekje op de website, stond de afbeelding van een ovalen steen, ruwweg uitgehouwen als een kleine hand, waarin Egyptische hiëroglyfen waren gekrast. De rechter staarde naar de geopende handpalm. Ze had het ding eerder gezien, zorgvuldig in zijn geheel nagetekend, met de werkelijke afmetingen eronder. In het *Boek van het Geloof* wordt dit voorwerp omringd door een hele pagina gecodeerde aantekeningen.

'Kijk. Hier staat dat het een gebed tot de wagenmenner, Auriga, is. En de reden waarom het tentoon wordt gesteld is dat die ster deze maand uitzonderlijk helder is. De eclips wordt pas in 2009 verwacht. Nog negen jaar te gaan. Hier staat de Engelse vertaling.'

De rechter scrolde snel en zonder iets te zeggen omlaag. Patronen van negen. Het ding verduistert elke zevenentwintig jaar. Nog negen jaar te gaan.

Bid, bid voor mijn ziel – dat de Donkere Begeleider mij moge omhelzen en genezen.

De rechter drukte zonder een woord te zeggen op PRINTEN. Dwars door de jaren heen hoorde ze een buitenlandse stem, trillend in de lucht. Ik heb dit over het hoofd gezien. Dit is mijn schuld. Hoe heb ik dit gebed voor de doden over het hoofd kunnen zien? Waarom heb ik de vertaling er niet op nageslagen? Gaëlle was nog steeds aan het lezen.

'Wat betekent "zalven"?'

'Iets ergens overheen gieten, of smeren als het olie is. Het is een soort heilige inzegening. Zoiets als het heilig oliesel wanneer je op sterven ligt.'

'Jakkes. Afschuwelijk.'

'Het wordt juist geacht mensen te troosten.' De pagina's gleden een voor een heel langzaam in het bakje van de printer. De rechter legde haar vinger op de steen op het beeldscherm en volgde de omtrekken ervan, zich afvragend hoe groot hij was.

'Waar is dit ding te zien?'

'In Londen. In het British Museum.'

'Wanneer?'

'Nu.'

Even keken ze elkaar zwijgend en onbeweeglijk aan.

'Mag ik mee?'

'Nee,' glimlachte de rechter, 'deze keer niet. Ik krijg mijn onkosten alleen maar vergoed als het rechtstreeks verband blijkt te houden met het onderzoek. En jij moet de boel hier draaiende houden. Ik ben hooguit één, twee dagen weg.'

Gaëlle rukte in geveinsde wanhoop aan haar haar, dat toch al rechtovereind stond.

'Je laat me aan mijn lot over, gij wreedaard!'

De rechter begon te lachen. 'Kijk maar uit. Je begint al net zo te klinken als de componist.'

'Echt waar? Praat hij zo?'

De rechter besloot dat ze alweer te veel had gezegd.

Ze stortte zich in de rijen vakantiegangers op de luchthaven en stond in gedachten verzonken in de vertrekhal, in afwachting van de dagelijkse shuttle naar Gatwick, toen André Schweigen in een overwinningsroes haar kantoor belde. Hij stak meteen van wal tegen Gaëlle, die hem dwong opnieuw te beginnen, maar dan langzamer.

'Ik heb een spoor, een goed spoor. In december 1999 zijn er zes grote anonieme schenkingen gedaan aan het orkest, allemaal op dezelfde dag en allemaal met dezelfde voorwaarde, dat het geld niet eerder mocht worden overgemaakt dan 3 januari van dit jaar. Alle gevers – een aantal uit Frankrijk en een aantal uit Zwitserland – stonden erop anoniem te blijven, maar ik wil wedden dat ik al die namen aan de doden kan koppelen. De Brigade Financière spoort nu de Franse gevers op en Interpol onderzoekt de Zwitserse bronnen. Dat gaat langer duren, misschien veel langer. En al het geld is ten goede gekomen aan een dochteronderneming die de Stichting wordt genoemd en die wordt geleid door de secretaris van het orkest, de eerste violist, Johann Weiß. Hij gebruikt het orkest als een particuliere bank. Waar is Dominique? Hoe wist zij dit? Ik heb haar mobiel gebeld, maar die staat uit. Waar is ze?'

'Hoog in de lucht nu, onderweg naar Londen. Ze is op zoek naar een steen met hiëroglyfen.'

De rechter vond een klein hotelletje in Bloomsbury vanwaar ze naar het British Museum kon lopen. Haar reisje leek lichtzinnig, escapistisch, bijna feestelijk. Ze ging een art nouveau Pizza Express binnen, kauwde op een taaie pizza met kaas en champignons, dronk er twee glazen slechte rode wijn bij en las de Engelse kranten van voor tot achter, inclusief de advertenties. Ze belde haar ouders om hun te vertellen waar ze was en beluisterde Schweigens opgewonden opeenvolging van berichten en een gevoel van tevredenheid stroomde door haar heen als rivierwater dat na een overstroming weer terugvloeit in de daartoe bestemde bedding. Ze belde hem niet terug, maar strekte onder de tafel haar benen, legde haar enkels over elkaar en staarde naar buiten, naar de zwoele motregen en de Londense avond. Wat doe ik hier nu eigenlijk? Ben ik een doodgewone bezoeker die zich komt vergapen aan een esoterisch geloof? Of ben ik nog steeds een rechter van instructie die een belangrijk onderzoek leidt? Misschien ben ik wel gewoon Dominique Carpentier die de gangen nagaat van een man die zegt dat hij van me houdt? Van een man die aan de lopende band dingen beweert. En wat moet ik van dit alles denken?

Ze haalde de drie brieven van de componist uit haar leren aktetas. De eerste onschuldige uitnodiging voor de opera en de twee daaropvolgende verwerpelijke felle aanvallen waarmee hij haar reacties had uitgelokt, en legde ze naast de uitdraai van de website van het British Museum. De Donkere Begeleider is de benaming voor datgene wat Epsilon Aurigae verduistert. De oude Egyptenaren waren befaamde astronomen. Zij hadden het waargenomen en de Duistere Aanwezigheid een naam gegeven. En voor hen was het heilig, machtig, gewijd. Ook zij geloofden in leven na de dood. De Donkere Begeleider wordt in verband gebracht met Anubis, de Jakhals, ook een wagenmenner, wat een traditioneel beeld is voor de God van de Doden. De Donkere Begeleider is de wagenmenner, een van de Vier Ruiters van de Apocalyps. *Swing low sweet chariot, coming for to carry me home. Because I would not stop for Death – He Kindly stopped for Me – The Carriage held but just Ourselves – And Immortality.* Ze las zijn laatste woorden aan haar. *Ik houd van je met heel mijn hart en het is met intense vreugde dat ik je kan vertellen dat dit altijd zo zal zijn.* Nou, hij is in elk geval niet zuinig met hyperbolen. Ze zette haar bril af, poetste nauwgezet de glazen schoon en las toen nogmaals door wat hij had geschreven. Terwijl ze naar zijn zorgvuldige handschrift keek, verdween langzaam de strakke trek om haar mond. Ondanks haar cynische behoedzaamheid werd ze tot in het diepst van haar wezen geraakt door de vastberaden, onstuimige energie van zijn bloemrijke taal. Ze voelde de urgentie van zijn verzoek. Maak ik deel uit van zijn grotere plan? Hoe kan hij van mij houden? Hij weet amper wie ik ben. Wat heeft hij me te bieden dat ik niet al heb? Hij is een en al verlangen en veeleisendheid, net als een kind – ik wil, ik wil, ik wil – en wat ik wil ben jij. Voor deze man zal niets ooit genoeg zijn.

Nu ze zijn entourage van dichtbij had meegemaakt, besloot ze hen nog eens wat nader te bekijken. Ze haalde zich Johann Weiß voor de geest. Mijn eerste violist, mijn rechterhand. *Wij hebben het recht onverzadigbaar te zijn in deze wereld. Alles zal ons gegeven worden.* De rechter zag een enorme menigte uitgehongerde mensen voor zich, naakt of in lompen, die voor de poorten stonden te schreeuwen om datgene waar ze recht op hadden. Hebben wij het recht om onverzadigbaar te zijn? Volgens mij niet. Verdeling maakte excessen onbestaand, en ieder had genoeg. In dit deel van Europa hebben we genoeg en zelfs meer dan genoeg. Maar nu denk ik te letterlijk. Deze mensen denken in symbolen en metaforen. Gaan zij mijn analytische voorstellingsvermogen te boven? Haar blik betrok en ze zette haar bril af en staarde strak voor zich uit.

Rijkdom, comfort, bezit – dat is niet wat hij bedoelt. Maar wat bedoelt hij dan wel?

Ze zag hoe de componist, oprecht en vol vuur, verloren in de storm van zijn eigen overtuiging, haar over de volgeladen tafels heen smekend aankeek. En toen, ondanks haar woede om zijn vrijpostigheid – hoe durf je je gevoelens aan mij op te dringen? – voelde ze de fabelachtige schoonheid van zijn eerlijkheid. Hij had voor haar gekozen. En nu hij zijn keus had gemaakt weigerde hij die te veranderen of om te buigen. Hij was een slaaf van zijn perceptie van een vrouw die hij niet kon opgeven, maar ook niet kon bezitten. Zij was werkelijk zijn rechter.

En ik? Wat voel ik voor jou? Zijn brieven beantwoorden was met het oog op haar werk ondenkbaar. Maar ze zag hem weer voor zich in de schouwburg in Lübeck, waar hij haar naar haar mening had gevraagd en haar dankbaar was geweest voor het huldeblijk van haar tranen. En nu maakte hij haar het hof met zijn ongecontroleerde oprechtheid. Ze had er goed aan gedaan hem te waarschuwen. Hoop maar niet. Reken niet op mij.

Zodra het museum de volgende ochtend openging, liep de rechter met haar legitimatie en haar paspoort naar het museumkantoor. In de vorm van een simpel, kort verhaaltje dat zij had voorbereid, met een minimum aan gruwelijke details, legde zij het doel van haar komst uit aan een gefascineerde administrateur die grote ogen opzette toen hij hoorde dat een moderne zelfmoordsekte zich nota bene had laten inspireren door een van hun geëxposeerde stukken.

'Dan moet u de conservator van de stenen hebben, professor Hamid. Hij heeft een fax van uw kantoor ontvangen en hij is hier vandaag. Ik zal hem voor u halen.'

Even later schudde zij de hand van een kleine, serieuze man met een donkere huid van wie de witte baard en het kroezende grijzende haar zich ter hoogte van haar bril bevonden.

'Ik ben eigenlijk deskundige op het gebied van Assyrische antiquiteiten,' begon hij zich te verontschuldigen. 'Mijn collega's in de egyptologie zijn op vakantie, maar ik zal u zoveel mogelijk helpen met de Auriga-steen. Zo wordt hij genoemd.'

Hij leidde haar langs kolossale zwarte standbeelden van gevleugelde en uitgehouwen wezens met leeuwenklauwen en enorme vlakken gerimpeld gesteente als baarden, door de grote, stille zaal van de Elgin Marbles, die al vol begon te lopen met bezoekers, naar de Egyptische sarcofagen en glazen vitrines met gemummificeerde katten. Helder verlicht en in een eigen vitrine lag daar een kleine, zwarte steen, kleiner dan haar eigen hand, waarin ruw een duim en vingers stonden weergegeven. Op een grote, schuine kartonnen plaat die ernaast lag, stonden de hiëroglyfen en de herkomst van het voorwerp in verschillende talen uitgelegd, een astrologische kaart illustreerde de ophanden zijnde eclips. De stenen hand lag op een bedje van fluweel en de onbegrijpelijke ingekerfde symbolen brachten de rechter in verwarring. Haar werkzaamheden strekten zich gewoonlijk niet uit tot plaatsen delict, open en bloot liggende lijken en bewijsmateriaal in de vorm van kostbare voorwerpen. De bronnen waarmee zij werkte hadden de vorm van drukwerk: documenten, foto's, verklaringen van de belastingen, boekhoudingen, medische rapporten, valse publicaties. Het Geloof had haar meegesleurd in een huiveringwekkend gebied waarin tegenstrijdige emoties haar verwarden en onverklaarbare waanbeelden een geschiedenis hadden die zich uitstrekte tot in de antieke wereld.

De professor liet haar geruime tijd aandachtig en geconcentreerd naar de steen kijken en trok haar toen mee tot ze voor het gouden masker op het deksel van een Egyptische doodskist stonden. De verstarde, gestileerde gelaatstrekken leken vreemd androgyn, alsof de dode farao, die kennelijk onlangs nog een succesvolle facelift had gekregen, zich werkelijk verheugde op een leven tussen de engelen in de hemel, waar geen huwelijken bestaan en ook geen uithuwelijking. Het bereiken van deze serene toestand leek een geschenk van de dood zelf en was iets wat geen enkele filosofie met zekerheid kon bewerkstelligen en wat geen enkel geloof kon garanderen. Ze keek naar het afbladderende goud, de ingelegde strepen en de vreemde cartoonachtige afbeeldingen van houterige mannetjes en langgerekte vogels. De god Anubis, zijn wolfachtige gezicht scherp en alert, maakte zich op voor de laatste tocht in de zwarte boot. De Dood is een rivier, de Stygische wateren waarin wij ons begeven om voor eeuwig te verdrinken.

Een kleine groep bezoekers verzamelde zich, onder leiding van een officiële gids, rond de Auriga-steen. Professor Hamid begon zachter te praten en boog zich naar haar toe, zodat zijn opmerkingen niet opeens een hele horde geïnteresseerde toeristen zouden trekken. Ze kon de verlichte steen nog steeds zien.

'De vorm doet vermoeden dat het een votiefgeschenk of een talisman was, die bij de dode in de kist werd geplaatst, mogelijk in de rechterhand. De steen is gevonden tussen de grafgiften in een geplunderde kist. We vinden nog steeds onaangeroerde graven in de Vallei der Koningen, dus er bestaat een kans dat we ooit nog een van deze stenen zullen aantreffen. Maar vooralsnog is deze uniek. De tekst is bekend en is vrijwel letterlijk overgenomen uit het Egyptische *Dodenboek*.'

De rechter boog zich naar hem toe. Het leek alsof ze over de sarcofaag heen een samenzwering stonden te beramen.

'Volgens mijn assistente dateert dit gebed uit een periode van meer dan drieduizend jaar geleden. Is dat juist?'

'Dat kan. Misschien is het zelfs nog ouder. Gebeden zijn eigenaardige dingen. Ze hebben vaak een orale geschiedenis die veel ouder is dan hun geschreven bronnen. Ziet u, gebeden worden herhaald als ballades. Ze behoren toe aan priesters en aan een volk. Dit gebed voor de doden kan heel goed gemeenschappelijk bezit zijn geweest, dat zowel aan het volk toebehoorde als aan koningen. Misschien is het al heel erg oud. Heel interessant is dat de eclipserende ster een bekend fenomeen is, zelfs in dit prille begin van de astronomie en navigatie, en dat hij een mythische, religieuze betekenis had. Almaaz is ongewoon helder. In de Oudheid moet het zeelieden zijn opgevallen dat een van de sterren die hen leidde op gezette tijden meer dan twee jaar lang zomaar verdween. Die verduisterende aanwezigheid staat van oudsher bekend als de Donkere Begeleider, of de Donkere Aanwezigheid – en zo noemen we hem vandaag de dag nog steeds.'

De rechter probeerde de ernstige kleine professor thuis te brengen. Hij noemde de ster Almaaz, maar hij was duidelijk van Arabische afkomst en dat kon zijn gebruik van die naam verklaren. Wees zijn gebruik van de eerste persoon meervoud op de groep van wetenschappers in het algemeen? Ze was er vrij zeker van dat ze hem nooit eerder had gezien, maar zijn stem, rustig, kalm en buitenlands, kwam haar griezelig bekend voor. Ik heb de stem van deze man eerder gehoord. Ze keek hem aan, aandachtig en slecht op haar gemak. Hij sprak met zoveel duistere, mysterieuze autoriteit. Ze besloot hem uit zijn tent te lokken.

'Hechtten de Egyptenaren veel betekenis aan die verduisterende ster?'

'Dat weten we niet zeker. De Donkere Begeleider is overduidelijk een metafoor voor de Dood zelf. En de steen is gevonden in wat ooit een rijk graf was. De steen zelf is onaanzienlijk, maar het schrift wijst op een priesterlijke schrijver. Wij hebben de pech dat de tombe is geplunderd, waarschijnlijk aan het eind van de negentiende eeuw, zodat wij nooit zullen weten wat er nog meer in het graf van deze koning lag. Alle kostbare schatten zijn gestolen. Deze bescheiden steen, die bij het gebalsemde lichaam lag, blijft onze belangrijkste vondst.'

De rechter zag de museumbezoekers naar de geheimzinnige steen kijken. Sommigen keurden de geleerde uitleg amper een blik waardig en liepen meteen verder. Sommigen keken in hun museumgidsen, anderen bestudeerden de sterrenkaarten, zichtbaar verwonderd. Verlangen wij dan allemaal naar tekenen en wonderen, de kaart die ons naar verlossing en de eeuwigheid voert? Hier, omringd door de ingezwachtelde doden, leek de Donkere Begeleider aan macht en betekenis te winnen. De rechter huiverde, want toen de componist haar voor het eerst over Epsilon Aurigae had verteld op dat zonovergoten plekje boven Sète, uitkijkend over zee, had ze verondersteld dat het verhaal een mythe was, of dat hij het zelf verzon. Maar hier lag een gebed aan de Donkere Begeleider en de mummie van de farao, die in zijn verduisterende aanwezigheid had geloofd.

'Komt u even mee naar mijn kantoor?' De professor boog,

een toonbeeld van hoffelijkheid, en wees naar een afgesloten gang achter de doodskisten van de overleden koningen. 'Daar kan ik u iets meer laten zien over de steen en u een paar nuttige boektitels aanbevelen.'

De rechter betrad een langwerpige, stoffige ruimte die meer op een laboratorium leek met kasten vol naslagwerken tegen de muren en stapels dozen rond een aantal rommelige bureaus. Ze zag tientallen stevige houten kratten met witte etiketten en een uitgebreide verzameling gebroken keramische bakstenen die als een soort puzzel werden gereconstrueerd. Een afschilferende leeuwenkop lag in losse onderdelen uitgestald op een tafel.

'Dit is een muur van een tempel in Babylon,' zei de professor, terwijl hij vol trots op de verwoeste fragmenten van verloren keizerrijken wees. 'We maken flinke vorderingen. Mijn Duitse collega's in Berlijn zijn bijzonder behulpzaam.'

De hoge ramen waren geblindeerd, zodat er geen direct zonlicht binnenviel. Door een openstaande deur achter de stoffige tafels hoorde ze een vaag tikkend geluid, maar er was verder niemand te zien.

'Kopje thee?' De professor onthulde een oude ketel en een dienblad met mokken. Het gehavende witte kastje eronder bleek een koelkast te zijn. De rechter keek rond in het groezelige kantoor. De lange ruimte voelde als een armoediger uitvoering van haar eigen kantoor met zijn hoge plafonds, lichte muren en succesvolle spinnen tussen de plafondlijsten en de tl-buizen. Professor Hamid haalde twee kleine honing-kokoscakejes in een klein wit doosje tevoorschijn en bood ze haar met een zwierig gebaar aan. Hij legde een theedoek, oud en vlekkerig, maar met scherpe vouwen van het strijken, voor haar op tafel en zette suiker en melk neer.

'Gaat u vandaag weer terug naar Frankrijk? Ja? Jammer, want op mijn universiteit worden een paar gastcolleges over godsdienstige systemen in de antieke wereld gegeven door een classicus van Cambridge. Mijn thuisbasis is UCL, hier net om de hoek, maar ik geef tegenwoordig alleen nog maar les aan een klein aantal postdoctoraalstudenten.' Zijn volgende bewering viel geruisloos tussen de cakejes en de kopjes. 'Ik neem aan dat u onderzoek doet naar die mysterieuze doodscultus die alleen bekend is als het Geloof?'

Hij wachtte even en keek haar aan voor bevestiging. De rechter gaf niets prijs en de professor ging verder.

'Ik moet zeggen dat het me bijzonder intrigeert. Zo weinig mensen weten dat het een moderne incarnatie heeft.'

Het theewater kookte en de professor rommelde wat rond bij de gootsteen en verwarmde de tinnen theepot, die zo te zien al vele archeologische expedities had overleefd.

'Is het Geloof dan al zo oud?' vroeg de rechter, geërgerd. Nu kreeg hij haar toch nog in de verdediging. 'Ik doe nu al zo'n vijf, zes jaar op en af onderzoek naar deze zaak, en afgezien van een paar Duitse teksten en achttiende-eeuwse symbolen die ook van de vrijmetselaars kunnen zijn gejat, heb ik geen enkele historische aanwijzing van de sekte of van verdachte massale zelfmoorden kunnen vinden.'

'Ah, maar dat is omdat zij geen zelfmoordsekte als zodanig vormen. Ze geloven in de donkere wereld, een leven na dit leven. En de enige persoon die weet wie zij allemaal waren is de gids.'

De rechter voelde een koude rilling over haar benen en ruggengraat lopen. 'Ik dacht dat de Gids een boek was.'

'Dat is het ook. Een bijzonder heilig, gewijd boek. Onze bronnen bevatten heel veel citaten uit die tekst. Het is een soort encyclopedie, een glossarium met behulp waarvan wij andere teksten kunnen ontcijferen. Maar het is grotendeels in een code geschreven die tot nu toe nog niemand heeft kunnen doorgronden. Hij is alleen leesbaar voor ingewijden.'

'Maar u zei dat de gids een persoon was.'

'Zowel een persoon als een boek, volgens mijn informatie. De gids is de bewaarder van het boek, zoals ik de bewaarder van de stenen ben.'

Hij zwaaide de theepot voor haar heen en weer en grinnikte opgewekt. De rechter keek hem aan, stomverbaasd dat al deze kennis verborgen was geweest in een instituut van klassieke antiquiteiten op nog geen twee uur vliegen van haar kantoor, en nooit eerder was ontdekt. Ze begon zichzelf onmiddellijk te verdedigen, alsof de kleine professor haar zojuist had beschuldigd van professionele incompetentie.

'Maar toen de eerste zelfmoorden in Zwitserland plaatsvonden kon ik niets over het Geloof vinden. Wij wisten niets van deze geschiedenis. Of van deze steen.'

Vervolgens keek zij hem beschuldigend aan. 'Is dit allemaal algemeen bekend onder kenners van de antieke wereld? Ik heb nergens verwijzingen naar het Geloof aangetroffen. Nergens. Nooit. Hoe weet u dit allemaal?'

Maar professor Hamid schonk thee in en reikte haar een dampende mok aan waar een stukje vanaf was.

'Ik heb geen citroen. Neemt u mij niet kwalijk. Wilt u wel melk?'

'Melk is prima. Dank u.' Ze wachtte tot hij verder zou gaan.

'Hoe dan ook, het Geloof is absoluut een bijzonder oude geloofsovertuiging. En nee, er is maar heel weinig geschreven over het Geloof zelf, zijn theologie en zijn betekenis. Het is als een schaduw: het bestaat in de marges van andere geloven. Van Akhenaton, de beroemde farao die vergeefs een abstract monotheïsme onder zijn volk probeerde te introduceren, wordt vermoed dat hij een van hen was, zo niet de gids zelf. Het enige wat wij hebben zijn hun gebeden. En die zijn heel erg mooi. Dat gebed op die steen in de zaal is heel specifiek en noemt de Donkere Begeleider een sleutelfiguur in hun kosmologie. De farao die met dat gebed in zijn hand is begraven moet deel hebben uitgemaakt van het Geloof. Dus ja, het is meer dan vijfduizend jaar oud.'

De rechter vermeed zijn blik en bestudeerde haar vingernagels. 'Professor Hamid. Ik denk dat ik in de kluis op mijn kantoor een exemplaar van die gids heb liggen.'

'Ah, u hebt hem. Weet u het zeker?' Hij floot. 'Ik zou er alles voor overhebben om het *Boek van het Geloof* in mijn handen te mogen houden.'

Er viel een akelige stilte en de twee keken elkaar na al deze onthullingen aarzelend aan. Toen zei hij: 'Madame Carpentier, ik geloof niet dat u beseft hoe kostbaar de schat is die u in uw bezit hebt. Zorg er goed voor, madame, want het is vrijwel zeker het enige exemplaar dat er op dit moment van bestaat. Door de hele schepping heen bestaat er altijd maar één exemplaar tegelijk. En dat wordt doorgegeven, samen met de kennis van het Geloof, aan de volgende gids.'

De rechter zat als aan de grond genageld voor hem, met de mok in haar handen. De professor vervolgde zijn verhaal, op effen toon, elk woord zorgvuldig afwegend. Maar de dreigende, gezaghebbende klank in zijn stem was onmiskenbaar.

'U moet de Gids teruggeven aan zijn bewaarder. Want daar hoort hij thuis. De bewaarder van de Gids heeft een heilige plicht. Het is niet aan de wet om deze heilige tekst in bewaring te houden, want het is een boek vol geheimen. En als u het niet teruggeeft zal u zeker iets verschrikkelijks overkomen.'

'Hoe weet u dat?'

'Ah! De Gids is net een toverboek. U bezit de sleutel niet. Degene die het meest over het Geloof weet en die mij heeft geholpen met de Auriga-steen, is Friedrich Grosz, de componist. En ik meen dat u hem al kent, nietwaar?'

De rechter verstijfde, alsof ze een cobra in de ogen keek, die zich met opgeheven kop en opgezette wangflappen voor haar oprichtte, maar de professor babbelde rustig door, zonder ook maar een ogenblik zijn stem te verheffen, een beschaafde intellectueel op een doodgewoon moment in een doodgewone wereld.

'Hij is vorige week nog naar Londen gekomen om onze kleine tentoonstelling in te richten. Hij kondigde uw komst al aan.' De professor straalde en tilde vol vriendelijk ongeduld de theepot op, alsof hij haar iets heel voor de hand liggends moest uitleggen. 'En hier bent u dan!'

15

HET CHATEAU IN ZWITSERLAND

De Auriga-steen nam een belangrijke plek in tussen de nieuwe ansichtkaarten in de museumwinkel van het British Museum. De rechter kocht er twee, één voor het dossier en één voor zichzelf. Toen wandelde ze het museum uit en de warme zon en de uitlaatgassen in, liep naar het midden van de binnenplaats en bleef daar stokstijf staan. Ze stond gevangen tussen de hoge, gecanneleerde pilaren en de zwarte, puntige hekken, verbluft, kwaad en in de war. Ben ik een marionet die zich heen en weer laat duwen door deze mysterieuze mensen? En zou ik ze allemaal kunnen arresteren als ik zou weten wie zij waren? Op beschuldiging waarvan? Bij het eerste vertrek waren geen kleine kinderen betrokken en de moordenaars bij de tweede massale zelfmoord zijn allemaal dood. Allemaal op één na. Er loopt nog ten minste één moordenaar vrij rond en we zijn nog steeds op zoek naar het wapen. Maar dat is niet mijn zaak. Schweigen moet ook nog iets te doen hebben.

Ze begon in een grote cirkel rond te lopen. Iedere burger is vrij om te geloven wat hij of zij wil, het staat ons allen vrij om elke waanzin te geloven die wij verkiezen, zolang we de wet maar niet overtreden. En zolang de schenkingen aan het orkest worden aangegeven, en binnen de belastinggrenzen blijven, is er geen wet overtreden. Jaag ik op spoken? Het Geloof is een chimaera, een oud reservoir dat begint leeg te lopen. Het vormt geen gevaar voor ons, niet méér althans dan Isis en Osiris. En ik durf te wedden dat elke in onbruik geraakte godheid die ooit een eigen tempel, heilig woud of heilige bron heeft gehad ergens in de bergen nog wel een handjevol discipelen heeft die geiten aan hen offeren.

Ze beende in een steeds kleiner wordend kringetje over het voorplein van het British Museum, liep toen de straat op en hield een zwarte taxi aan.

Maar de merkwaardige gebeurtenissen van de zomer, die nu langzaam en rustig op zijn eind liep, afkoelend in het eeuwigdurende ritme van de druivenoogst en het schooljaar, lieten haar niet met rust. Ze voegde nog een rapport toe aan haar dossier over het Geloof, waarin ze uiterst gedetailleerd verslag deed van haar gesprek met de professor, en ging weer verder met haar normale werk, waarin de alomtegenwoordige sekten slechts een kleine rol speelden. Schweigens in stukjes en beetjes uitgevoerde onderzoek naar de financiën van het orkest had tot dusverre slechts één ding opgeleverd. Veel rijke muziekliefhebbers steunden de onderneming overvloedig, anoniem en geheel volgens de belastingwetten. De lijst met namen bleef incompleet, het werk ging verder. Schweigens dubbele frustratie bulderde vanuit Straatsburg door de lijnen; het dossier was onderweg en zijn prachtige excuus om de rechter te zien was in rook opgegaan. Ze stuurde twee zinnen terug. Hartelijk bedankt. Nu weten we het tenminste. En opnieuw liep het onderzoek dood binnen de doolhof. Het enige solide element in het onderzoek, dat flikkerde als een vuurbaken, aanhoudend en ongezien, was de componist zelf. En ook hij zweeg. Geen brieven meer, geen telefoontjes. Had hij de hoop opgegeven? Dat kon ze zich niet voorstellen. Ze bewaarde zijn drie brieven in haar aktetas en las ze, wanneer ze alleen was, af en toe nog eens door.

Eind augustus ging Gaëlle op vakantie met haar familie en liet de rechter achter met een lijvig dossier over een keten van gezondheidsklinieken die werden gebruikt voor het witwassen van drugsgeld.

'Zo. Ga maar op zoek naar bewijsmateriaal. Dat houdt je een beetje van de straat.' De griffier kuste de rechter op beide wangen. 'Zorg goed voor jezelf. Probeer tussen de middag altijd te lunchen. En goed. Niet alleen pizzapunten.'

'Waar ga je naartoe?'

'Egypte. Sharm el-Sheikh. En ik ga geen tijd verspillen aan Luxor en de piramides. Ik ben van plan niet van mijn hotelkamer met airconditioning of van mijn zonnebed aan het strand te komen. Waarom ga je niet mee? Je gaat nooit op vakantie.'

'Stuur me maar een kaartje.'

'Zeker weten.'

En nu zat de rechter dus te piekeren in haar kantoor, ontevreden en eenzaam. Eerst had ze de telefoon nog zelf opgenomen, maar uiteindelijk liet ze dat aan de receptie over.

Op de avond van Gaëlles vertrek lag de vierde brief thuis in haar groene brievenbus op haar te wachten. Het poststempel was uitgelopen en de datum ontbrak, maar zijn handschrift was nog steeds ferm en duidelijk.

Mijn liefste Dominique,
Neem me niet kwalijk dat ik tegen je heb geschreeuwd. Ik meende wat ik zei. Dus begrijp alsjeblieft dat het volume niets anders aangaf dan de kracht van mijn gevoelens. Jij zegt: hoop niet, reken niet op mij. Maar dat doe ik wel. Ik kan niet anders. Ik geloof niet in toevalligheden. En ik vergis me niet. Verwar mijn zekerheid niet met arrogantie. Deze liefde is te sterk en te groot om zich in toom te laten houden. Ik reken wel degelijk op je en ik wacht. Ik wacht nu op je en zal eeuwig op je wachten.
Friedrich Grosz

De kantoren waren vrijwel verlaten. La rentrée, het begin van het nieuwe schooljaar, op 3 september viel samen met een onverwachte hittegolf. In de weken die volgden viel zij voor andere collega's in en werkte veel over. Ze zat urenlang over de

Gids gebogen en staarde naar het vreemde, compacte schrift en de citaten in andere talen. U moet de Gids teruggeven aan zijn bewaarder. Want daar hoort hij thuis. Voor hetzelfde geld was die excentrieke kleine professor met zijn theepot er zelf ook eentje en wilde hij me bang maken. Nou, mij krijg je niet bang. De Gids is de bewaarder van het boek. *Das Buch des Glaubens*. En was het doorgegeven van Friedrich Grosz aan Marie-Cécile Laval? Wie van hen is dan de gids? En wat betekent dat? Ze staarde naar de initialen. Dit is zijn handschrift, niet het hare. De aantekeningen en opmerkingen zijn allemaal van hem. Maar het boek was in haar bezit. Had zij het boek doorgegeven en was ze vervolgens met haar vrienden die besneeuwde berg op gegaan? De componist had niet verwacht dat madame Laval zichzelf van het leven zou beroven. Daar was de rechter van overtuigd. Was zij dan de gids? Of had hij haar uitgekozen? En had zij haar belofte niet gehouden? Wie was er in dat geval nog over om de kennis van het Geloof aan door te geven? Ze tikte met haar potlood op haar bureau en keek omhoog naar de plafondventilator die de lucht in beweging hield. De bladen verspreidden de hitte naar de hoogste hoeken van de kamer. Ze trok de luiken voor haar ramen en zag een brede lichtbundel over haar bureau vallen. De professor beweerde dat het Geloof geen zelfmoordsekte was, maar een doodscultus. En dat is het christendom op zijn geheel eigen manier ook – een mysteriegodsdienst waarin dood en opstanding een cruciale rol spelen.

Ze streek met haar hand over de Gids. Dit is het enige exemplaar ter wereld. En het wordt, samen met de kennis van het Geloof, doorgegeven aan de volgende gids. Het boek zelf had geen mystieke betekenis voor haar. De professor beschreef het als een toverboek – een boek met bezweringen. Wat de rechter betreft was occulte kennis synoniem aan onzin. Maar ze vond het wel een intrigerende gedachte dat ergens, in iemands geheugen, alle leden van het Geloof op een lijst stonden, als leden van een golfclub, generatie na generatie, die elkaar door de eeuwen en vervolgens door de millennia heen als triomferende heiligen volgden naar hemelse glorie. Suis-moi. Volg mij. En toen, opeens, om tien uur 's ochtends, aan het bureau in haar werkkamer, viel er weer een puzzelstukje op zijn plaats. Marie-Cécile Laval had haar dochter een mooi, duur cadeau gegeven dat een opdracht bevatte, een opdracht die ik verkeerd heb begrepen. Suis-moi. Ik ging ervan uit dat de vrouw bedoelde: toe maar, neem je eigen leven, volg mij in de extatische, gedeelde, eeuwige duisternis. Maar geen enkele moeder, zelfs deze niet, in wie de waanzin van het Geloof brandde, draagt haar dochter op te sterven. Dat had Marie-Cécile Laval ook niet bedoeld. Zij bedoelde: *Volg mij – treed in mijn voetsporen – neem mijn plaats in*. Daarom was Marie-T zo onzeker. Ze had geen idee welke rol ze haar hadden toegedacht.

De rechter pakte de telefoon en belde Myriam op het domaine. Ze smeet haar paperassen op haar bureau. Voordat er iemand had opgenomen legde ze de hoorn weer op de haak en dronk een groot glas water in één lange teug leeg. Een ogenblik lang bleef ze doodstil staan nadenken over haar conclusie. Toen draaide ze het nummer opnieuw.

'Domaine Laval – met de klantenservice – goedemorgen.'

'Myriam?'

'Ma belle, quel plaisir! Waar ben je?'

'Op kantoor. Is Marie-T op het domaine?' Ze haalde een keer diep adem. 'En weet jij misschien hoe ik de componist kan bereiken? Monsieur Friedrich Grosz?'

'Monsieur Grosz? Alors, zij zijn hier op dit moment geen van beiden. Er is een soort reünie in Zwitserland. Ik weet niet precies waar, maar daar kan ik wel achter komen. Is het dringend?'

'Dat weet ik niet. Maar ja, misschien wel. Weet jij soms waar monsieur Grosz' eerstvolgende uitvoering met zijn orkest is?'

'Nee, geen idee. Maar daar kan ik gemakkelijk genoeg achter komen. Ze hebben het programma op de keukendeur geprikt. Ik zal de data opzoeken en dan bel ik je terug.'

De rechter liep als een gekooide leeuw rondjes om haar bureau, boos om haar eigen besluiteloosheid en met verwarde gevoelens. Ik zou een stapje terug moeten doen, er wat tijd overheen moeten laten gaan, de gebeurtenissen van de afgelopen zomer wat nuchterder bekijken, van een rationele afstand. Maar waarom had ze dan het gevoel dat ze geen tijd meer te verliezen had? Een reünie in Zwitserland? In 1994 had een bijeenkomst van het Geloof rond Anton Laval geleid tot een massa levenloze lichamen die in elkaars armen lagen. Ik moet dat meisje beschermen tegen haar eigen verlangen naar haar moeder en tegen hen, wie zij dan ook zijn. Ze zag Marie-T weer over de stenen vloer in het domaine op zich afkomen, een ranke boodschapper in een groen jurkje, aarzelend en onzeker, verlangend om te behagen en zich geliefd te maken. En toen zag ze het meisje opnieuw, haar lange blote benen voor zich uitgestrekt, haar armen over haar buik geslagen en haar hoofd naar achteren terwijl ze omhoogkeek, omhoog, omhoog naar de verzamelde goden en de bevroren sterren. Ze greep de Gids en drukte het boek tegen haar buik. Het leer voelde warm aan door haar blouse en het slot liet een vierkante rode plek achter op haar hand. Dominique Carpentier had een tweesprong bereikt. Haar ervaring en intellect raadden haar aan voorzichtig en geduldig te zijn en alle motieven en risico's langdurig en goed tegen elkaar af te wegen. Maar zij bevond zich aan de rand van een donkere plas, en tegenover haar, aan de overkant van het rimpelloze water, stonden twee mensen te wachten, twee mensen die haar om onverklaarbare redenen de hand hadden gereikt, de componist en zijn tienerdochter.

Toen opeens de telefoon overging sprong ze van schrik achteruit tegen de waterkoeler.

'Dominique? Met Myriam. Zijn eerstvolgende optreden is op zaterdag 23 september in Londen, als gastdirigent van het London Philharmonic Orchestra. Het is een concertuitvoering van *Fidelio,* voor het Beethoven Festival, aan het eind van de Proms. Hij werkt met zijn gebruikelijke zangers, die ook in Avignon hebben gezongen, maar niet met het hele orkest. En die reünie heeft gisteravond plaatsgevonden in het Château de Séverin. Dat ligt een uur, nee misschien een halfuur, voorbij Lausanne aan de Zwitserse kant van het meer. Wil je het adres? Ik kan geen telefoonnummer vinden, maar ik heb wel een adres. En ik kan je Marie-T's mobiele nummer geven.'

De vertrouwde klank van Myriams behulpzame stem dwong de rechter ertoe onder ogen te zien hoe dicht zij tegen een aanval van obsessieve hysterie aan zat. Ze begon schaduwen te zien die zich voor haar uitspreidden en die langzaam veranderden in lijken, met wijd open ogen en een starre glimlach om hun mond.

'Bedankt, Myriam. Je bent geweldig.' Ze schreef alle informatie op en zag haar klamme, trillende hand een inktspoor over haar blocnote trekken. Wanneer heb ik voor het laatst goed gegeten zonder Gaëlle? Ik werk aan één stuk door en vergeet te eten. Geen wonder dat ik licht in mijn hoofd ben.

Ze belde Marie-T's mobieltje, *Laat een berichtje achter*, maar ze wist niet wat ze moest inspreken. Haar gevoel van dreigend onheil bleef vaag en dus, als ze er goed over nadacht, onwaarschijnlijk en belachelijk. Ze dronk een halve liter water en zat naar de Gids te staren; het geniepige onrustige gevoel sloop in haar botten. Dat feest op het domaine was voor hen allebei belangrijk geweest. Ik was hun speciale gast. En ik heb hen teleurgesteld. Hoop maar niet. Hoop nooit. Reken niet op mij. Voor het eerst besefte de rechter de afschuwelijke omvang van haar afwijzing. Ik beschouw de mensen naar wie ik een onderzoek instel als geestelijk onvolwaardig en op de een of andere manier niet helemaal menselijk. Deze twee mensen hebben hun harten voor mij opengesteld en ik heb hen afgewezen. Waarom? Omdat mijn professionele overtuigingen mij ervan weerhouden de rechtmatigheid te zien in elke weergave van de realiteit die afwijkt van de mijne. Hun Geloof is bespottelijk en krankzinnig. Daarom heb ik hen samen met hun monsterlijke waandenkbeelden verworpen. Maar niemand wordt alleen maar waardeloos omdat hij in iets anders gelooft dan jijzelf. Geven mijn kennis en opleiding mij altijd het recht om iemand te veroordelen? Mijn rol is duidelijk: anderen te redden en te beschermen.

Een van de muren van haar kantoor was nog steeds bedekt met de astronomische kaarten van de middenhemel. Ze draaide zich om en keek naar de diepblauwe kaart die was overdekt met witte stipjes en dunne zwarte lijntjes daartussen. Ze zag weer dezelfde patronen, fluorescerend op het plafond van de kinderkamer in het ijskoude chalet. Hun Geloof volgt het ritme van het heelal, net als alle geloven, het patroon van de seizoenen en de schijngestalten van de maan. Ik heb nooit echt naar hen geluisterd. Ik had er geen behoefte aan hen te begrijpen. In gedachten had ik hen al veroordeeld.

Ze belde de administratie en gaf door dat ze naar huis ging. Toen ze nog even om zich heen keek in het opgeruimde kantoor voordat ze het licht en het kopieerapparaat uitdeed, viel haar blik opeens op het gouden slot van de Gids, die gesloten op haar bureau lag. Die moet ik eerst achter slot en grendel leggen. Ze was al bijna bij de kluis toen ze opeens bleef staan. De rechter zou nooit een verklaring kunnen geven voor wat ze deed in de ogenblikken die volgden. Ze pakte de Gids, want dit was inderdaad het enige exemplaar ter wereld, stopte het voorzichtig in haar documentenkoffertje, waar het alle beschikbare ruimte innam, en verliet haar kantoor in het eerste verkoelende windje van de dag.

Haar afgesloten huis stond te broeien, bedompt, verstikkend. De luiken aan de kant van haar veranda waren de hele week nog niet open geweest. Haar groene planten waren allemaal verlept en doodgegaan in het donker. Ze gooide de luiken open en zag tot haar schaamte dat haar heesters en de prachtige datura, de trompetten des oordeels, uitgedroogd hun kopjes lieten hangen. Het had al bijna een maand niet geregend. Het had alleen wat gebliksemd boven de bergen. Het geautomatiseerde sproeisysteem had zichzelf tijdens de stroomstoringen uitgeschakeld en was nooit opnieuw ingesteld. Ze testte het systeem en zette vervolgens de sproeiers de hele nacht aan het werk in de tuin. Ze hield haar polsen onder de koude kraan en trok de koelkast open.

Helemaal onderin lagen vier plastic flesjes water en in de deur lag een verdroogd stukje St. Nectaire, verschrompeld in zijn verpakking, lichtelijk te stinken. Ze at een potje zoetzure augurken leeg en liet de kaas voor wat hij was. Geen fruit, geen wijn, geen brood. Ik heb deze week één keer bij mijn ouders gegeten – zondag met de lunch –, en dat is alles. Hoe heb ik het zo ver kunnen laten komen? Ze maakte een klein blikje tonijn open, goot het af in de gootsteen en at het leeg met een gebaksvorkje. De zoute smaak prikte in haar keel.

Ze maakte de schildpadhaarklem los en woelde met haar handen door haar dikke, zwarte haar. Haar hoofdhuid voelde onaangenaam, vettig en klam. Ze rook haar eigen zweet. De rechter liep haar badkamer in, gooide alles wat ze aanhad in de wasmachine en zette de douche voluit. Ze boende haar lichaam en haar hoofd tot haar huid tintelde. Toen kleedde ze zich geheel in het zwart, klaar voor de strijd. Tegen de tijd dat ze haar rugzak in de kofferbak had gelegd en weer in haar wagen was gestapt, voelde ze zich weer helemaal helder. Eng was de poort en smal was de weg die voor haar lag.

Ze reed naar de autosnelweg.

Half september is het 's avonds rustig op de A9, en zodra de Spaanse vrachtwagens op weg naar Italië voorbij Nîmes de afslag naar de A54 hadden genomen, zag de rechter alleen nog maar verlaten rijbanen, witte kliffen, stormachtige luchten en schaduwen die tevoorschijn leken te komen uit de voet van de cipressen. Ze bewaakten in lange, donkergroene rijen de grenzen van de heidevelden en de rand van de wijngaarden. Ze had geen enkel plan, alleen een diepgevoelde overtuiging. De componist en zijn dochter hebben mij om hulp gevraagd, zij het op een vreemde, vage manier, en ik heb niet naar hun verzoek geluisterd. Ik gedroeg mij veel te star, behoedzaam en kil. Zij waren voor mij mensen die ik diende te observeren achter glas. Ik speelde de heks op het feest, die samenspande tegen mijn gastheer en gastvrouw. Ze stopte bij een wegrestaurant en werkte zich vastberaden door de enig overgebleven dagschotel van varkensrollade met groenten, dronk er een flesje water en een dubbele espresso bij en reed weer verder naar het noorden, steeds naar het noorden, terwijl achter haar de oranje zonsondergang het licht opslokte.

Tegen de tijd dat ze Valence was gepasseerd en in oostelijke richting verder reed, richting Chambéry, Annecy, was het bijna helemaal donker. Ze zag de donkere omtrekken van de bergen van de Vercors, gelaagde witte rotsen, en de steeds donkerder wordende schaduwen over de boerderijen en boomgaarden aan de rand van het bos. Ze ging harder rijden, volgde haar eigen koplampen door de tunnels, met alle raampjes dicht tegen de bedompte lucht rond de zwakverlichte groene bordjes die de vluchtroutes aangaven. Ze kwam weer tevoorschijn in het witte maanlicht, met de Alpen hoog boven haar, als een grillige donkere streep tegen het nog steeds dieper wordende blauw.

Bij de Zwitserse grens, even ten zuiden van Genève, werd ze aangehouden door de douane en de verkeerspolitie. Ze kwamen om haar wagen staan, nieuwsgierig en verveeld.

'Als u op de snelwegen rijdt moet u een vignet kopen.'

'Ik blijf hier maar één dag. Waarom is dat zo duur?'

'Het blijft het hele jaar geldig. Dat wil zeggen, tot eind januari.'

De rechter haalde haar schouders op, wisselde tweeduizend Franse francs voor Zwitserse francs, betaalde voor het belachelijk dure vignet en reed de duisternis weer in.

Eenmaal voorbij Lausanne nam zij gas terug en keek naar de lichtjes die op het zwarte water dobberden. Aan haar rechterhand lag het grote meer te schitteren, er was steeds minder verkeer. Het was al over elven. Voor het eerst begon ze te twijfelen aan de wijsheid van deze overhaaste onderneming. Moest ze een hotelletje gaan zoeken in Vevey en morgenochtend naar het chateau gaan? Ze keek op de kaart. Het Château de Séverin stond niet aangegeven, maar het dorp wel, hoog op de steile rotswand boven haar. Voordat ze die hele berg op was gereden, zou het al ver na middernacht zijn. Bezoek om middernacht! Alleen de boodschappers des doods – dokters, priesters, politie – kwamen zo laat nog aan de deur. En toch trok iets wat bijna tastbaar was, als een ragfijne zijden draad, haar verder, omhoog. De herfstige wijnstokken schitterden in het schijnsel van haar koplampen en boven haar strekten de walnootbomen zich uit.

De weg die zich voor haar ontrolde werd aan weerskanten gemarkeerd door rode paaltjes, die vanwege de vele bochten telkens even uit het zicht verdwenen en weer tevoorschijn kwamen. Dat zal wel voor de sneeuwploegen zijn, zodat de wegen zelfs in de slechtste weersomstandigheden vrij kunnen worden gehouden. In de verte zag ze een groene gemeentelijke opslagplaats voor pekel opdoemen, die meteen weer in de duisternis verdween. Séverin. Daar had je het dorp, stil en onverlicht. Geen lantaarnpalen, maar wel straatkeien en een sterke geur van geplette druiven. Was de oogst al achter de rug? Ze nam gas terug en reed langzaam langs met dakpannen bedekte schuren, geschilderde hekken en keurige huisjes met tuinen vol guldenroede en paarse herfstasters. Diep onder zich zag ze lichtjes over het meer bewegen. Opeens verdween het flikkerende donkere landschap uit zicht en stond er in het licht van haar koplampen opeens een hoge stenen muur voor haar, die alles aan het zicht onttrok. Ze volgde de muur naar de hekken. Na tweehonderd meter doemden de zwarte hekken plotseling voor haar op, oprijzend uit de duisternis. Privéterrein. Verboden toegang. Maar de hekken stonden open. Ze reed het zanderige grindpad op, dimde haar koplampen en volgde het pad in de richting van een piepklein vierkantje licht, dat in de ruimte leek te zweven. De portierswoning. Ze stopte op een binnenplaats, zette de motor af en leunde even achterover in de afgekoelde, fluweelzachte nacht. Krekels, kikkers, vochtig, pasgemaaid gras, dat groen en fris en koel geurde. Ze stapte uit, stijf en vermoeid en rekte zich uit. Toen liep ze, met haar rugzak over een schouder, naar het warme licht.

Het raam zat te hoog in de muur om naar binnen te kunnen kijken, maar ze tikte toch op het glas en wachtte af. Geen reactie. Ze liep op de tast langs de ruwe gevel. Waar zat de deur? Hier, onder mijn vingers en hij is vast open. De rechter voelde een patroon van ijzeren bouten, een roestige versierde krul en vervolgens het slot. Ze hoorde de klink omhoogkomen onder haar hand. Ja, dit is het slot en de deuren zijn niet op slot. Ze gleed bijna uit op de natte keien van de binnenplaats, maar de treden die naar de hoofdingang leidden werden verlicht door twee gele bollen op de zwierige stenen pilaren die boven aan de trap stonden. De rechter keek door de glazen deuren een mooi betegelde hal in. Waar zat de bel? Kon ze beter weer wegsluipen? Of moest ze het slapende huis wakker maken?

De bel, een echte, hing vlak boven haar en naast de klepel bungelde een leren riem, glinsterend en glad van de miezerregen, die ooit om de nek van het een of andere bergdier had gezeten. De rechter trok er zachtjes aan. Tot haar verrassing klonk er rechts van haar een andere bel in het huis. Ze wachtte. Toen zag ze een oude vrouw met een sjaaltje om haar hoofd en sloffen aan haar voeten aankomen. Ze keken elkaar door het glas heen aan. De rechter bereidde zich alvast voor op een andere taal, maar de vrouw vroeg, niet onvriendelijk en ook niet verbaasd, gewoon in het Frans: 'Ja? Wie is daar? Wat kan ik voor u doen?'

'Mijn naam is Dominique Carpentier.'

De deur ging onmiddellijk open.

'Eindelijk, daar bent u! Bonsoir, madame, bonsoir. Maar u bent erg laat! Komt u binnen!'

De rechter aarzelde op de drempel. Haar komst was alweer verwacht en aangekondigd. Ze wachten op me, tot in de kleine uurtjes wachten ze op me. Ze was een beetje van haar stuk gebracht, maar niet langer verbaasd. De oude vrouw, die nog kleiner was dan zijzelf, was een gerimpeld besje en even kreeg de rechter een beeld voor ogen van de grote componist die in zijn Zwitserse kasteel veranderd was in een mensenetende reus die omringd werd door dwergen. Toen ging ze het chateau binnen.

Hoge, gepleisterde plafonds en weer zo'n grote gele bol die omlaag hing van een gemodelleerde gipsen rozet – zo te zien strekte de betegelde hal zich uit over de hele lengte van het gebouw. De stilte om haar heen werd nog dieper. Lag iedereen te slapen? Was er niemand? De oude vrouw beantwoordde haar onuitgesproken vragen.

'Ze zijn naar Genève. Monsieur Grosz heeft Marie-T vanavond naar het vliegveld gebracht. Hij komt straks terug. Maar het wordt wel heel erg laat. Zal ik u naar uw kamer brengen? Of wilt u liever op hem wachten?'

De rechter werd overvallen door het angstaanjagende gevoel een helemaal voorbereide toekomst binnen te lopen, waarover zij geen enkele kennis bezat en dus ook geen enkele controle had. Een ogenblik lang bleef ze doodstil voor de twee enorme gebeeldhouwde deuren staan die naar de woonvertrekken leidden.

'Ik wacht wel.'

'Wilt u iets warms drinken? Thee? Chocolademelk? Koffie?'

'Ik wil u geen extra werk bezorgen.'

'O, het is een kleine moeite. Ik blijf meestal op tot monsieur Grosz thuiskomt en dan sluit ik alles af. Maar nu u veilig bent gearriveerd ga ik naar bed. Maar eerst zal ik iets te drinken voor u halen. U zult wel doodmoe zijn na zo'n lange reis.'

'Dan wil ik wel een kopje thee. Dank u.'

Aan één kant van de zitkamer bevonden zich hoge glazen deuren die uitzicht boden over het meer. In de verte zag ze de lichtjes op het wateroppervlak, schitterend als juwelen in de duisternis, gevolgd door een uitgestrekt zwart vlak en dan aan de overkant weer een halssnoer van flonkerende diamanten. In de verte rezen de immense omtrekken van de Alpen donker en onheilspellend op. Zo nu en dan opende de zwarte hemel zich wanneer de wind de wolken langzaam voor de ronde toppen dreef en een nog diepere duisternis onthulde. De maan was nergens te zien. De rechter ging bij de openslaande deuren staan en tuurde de nacht in. Het terrein strekte zich uit in de duisternis en de verte. Vlak voor de deuren kon ze heel vaag een terras zien liggen en toen haar ogen eenmaal aan de schaduwen gewend waren, zag ze de omtrekken van een Chinees prieel, dat wit stond te glanzen in de lange tunnels van licht die door de glazen deuren naar buiten vielen. De hele wereld was zwart-wit, als een oude film.

De zitkamer liep, zo weelderig en overvloedig als een donkerrode slang, helemaal van een barokke marmeren schouw aan de ene kant naar een grote vleugel aan de andere. Tegen een van de muren stond een stapel klapstoelen en de zachte banken en stoelen droegen nog de plooien, hobbels en wanorde van recent gebruik. Ze raapte twee kussens van de vloer. Op de grond lag een verkreukelde krant, opengeslagen op een gedetailleerd overzicht van de temperaturen in Europa. Een rood lichtje op de televisie gaf aan dat hij op stand-by stond.

De rechter schakelde het toestel uit en deed een stapje naar achteren om alles wat ze voor zich zag eens goed op te nemen. Wat kan ik opmaken uit deze ruimte en deze kleuren: roodtinten, oranje, goud? De kamer rook naar houtrook, alcohol en rijkdom: lampen, boeken, een leeg wijnglas op een klein tafeltje, waarvan het hout was ingelegd met brede stroken paarlemoer. Degene die hier woonde, en ze kon bijna niet geloven dat dat de componist was, leidde een prettig leven, in een landelijke omgeving, veilig en comfortabel, de gastheer aan het banket, een van de meesters.

De rechter nam haar rugzak van haar schouder, trok haar zwarte jasje uit en liet zich wegzinken in een weelderige sofa met uitzicht op het meer. Ze voelde haar ogen dichtvallen. Ik heb negen uur lang bijna aan één stuk door gereden.

'Alstublieft! Uw thee en wat citroencakejes. Ik wist niet wat u lekker vond.'

Toen het oude vrouwtje weer weg was, bekeek de rechter het dienblad. Eet mij, drink mij. De cakejes smaakten verrukkelijk. Ik heb net zo'n honger als de wolf toen hij Roodkapje tegenkwam. Ze veegde de kruimels van haar zwarte spijkerbroek en schopte, met het porseleinen theekopje in haar handen, haar schoenen uit. Niet in slaap vallen. Wakker blijven. Wacht op hem. Maar het was warm in de kamer en de houtblokken in de haard trilden, zakten in elkaar, gloeiden nog even na en gingen toen uit. De rechter zette haar lege kopje naast het schaaltje op het zachte, rode kleed en sliep al voordat haar donkere hoofd de kussens raakte.

Ze hoorde hem de diepe zitkamer niet binnenkomen. De componist liep zo zacht als een kat naar haar toe en keek op de rechter neer, van wie de opzij gezakte bril een rode streep op haar wang had achtergelaten. Hij keek naar de donkere kringen onder haar vermoeide ogen, knielde toen naast haar neer en nam haar in zijn armen.

'Dominique?' Hij zette voorzichtig haar bril af en stak hem in zijn jaszak. Het was al over tweeën. Ze huiverde en wreef in haar ogen.

'O... jij.'

De warmte van zijn hals verwarmde haar wang. Ze probeerde zich op te richten, opeens bang dat ze nog aan het rijden was en achter het stuur in slaap was gevallen.

'Rustig maar. Ik ben bij je.'

'Waarom ben je zo laat?'

Ze liet elke schijn van boosheid, vormelijkheid of afstand varen. Ze deed gewoon haar ogen weer dicht en nestelde zich in zijn armen. Hij masseerde de rode streep op haar slaap, waar de bril een afdruk had achtergelaten.

'Het spijt me,' fluisterde hij. 'Marie-T wilde naar huis. Ze moet maandag weer naar school. Het vliegtuig had vertraging. Ik wilde haar niet alleen laten op het vliegveld.'

'Is ze nu veilig thuis?'

'O, ja. Ze is al geland. Ze zal morgen wel bellen.'

De rechter begon weer een beetje wakker te worden.

'Waarom ben je niet verbaasd mij te zien?'

'Je hebt Marie-T gebeld op haar mobieltje. Maar je hebt geen bericht ingesproken. Ze wist dat jij het was en ze was ervan overtuigd dat je zou komen. Daarom heeft ze zo lang mogelijk gewacht en een latere vlucht genomen. We hebben allebei op je gewacht.'

'Waar is mijn bril?'

Hij drukte haar lachend tegen zich aan.

'Wil je je onderzoek meteen weer voortzetten? Nu meteen?' Hij veegde haar bril schoon met zijn zakdoek, vouwde hem open en gaf hem aan haar terug. Ze ging zitten en keek hem aan. Het dikke witte haar was aan een knipbeurt toe. De lijnen aan weerskanten van zijn mond waren langer en dieper geworden. Hij leek ouder, heel erg moe en een beetje droevig.

'Ik ben gekomen om iets te doen wat zo onprofessioneel is dat ik het zelf bijna niet kan geloven.' Ze reikte naar haar rugzak. 'Ik heb dit voor je meegenomen. Omdat ik denk dat het van jou is.'

De gids is de bewaarder van het boek. Toen zij het *Boek van het Geloof* in de handen van de componist legde, had ze geen verdere bevestiging nodig van de rechtmatigheid van haar instinct en de juistheid van wat ze had gedaan. De vreugde op zijn gezicht verspreidde zich als een elektrische schokgolf door zijn hele lichaam en zijn gebruikelijke warmte werd bijna zichtbaar.

'Ik hou van u, madame de rechter, met heel mijn hart.'

'Ja, dat heb je al vaker gezegd. Ik voel me gevleid, Friedrich, maar ik heb nu gedaan waarvoor ik ben gekomen.' Ze rechtte haar rug. Achter de ramen keek de nacht toe.

'Ik laat je niet gaan.' Hij klemde de Gids tegen zijn borst alsof zij en het boek één waren geworden. Hij was zo dichtbij dat ze de warmte van zijn adem kon voelen.

'Ik heb honger,' klaagde de rechter.

De keuken boog zich als een enorme tunnel over haar heen totdat hij het licht aandeed en het plafond wegviel in een hoge duisternis. Aan het plafond hing een katrol met een wasrek, waaraan witte, frisse theedoeken hingen te drogen. Er stond een ouderwets fornuis, geflankeerd door een gloednieuw exemplaar en een vaatwasser. Die laatste stond open en ze zag een hele rij vuile borden klaarstaan om te worden afgewassen. Puur uit gewoonte telde de rechter de borden: twaalf, het waren er twaalf. Op het buffet stond nog één schoon bord. Ze vermoedde dat dit haar bord was geweest, dat nog steeds op haar stond te wachten. Alsof hij haar gedachten kon lezen, pakte de componist het witte bord en zette het voor haar neer. Ze zag de hoge kasten en de deur naar de provisiekast, waarin op ooghoogte een klein, geel kijkraampje zat, alsof het een soort celdeur was. De keuken beschikte over voldoende voorraden om een heel leger van voedsel te voorzien.

'Zijn er nog meer mensen in huis?'

'Nee. Iedereen is weg. Wij zijn de enigen.'

Ze gingen aan de keukentafel zitten om zich midden in de nacht te goed te doen aan brood, ham, salami, gerookte zalm, fruit en kaas. Een tijdlang zaten ze in genoeglijk stilzwijgen hongerig te eten en probeerden elkaars wensen te voorzien. Hij sneed dikke boterhammen voor haar af. De boter was ovaal van vorm en er was een afbeelding van een koe in gestempeld. Zij sneed de kop van de koe af. Hij schonk twee glazen donkere wijn in.

'Wanneer ik je vasthou kan ik je ribben voelen. Waarom eet je niet meer?'

'Weet ik niet. Ik vind dit allemaal heel verwarrend. Ik ben nogal geschrokken van professor Hamid.'

'Heeft hij je bang gemaakt?'

'Nee. Nou ja, een klein beetje misschien. Het was eerder de schuld van die akelige Egyptische mummies. Die lagen overal om me heen met van die zwarte, starende ogen. En op de een of andere duistere manier bedreigde hij me.'

De componist keek haar bezorgd aan.

'Leg uit.'

'Hij zei dat mij iets verschrikkelijks zou overkomen als ik het boek niet aan de bewaarder zou teruggeven.'

Er leek een diepe droefheid over de componist te komen en in zijn stem klonk een vermoeide boosheid. 'Wij zijn hier niet om angst in te boezemen, Dominique, maar om deze wereld goedheid en hoop te brengen.'

'En nu is het jouw beurt om uit te leggen,' zei ze bits. 'Leg me alles uit.'

Hij schoof zijn bord weg.

'Er bestaat een schisma binnen het Geloof. Hamid zal je wel hebben verteld dat wij geen zelfmoordsekte zijn, zoals de Heaven's Gate-sekte of de oerwoudcultus van dominee Jones, ook al worden wij wel vaak zo afgeschilderd. Wij zijn het verborgen volk van licht en duisternis, maar het ophanden zijnde millennium en de apocalyptische teksten in de Gids gaven aanleiding tot onzekerheid, verwarring en veel angst. En naar mijn mening, tot een catastrofe.'

'Welke teksten?'

Hij stond op, ruimde de tafel af, maakte het tafelblad zorgvuldig schoon en droog en legde er een schoon tafelkleed op waarop hij het *Boek van het Geloof* opengeslagen neerlegde, zodat zij het vreemde, compacte schrift kon zien. Hij begon te lezen en bewoog, met één vinger in zijn eigen servet, als een patholoog-anatoom die een lijk opensnijdt, steeds van de ene letter naar de volgende.

Het begint met het instorten van de torens in de nieuwe wereld. Dit moeten wij zien als het eerste teken. Dit is het begin van de verandering, de transformatie die het einde der tijden inluidt. Er zullen oorlogen zijn en geruchten van oorlogen, want het kwaad zal uit zijn gevangenis worden losgelaten, en hij zal uitgaan om de volkeren aan de vier hoeken van de aarde te verleiden, om hen tot de oorlog te verzamelen: en hun getal is als het zand der zee. De volkeren van de bergen en de vlakten zullen verschrompelen en sterven, want hun oogsten zullen verdorren en hun vee zal zich verspreiden. De zee zal stijgen en het land overstromen, want de aarde zal zich openen en worden bevolen de doden op te geven en de steden van het Oosten zullen door de grote golf worden weggespoeld in de oceaan. En ook het Westen zal niet worden gespaard. Zijn hand zal de kolkende wateren van de golf omwoelen tot zulke verschrikkelijke stormen dat de kracht van hun verwoesting voorspeld noch voorzien kan worden. En in het Zuiden zal het ophouden met regenen en zullen sprinkhanen het graan en de vruchten die zij hebben beschermd verslinden. Dit zijn de voortekenen die zonder waarschuwing zullen verschijnen. Maar dit is nog maar het begin. Vrees niet de voortekenen in deze wereld, want het diepere patroon beweegt in de sterren. De volkeren van deze wereld zullen de ophanden zijnde Apocalyps voelen aankomen. De vissen in de zee zullen verstikken in bloed en in de lucht zullen geen vogels meer zijn. Hun profeten zullen de verwoesting van hun groene continenten voorspellen. Maar zij kunnen niet weten wat hun te wachten staat. Hongersnoden en bloedige oorlogen zullen de mensen van de dorre landen achtervolgen en de Vier Ruiters van de Apocalyps zullen worden losgelaten. Het zal zijn zoals het duizenden jaren is geschreven en vastgelegd: oorlog, hongersnood, pestilentie en dood. Zij zullen komen. Vooralsnog moeten wij verdergaan, standvastig in stilte en duisternis en als vanouds rede, vrijheid en verlichting dienen. Maar wanneer deze tekenen zich aandienen zullen wij weten dat de tijd van wachten en toekijken voorbij is en dat de vorming van de Apocalyps is begonnen.

Hij zweeg.

'Maar dat klinkt allemaal precies zoals in Openbaringen. Het laatste Bijbelboek,' protesteerde de rechter, bevend van hernieuwde scepsis.

'Precies,' zei de componist en hij sloeg het boek dicht, 'omdat het tweeduizend jaar geleden is geschreven. En de apocalyptische retoriek is een kenmerk van veel godsdiensten. Maar sommigen van ons zijn van het pad der waarheid afgedwaald. Hun zielen konden geen geduld meer opbrengen. Je weet heel goed dat het geschreven staat: dat één dag bij de Here is als duizend jaar en duizend jaar als één dag.'

De rechter kende de Bijbel goed, niet omdat ze hem in haar jeugd had bestudeerd, maar omdat ze er voor haar werk onderzoek naar had gedaan.

'Dus je gelooft niet in de Apocalyps?'

Hij schonk haar nog een glas wijn in en reikte haar een handvol zoete druiven aan.

'Het is niet aan mij om te speculeren over het naderende einde der tijden. Onze taak berust in deze wereld. En wij mogen hier niet weg voordat wij worden geroepen om te sterven. De enige persoon die door het vuur de duisternis mag betreden is de gids zelf. Wij weten dat ons leven pas begint aan de andere kant van het graf, maar zelfmoord is verboden, net als in het christendom en de islam. Wij moeten onze tijd uitdienen. Ik heb heel erg mijn best gedaan om dit zich verraderlijk snel verspreidende enthousiasme de kop in te drukken, maar zoals je weet ben ik daar niet in geslaagd, zelfs niet bij degenen die mij het dierbaarst waren.'

'Dus je wist niets van het geplande vertrek? Je vermoedde niets?'

Hij gaf geen antwoord, maar schoof zijn stoel naar achteren en leunde tegen het buffet. De kopjes rinkelden. Hij zat er verslagen bij. Hij had het dus niet geweten. De rechter verkneukelde zich over de juistheid van haar eigen conclusies. Om hen heen klonken de krakende geluidjes van het slapende huis.

'Hoeveel van jullie zijn er nog over?' vroeg zij zacht.

'Ze waren er vanavond allemaal, maar ik kan ze nog niet aan je voorstellen. Nog niet, nog niet.' Hij pakte haar hand en trok haar overeind. 'Kom. Volg mij.'

Soms stelde ze zich het hele gesprek voor als een hallucinatie, veroorzaakt door vermoeidheid, honger en een irrationeel verlangen om alles te weten, ongeacht de consequenties. Ze zaten in de grote zitkamer thee te drinken terwijl er nieuwe vlammetjes aan de vochtige blokken hout lekten. Hij hield haar dicht tegen zich aan en beschermde haar tegen de fluwelen duisternis aan de andere kant van de ramen.

'Ik heb veertig jaar lang als gids gefungeerd en ja, nu ben ik moe en verslagen. Ik ben er niet in geslaagd de groep standvastig en eensgezind te houden. Hun beweegredenen en verlangens lagen te ver uiteen. Te veel sterke persoonlijkheden gingen voortdurend met mij in discussie. De gids blijft altijd de vertegenwoordiger van het Geloof, de hoeder van ons volk, hun arbiter bij onenigheden. Ik had het laatste woord. Ik was, als je het zo wilt noemen, hun rechter. Waarom is het zo moeilijk voor mij geweest om mijn mensen tegen zichzelf te beschermen?'

De rechter herkende hier haar publieke rol in en haar eigen talloze nederlagen, maar zei niets.

'De gids is geen overerfelijke functie. De persoon in kwestie moet worden gekozen en opgeleid. Niet iedereen kan het. Hij of zij moet een natuurlijke autoriteit hebben.'

'Dus er zijn ook vrouwelijke gidsen geweest?'

'De eerste gidsen waren allemaal vrouwen. Meestal priesteressen. Dat weten we uit de oude verhalen.'

Hij sprak over het verre verleden en zweeg toen even.

'Wie was jouw voorganger?'

'Een bijzonder wijze oude man die in Lübeck woonde. Een groot musicus, hoewel muziek niet zijn beroep was. Hij nam mij onder zijn hoede toen ik nog een kind was. Hij heeft me alles geleerd wat ik weet.'

'En na jou? Wie komt er na jou?' fluisterde de rechter, hoewel ze het antwoord al wist. Ze voelde een siddering van afgrijzen door hem heen gaan.

'Dat weet je wel, Dominique, dat weet je wel. Ik had Cécile gekozen.'

Opeens voelde de rechter al haar energie terugkeren. Ze maakte zich los van de componist en stond op. Ze ging met haar rug naar het vuur staan en met haar gezicht in het donker.

'Marie-T! Zij wilde de taak doorgeven aan Marie-T!'

De componist keek langs haar heen in de vlammen.

'Ja. Dat wilde ze inderdaad. En dat kon ik niet toestaan. Ik weiger mijn dochter op te offeren.'

'Wat bedoel je?'

'Het Geloof is ons een grote vreugde, maar het is tevens een last, een heilige last. Je leven is niet meer van jezelf. Je kunt je eigen weg niet meer kiezen. Het is een soort kloosterroeping. Je moet een paar stevige schouders hebben en veel geestkracht om erin te overleven. Marie-T is een kwetsbaar, gevoelig kind. Zij kan niet omgaan met ruzies, gekibbel, geschillen. Die dingen gebeuren in elke gemeenschap, maar binnen het Geloof –'

Hij zweeg, haalde zijn schouders op en vervolgde toen op iets zachtere, maar vurige toon: 'Ik heb Cécile niet toegestaan Marie-T in het Geloof te betrekken. Ik heb haar overal buiten gehouden. Cécile kreeg last van ernstige depressies, gevolgd door gevaarlijke bezieling. Zij en Anton veranderden tegen mijn zin in een soort missionarissen van apocalyptische waanzin. En ik laat mijn dochter niet sterven voordat zij heeft geleefd. Ik wil dat zij een gelukkig, veilig leven kan leiden. Wij zijn geen slaven van masochistisch lijden, zoals sommige christenen dat zijn. Wij geloven in vreugde, dezelfde revolutionaire vreugde die de erfenis is van de Verlichting. Als het Geloof moet degenereren in een krankzinnige, onevenwichtige zelfmoordsekte dan wil ik niet dat zij er iets mee te maken heeft. Voor haar wens ik alleen de zegeningen van het Geloof – vreugde, leven, vrijheid.'

‘En wat is mijn rol in dit alles? Waarom ben je naar mij toe gekomen?’

‘Ik wil dat jij de gids wordt.’

De rechter verstijfde, liep toen naar het raam en keek naar buiten. Het meer lag er nog steeds, vlak en donker, met de lichtjes langs de oevers. Om te voorkomen dat ze zou gaan schreeuwen, haalde ze een keer diep adem.

‘Ben je helemaal gek geworden, Friedrich? Jij wilt dat ik jou opvolg als leider van jouw sekte? Ik zou zo gauw niemand weten die daar minder geschikt voor is dan ik.’ De rechter keek zonder met haar ogen te knipperen de duisternis in. ‘Ik geloof nergens in.’

‘O jawel.’ Zijn stem leek van heel ver weg te komen. ‘Jij gelooft in alle verlichtende waarden van de republiek. Je gelooft in gerechtigheid, vrijheid, solidariteit en het recht van al jullie burgers om in vrede te leven, vrij van armoede en angst. En je gelooft in de wet.’

‘Maar ik geloof niet in God of in lotsbeschikking. Of dat er daarboven iets is.’

De componist stond op, rekte zich uit, en zijn reusachtige gestalte ontvouwde zich op de lange muur van de zitkamer, over de boekenkasten en boven de piano. Hij glimlachte hoofdschuddend tegen haar, alsof ze een spookverschijning was, een miraculeus en onverwacht wonder.

‘Het Koninkrijk van het Licht is een citadel in de harten van de mensen. Jij schijnt als een waarschuwende vlam, Dominique. Jij straalt datzelfde licht uit.’

Ze stond bijna te stampvoeten van kwaadheid. Ze voelde zich gekleineerd, betutteld.

‘Hoe weet jij wat er in mijn hoofd omgaat? Jij weet niets van mij. En als ik jouw plaats inneem en al die onzin leer uitkramen, ben jij dan veroordeeld om te sterven? Om onmiddellijk te sterven? Je zei dat alleen de gids ervoor kan kiezen om te sterven.’

De gruwel van dit alles leek volslagen grotesk. Maar de componist bleef onverstoorbaar.

‘Eerst zou ik je nog heel veel moeten leren. Ik kan je niet achterlaten om in duisternis en onwetendheid te worstelen. Je begrijpt het Geloof nog niet. We zouden dag en nacht samen moeten zijn. Vele jaren lang, naar ik hoop. Ik zou je de rest van mijn leven geven.'

'Maar dan zou je me verlaten? Dan zou je ervoor kiezen om te sterven?'

'Sterben um zu leben. Ik sterf om te leven, maar veel intenser en voor eeuwig. De dood is geen toestand. Of zelfs maar een gebeurtenis. Luister naar me, Dominique. Het is een deur, een deur waardoor wij de eeuwigheid binnengaan, die eeuwig bezielde duisternis van inzicht, glorie, vrijheid, vreugde. Je kunt je niet voorstellen, in deze kleine wereld, gevangen binnen de grenzen van je zintuigen, beperkt door deze vier muren van vlees, welke onmetelijke glorie je wacht. Ik zal daar op je wachten, achter die deur. Voor je het weet zullen mijn armen je omhelzen en zodra wij daar samen zijn, laat ik je nooit, nooit meer los.'

'Omhels me dan nu.'

Hij kwam niet naar haar toe, maar opende zijn armen. Zij doorkruiste de gevaarlijke ruimte tussen hen in. Toen hij haar tegen zich aan hield, voelde ze zijn vurige hitte. Flamme bin Ich sicherlich. Hij was al een vlam. Haar koele hagedissenhuid streek langs zijn blote armen, haar ijskoude wang rustte tegen zijn kloppende halsslagader. Hun rollen waren al omgedraaid. Zij was degene die haar leven wijdde aan die koude, dode nacht hoog tussen de sterren, en hij was gedoemd om te dienen in deze dynamische, zinderende wereld van honger en bloed, tot in alle eeuwigheid. Ze voelde woorden van ontkenning en opstandigheid in zich opborrelen.

'Maar ik wil je nu. In dit leven. Nu. Ik geloof niet in voor eeuwig. Daar geloof ik gewoon niet in. Nu is het enige wat er is. Dit moment.'

Ze voelde zijn zachte lach als een warme wind die door haar haren blies.

'En toch heb ik jou gekozen. Niet alleen voor dit leven, maar voor altijd. Hoe kun je zo vastzitten aan het koninkrijk van deze wereld? Je eigen katholieke geloof heeft je toch zeker wel geleerd verder en dieper te kijken? Omhoog te kijken? Ik kan je zoveel leren, Dominique. En het zal mij zoveel vreugde schenken dat te doen. Je bent mij zo dierbaar. Jij bent mijn juweel, begraven in het zand, maar blootgelegd door de muziek waartegen jij je zo verzet. Jij bent mijn openbaring.'

'Begraven in het zand? Zoals Verdi's geliefden? Geloof je dan werkelijk dat dit leven niets anders is dan een vermoeiende prelude tot het graf?' Nu stond ze werkelijk tegen hem te schreeuwen.

'Nee, nee.' Hij kuste zachtjes haar voorhoofd, maar praatte gewoon verder. 'Er is geen graf. En voor mij zal er geen graf zijn. Ik zal verdwijnen in licht, lucht en duisternis. En gedurende jouw hele, lange leven zal ik naast je staan en wachten tot je je taak hebt volbracht, deze immense taak die ons beiden is toevertrouwd. En zodra jouw tijd hier in deze vreemde groene wereld erop zit, zul je de eeuwigheid binnengaan, die grote ring van zuivere en oneindige nacht, de nacht van grenzeloze liefde.'

Ze klonk zelfs in haar eigen oren als een teleurgesteld, zeurend kind.

'Maar ik wil je nu. Nu! In deze wereld. Er is niets anders dan deze wereld. En volgens mij ben je hartstikke gek!'

De hitte van zijn lichaam nam bezit van haar, alsof hij al verteerd werd door de vlammen aan boord van het Vikingschip. En één afschuwelijk ogenblik lang voelde ze zichzelf wegzinken, verdwijnen. Ze maakte zich van hem los, gooide de dichtstbijzijnde tuindeur open en rende het natte gras op. De ijskoude nacht overspoelde haar. Ze onderdrukte de schrik van de kou in de bergen en voelde dat ze rilde. Met haar armen om zichzelf heen geslagen, liep ze over de natte aarde. Ze zag helemaal niets op de donkere vlakte voor haar. De hartstocht van een man joeg Dominique Carpentier geen angst aan. Het was gewoon een van de terreinen waarop ze uitblonk, net als wiskunde en jurisprudentie. De gevolgen lieten haar vrij onverschillig. Hij houdt van me, hij houdt niet van me, hij houdt van me. Haar diepste gevoelens kwamen nooit aan de oppervlakte en werden nooit beroerd. Maar nu, in de armen van deze man, had zij gevoeld hoe haar koele intellect tot niets werd gereduceerd, en werd zij tot in het diepst van haar ziel geraakt. De grillige wijnstokken en de glazige zwartheid van het meer met daarachter de Alpen, spookachtig in de nachtelijke mist, weigerden een achtergrond te blijven voor dit moment van verleiding. Het was als een geschilderd decor waarvoor de componist haar verleidde met zijn belachelijke voorstellen, want het landschap hoorde zijn stem en huiverde, en luisterde aandachtig. Ze was omsingeld, gevangen.

'Dominique?' Ze had hem niet aan horen komen. Hij greep haar vast en ze voelde zijn grote hand achter haar hoofd. Ze gleed uit op het gladde gras.

'Kijk omhoog,' zei hij zacht. 'Kijk omhoog.'

En daar boven haar dansten de Grote Beer en de Plejaden, die immens dichte massa sterren, verstikkend, dichtbij, het lange, gesluierde spoor van de Melkweg, een explosie van licht, een dans van zo'n buitensporige schoonheid dat hij haar de adem benam. Het was alsof ze voor het allereerst die immensiteit van licht en afstand zag, die zich uitstrekte in het niets, een zachte glinstering aan de uiterste rand van het universum en de oneindige melkwegstelsels daarachter. Ze hoorde zijn stem op zich afkomen van de gepassioneerde rand van alle gecreëerde werelden, zichtbaar en onzichtbaar.

'Alles is al. Alles bestaat. Het bevindt zich zowel vóór ons als binnen in ons. Het enige wat wij hebben gedaan is de namen ontdekken. Wij besteden ons hele korte leven aan het zoeken naar de woorden om het te zeggen. Jij en ik zijn hier altijd geweest, nu en tot in alle eeuwigheid. Heb je ooit goed naar je oom geluisterd wanneer hij je je catechismus leerde? Toen leerde hij je de eerste fragmenten van het Geloof.'

16

VOLG MIJ NAAR HET KONINKRIJK

In het eerste, grijsblauwe licht van de nieuwe dag strompelde zij, verward en wankelend op haar benen als iemand die onder invloed is van drugs, langs de portierswoning. Waar had ze de auto gelaten? Kon ze haar sleutels nog vinden? Met elke stap worstelde ze om haar kalmte en evenwicht te hervinden. Haar geest beefde en voelde verwrongen, alsof ze op de kermis voor een vervormende lachspiegel had gestaan en die groteske gestalte had behouden. Vlak achter haar auto stond een andere wagen geparkeerd. Toen zij haar hand uitstak naar het portier kwam een gestalte die ineengedoken achter het stuur van de andere auto zat opeens tot leven en sprong pal voor haar naar buiten – André Schweigen.

Hij moest de hele nacht half opgevouwen achter het stuur hebben gezeten. Hij zag eruit als een dakloze zwerver, ongeschoren, verfomfaaid, rillend van de kou.

'Hoe heb je mij gevonden?' De rechter, opeens weer helemaal helder en angstaanjagend, stond bijna tegen hem te schreeuwen in de ochtendschemer. 'En wat doe je hier?'

'Gaëlle. Ze is op vakantie in Egypte en ze maakt zich vreselijke zorgen om je. Zowel de telefoon op kantoor als je mobieltje staat al de hele week op het antwoordapparaat. Je hebt geen enkele e-mail beantwoord. Je reageert niet op sms'jes. Dus toen heeft ze mij gebeld en ik heb je hier gevonden via Myriam op het domaine.'

'André – ik ben geen kind meer en ik heb geen kinderjuf nodig. Stap in die auto en rij achter me aan de berg af. We gaan een duur hotel in Vevey zoeken en tot vanmiddag uitslapen.'

Maar tegen de tijd dat ze voor de dommelende receptionist van het Grand Hôtel Continental stonden konden ze geen van beiden nog een woord uitbrengen. De rechter was uitgeput en Schweigen was getransformeerd in één massief blok ijs. De enige kamer die nog vrij was, was de bruidssuite. Schweigen boekte de suite met prachtige uitzichten over het hele meer en de rechter betaalde met haar creditcard. Ze at alle chocolaatjes op die op de kussens lagen, zowel die van haar als die van hem, duwde hem de badkamer in en vertelde hem botweg dat hij eerst maar eens moest ontdooien en de stank van het slapen in de auto van zich af moest spoelen voordat hij naar bed kwam. Hij kon haar amper zien terwijl hij in een wolk van stoom met de tandenborstel en shampoo van het hotel aan de slag ging. Ze kletsten wat tegen elkaar, blij met elkaars vertrouwde aanwezigheid, maar niet in staat om tot enige uitleg te komen. Ze sliep al bijna toen hij naast haar kwam liggen in het enorme hemelbed met goudkleurige satijnen kwastjes.

'Niet praten, André,' fluisterde ze, alsof ze ziek was of half verdoofd. 'Dat kan ik nu niet hebben. En in antwoord op de vragen die over je hele gezicht geschreven staan – ja, ik heb het laatste deel van de nacht met de componist doorgebracht. Nee – ik heb geen seks met hem gehad, maar ja, ik ben wel verliefd op hem. En voordat je een jaloerse woede-uitbarsting krijgt: ik lig nu niet daarboven op die berg bij hem in bed. Ik lig hier naast jou in de bruidssuite. Welterusten.'

En ze trok het dekbed over haar hoofd om het licht buiten te sluiten.

Vanaf negen uur 's ochtends scheen de zon op het terras van de bruidssuite en de lange rijen wijnstokken vlak voor het Grand

Hôtel Continental. André Schweigen lag klaarwakker in het luxueuze bed en zag hoe het achter de Alpen steeds lichter werd en hoe het meer van kleur veranderde, van zwart tot grijsblauw. De rechter, zag hij met enige ergernis, lag te slapen alsof er niets aan de hand was en haar verschrikkelijke uitspraken geen gevolgen zouden hebben. Was zij overgelopen naar de vijand? Gaëlle dacht van niet, maar de openhartige griffier was nu eenmaal zo trouw als een hond. Zij zou haar rechter nooit verraden, niet in woorden of daden, en zelfs niet in gedachten. En in elk geval begreep André Schweigen nu één ding. Zij hield van een andere man. Dat had ze hem zelf verteld. Het feit dat ze zijn liefde nooit, en op geen enkele manier had beantwoord deed er niet toe. Als hij van haar bleef houden, en hij had geen andere keus, dan was dat genoeg. Maar nu was er iemand anders. Ze hield van iemand anders. Hij verkende de grenzen van zijn geest en bevond zich op het uiterste randje, zo hachelijk als de steile wand. Wat moest hij nu? Achter de ramen schitterde de ochtend. Zijn vrouw had al drie wanhopige sms'jes gestuurd. Hij kon geen woorden meer vinden om te liegen en dus las hij de berichten keer op keer door. Ten slotte zette André Schweigen zijn mobieltje uit, kroop tegen de slapende rechter aan en deed zijn ogen dicht.

Toen hij eindelijk wakker werd was het al middag en stond de rechter op het terras, gehuld in een witte, zachte badjas met het lelijke logo van het hotel in goud op haar rug geborduurd, haar gezicht opgeheven naar de zon. Er werd op de deur geklopt.

'Binnen!' riep de rechter, en meteen kwam er een geüniformeerde kelner de suite binnen met een enorm zilveren dienblad, waarop een uitgebreid ontbijt stond uitgestald, compleet me twee flûtes en een fles champagne.

'Félicitations! Madame, monsieur,' mompelde de verschijning. 'De directie wenst u een heel prettig verblijf in het Grand Hôtel Continental.'

'Dank je.' De rechter schonk zichzelf een glas champagne in en liet hem weer uit. Toen kwam ze terug naar het hemelbed.

'Proost, André!' Ze overhandigde hem het bubbelende gouden glas. 'Dit is de bruidssuite en het lijkt erop dat we eindelijk een keurig, respectabel stel zijn.'

Schweigen kwam overeind en klokte het halve glas leeg. De hele kamer straalde van haar glimlach. Een ogenblik lang waren ze echte samenzweerders en Schweigen grijnsde breed. Ze waren samen ontsnapt en op de vlucht.

'Hebben ze niet gezien dat we geen bagage hebben?'

'Misschien denken ze dat je me hebt geschaakt?'

Opeens herinnerde Schweigen zich haar bekentenis. Hij smeet het intieme moment van zich af en bulderde: 'Je bent met de verkeerde man.' Toen stapte hij uit bed. Hij probeerde zijn broek aan te trekken, maar zijn woede won het van zijn waardigheid en zijn rechtervoet bleef steken. Zij knielde neer en trok zijn voet door de opening van zijn broekspijp.

'Begin nu niet, André. Alsjeblieft. Dan kun je straks niet meer helder nadenken en we moeten onze kalmte zien te bewaren.'

Ze droeg het dienblad naar het terras. Haar gebruik van de eerste persoon meervoud zond meteen een boodschap van geruststelling naar zijn verwarde, vermoeide brein en hij liep achter haar aan de prachtige dag in. De lucht rook naar september, de eerste vuren, vochtige bladeren en een koele nevel boven het donkere meer. In de schaduw van de bergen bleef het water zwart. Met een flauwe nevel vlak boven het oppervlak, alsof het meer een levend, ademend wezen was. De rechter zette het ontbijt op de glazen tafel en al haar bewegingen straalden iets levendigs en zelfverzekerds uit. Kaas, paté, worst, eieren.

'Waar zijn de croissants en de pains au chocolat?' Ze zocht tussen de zoetigheden.

'Hier, jus d'orange. Drink op, anders ga je dadelijk nog van je stokje.'

'Heeft hij je een huwelijksaanzoek gedaan?' riep André uit, terwijl hij intussen gehoorzaam een glas sinaasappelsap dronk.

'Hij heeft me inderdaad iets gevraagd en ja, je zou het een aanzoek kunnen noemen. Dus in zekere zin, ja.'

André staarde haar vol afgrijzen aan. Haar brillenglazen

leken donkerder in de zon en zo zat ze, haar blote benen en tenen uitgestrekt in de zon, van haar pains au chocolat te knabbelen. Ze at de zijne ook op.

'En wat heb je tegen hem gezegd?' Hij hield zijn adem in.

'Wat elke voorzichtige vrouw zegt. Ik heb geprobeerd tijd te winnen. Ik heb gezegd dat ik over een week een antwoord voor hem zou hebben.'

'Een week!' Zeven dagen verdwenen in de glans van het zwarte haar dat voor haar gezicht viel. Over zeven dagen zou ze voorgoed voor hem verloren zijn.

'Kijk niet zo tragisch. Ik heb nog geen ja gezegd.'

'Maar dat ga je wel doen.'

'Waarom denk je dat?'

Het champagneglas versplinterde bijna in Andrés greep.

'Je hebt me gisteravond verteld dat je van hem hield.' Hij merkte dat hij tegen haar stond te schreeuwen. De rechter draaide zich om in haar stoel, haar donkere ogen onzichtbaar achter haar brillenglazen.

'En ik zal nooit tegen je liegen. Ik beschouw het als een eer dat die man met heel zijn hart van mij houdt en mij de dingen wil geven die hem het allerdierbaarst zijn. Hij heeft me gevraagd zijn dochter in de gaten te houden. En ik hou van hem om zijn vertrouwen in mij. Maar ik ben niet gek, André. Friedrich Grosz en ik staan aan twee kanten van een enorme scheidslijn, als een soort peilloze diepte in de oceaan. Hij ziet dat niet. Hij heeft een geloof dat geen grenzen kent. Voor hem is niets onmogelijk.'

Ze zweeg even. André liet zijn ingehouden adem langzaam en sissend ontsnappen.

'En voor jou is het onmogelijk?'

'Dat heb ik niet gezegd.'

Toen drong er opeens iets tot Schweigen door. Ze had informatie voor hem achtergehouden.

'Marie-Cécile Lavals jongste kind. Het meisje. Is dat zijn dochter?'

'Ja.'

'Hoelang weet je dat al?'

'Ongeveer anderhalve maand.'

Schweigen stond op en greep de rand van het smeedijzeren balkon vast. Zijn knokkels werden wit.

'Ik houd dit niet uit, Dominique.'

'André, ga zitten. Luister naar me. En hou je gemak.' Hij liet zich in de luxueuze kussens vallen.

Maar het eerste ogenblik zei ze helemaal niets en gaf hem alleen maar een snee bruin brood met knoflookkaas en schonk de koffie in. Ze aten in stilte en keken naar het meer, dat zich uitstrekte in de mist. Het landschap lag als een sluier van oneindige schoonheid voor hen in het zachte, gouden licht. Het meer, overschaduwd, onduidelijk, leek nu net zo moeilijk te doorgronden als de aard van de beslissing die de rechter had gezworen binnen een week te nemen. Zou zij haar verleden verloochenen? Ondenkbaar. Ging ze met een oude man trouwen, ook al was het een verontrustend energieke vieux Picasso? Ze had een hekel aan muziek, luisterde er nooit naar en had niet eens een hifisysteem in huis. Was ze opeens het huiselijke type geworden dat naar een gezinnetje verlangde? Schweigen kon zich de rechter niet voorstellen als keukenprinses of met kinderen om zich heen. Hij bedacht opeens dat hij geen idee had hoe oud ze was. Het gladde, tijdloze, olijfkleurige gezicht verraadde weinig.

'Hoe oud ben je eigenlijk?' vroeg hij, alle voorzichtigheid uit het oog verliezend.

'Tweeënveertig. Even oud als jij.' Ze keek hem glimlachend aan. 'Wat denk je, zullen we nog wat champagne bestellen?'

'Ben je gek geworden?'

'Nee. Vergeet niet dat dit de bruidssuite is. Volgens mij zit het bij de prijs inbegrepen. Trouwens, ik heb het nummer van mijn eigen creditcard opgegeven, dus we maken nergens misbruik van. En bovendien is het zaterdag. Bestel nog maar een fles, André. Maar denk eraan dat ze denken dat jij nu monsieur Carpentier bent.' Ze wierp lachend haar hoofd naar achteren.

Hij gaf het op, vocht zich tussen de gordijnen door en pakte de telefoon.

Die hele, lange middag bleef ze lief maar een beetje afwezig. Tegen het einde van de dag wandelden ze tussen de wijnstokken door naar het bos aan de rand van het meer. De droge aarde verkruimelde onder hun schoenen en ze stoorden een haas die aan de rand van een hoog maïsveld zat. Het beestje sloeg op de vlucht en zocht zich met zijn lange, sterke achterpoten een zigzaggende weg, de helling op en het goudkleurige bos in. Het licht gleed trillend over het wateroppervlak en kleine golfjes kabbelden over de kiezelsteentjes van het kunstmatig aangelegde strand. Het hotel beschikte over een paar kleine bootjes, die met een hangslot aan de steiger waren vastgemaakt. Schweigen en de rechter gingen naast elkaar op de warme planken zitten, en lieten hun voeten vlak boven het water bungelen.

Plotseling herinnerde Schweigen zich weer wat hij haar had willen vertellen. En, wonderlijk genoeg, mirabile dictu, kwam ook hun onderzoek weer ter sprake. Wat ze verder ook mocht vinden van de onoverkomelijke kloof tussen haarzelf en de componist, zij stond nog steeds aan zijn kant. Het Geloof, en de ontmanteling van de macht van het Geloof, hield hen nog steeds bij elkaar.

'Dominique, ik heb iets gevonden in de documentatie van de stichting die is opgezet door degene die op dit moment de leiding heeft over het Geloof. Weiß is de directeur van het fonds, maar er is ook een rechtsgeldige Akte van Vertrouwen, officieel opgesteld en ondertekend door getuigen, die twee andere gevolmachtigden aanwijst voor het geval Weiß zou komen te overlijden: professor Hassan Hamid en Friedrich Grosz.'

De rechter sloeg haar armen om haar knieën en legde haar kin erop. Ze dacht na, maar zei niets.

'Denk je dat ze de boel afromen?' André hoopte het van ganser harte. Hij wilde de componist de meest verschrikkelijke dingen in de schoenen schuiven.

'Hebben zij die Akte van Vertrouwen ondertekend?'

'Nee, ze worden alleen genoemd.'

'Dan weten ze er waarschijnlijk niets van. Wat is het doel van die stichting?'

‘Dat weet ik niet. Nog niet.’

‘Dan zou ik zeggen, blijf zoeken.’

‘Wil je dat ik ermee doorga?’

‘Maar natuurlijk.’

Schweigen maakte een ongelovig gebaar. Hij zag de rechter, die gespannen als een veer naast hem zat, als de heilige kruisvaarder, met de witte vlag der rechtvaardigheid, het getrokken zwaard der gerechtigheid in haar blote handen, zeegroen onkreukbaar, en ontdaan van alle menselijke gevoelens. Ze zegt dat ze van die man houdt, maar ze zou in staat zijn hem persoonlijk in de boeien te slaan. Hij stelde zich haar voor als de grootinquisiteur – koud, meedogenloos, geobsedeerd. Haar volgende vraag kwam daarom heel onverwacht.

‘En wat, als ik vragen mag, heb je je vrouw deze keer verteld?’

Er klonk geen bitterheid of veroordeling in haar stem. Ze klonk gewoon benieuwd. Hij keek haar verwonderd aan en opeens wist hij zeker dat het feit dat hij getrouwd was haar al die tijd toch iets had gedaan.

‘De waarheid. Dat ik je griffier had gesproken en dat zij bang was dat jij in gevaar verkeerde, en dat ik je daarom ging zoeken.’

‘En wat vond ze daarvan?’

André Schweigen aarzelde, schaapachtig.

‘Ze vroeg of ik misschien meer om je gaf dan eigenlijk zou moeten.’

‘En daarop antwoordde jij...?’

‘Dat ik verliefd op je was. Dat ik al jaren verliefd op je was en dat ik altijd meer van jou zou blijven houden dan van wat of wie ook ter wereld. Het voelde goed om het te zeggen. Het is de waarheid.’

De rechter floot en pakte zijn hand. Hij kneep haar koele handje bijna fijn. Zonder een woord te zeggen bleven ze zo een hele tijd zitten. De momenten die ze samen hadden doorgebracht trokken aan haar voorbij. Ze zag niet langer de schaduw van het afscheid die over elke ontmoeting had gehangen. De rechter hoorde de echo’s in de eenvoud van zijn verklaring en herkende de overeenkomsten tussen André Schweigen en de componist. Zij waren allebei mannen van uitersten, sterke mannen in de greep van heftige stormen van irrationele, sterke emoties, die hen verleidden tot het nemen van krankzinnige risico's. En ze vertrouwden allebei op de waarheid. De waarheid kan niet worden uitgesproken, duidelijk en met overtuiging, zonder te worden gehoord. Zweert mij mijn lief dat zij voor waarheid staat – ze maakte de gedachte niet af en hield haar inzicht wijselijk voor zich. Ze zagen de mist boven het water dichter worden.

'Goh, André, ik sta versteld. En ik voel me bijzonder gevleid. Ik heb goed naar je geluisterd. Maar het is alweer iets waar ik over na moet denken. En jij kunt nu maar beter regelrecht naar huis rijden en de gevolgen onder ogen zien.'

Gaëlle ritste op kantoor de post open. Ze zat kaarsrecht op haar stoel. Ze was door een kleine drie weken op een Egyptisch strand getransformeerd in een gebronsde godin. Haar Cleopatra-kapsel, een exact geometrisch spel van lijnen en lagen, werd in model gehouden door dezelfde transparante gel waarmee ze voorheen haar zwarte spikes overeind had gehouden. Haar met kohl omlijnde ogen deden denken aan de dreigende blik van Isis, en een brede kraag van kralen, schitterend van de witte geregen schelpjes, gele keramische kralen, jade, onyx en kobaltblauwe stenen van lapis lazuli, had de plaats ingenomen van de doodskoppen en zilveren ringen en kettingen.

'Het heeft me een maandsalaris gekost. Vind je het mooi?'

'Jazeker. Het ziet er ongelooflijk ordinair uit, maar wel heel erg mooi. Jij kunt het hebben.' De rechter zette haar aktetas op het bureau en kuste haar griffier.

'Ben je woest op me omdat ik Schweigen op je dak heb gestuurd?'

De rechter zweeg even. Het was niet eens bij haar opgekomen om boos te zijn op iemand die puur uit trouw en liefde had gehandeld.

'Nee, natuurlijk ben ik niet boos. Uiteindelijk kwam het heel goed uit dat hij er was.'

'Je hebt al twee e-mails van hem – allebei dringend en persoonlijk en al meerdere malen naar je verzonden. Zal ik ze voor je openen? En ga je me dan nog vertellen wat je in Zwitserland hebt gedaan?'

'Nee, ik lees zelf wel wat Schweigen te zeggen heeft. En ja, natuurlijk zal ik je dat vertellen, maar alles op z'n tijd.' De rechter zette haar bril goed en keek op haar beeldscherm.

Dominique – mijn belle-mère is bij ons ingetrokken en ik ben het huis uit. Ik woon nu bij mijn broer. Gebruik alsjeblieft zijn e-mailadres. Of bel me. André

'O, nee. Schweigen is nu echt gek geworden,' kreunde de rechter.

'Wat heeft hij gedaan?' Gaëlle sprong bijna over het bureau heen. De rechter sloot het scherm af.

'Hij is bij zijn vrouw weg.'

'O, nee!' Gaëlle sloeg haar hand voor haar mond en smeerde daarmee haar bloedrode lippenstift uit. 'Wat ga je nu doen?'

'Voorlopig helemaal niets. Ik heb geen toezeggingen gedaan.'

'Denk je dat het nog overwaait?'

'Nee.'

'Is ze erachter gekomen?'

'Nee. Hij heeft het haar zelf verteld.'

'Hij is gek.'

'Dat zei ik toch?'

Even later waren de twee vrouwen weer aan het werk en voegden zij zich weer naar elkaars ritme. De rechter zat over haar bureau gebogen om haar binnengekomen rapporten te lezen en de gesprekken voor de komende week voor te bereiden. Brandstichting door een bende tieners in de buitenwijken van Béziers had een complete Renault-showroom in de as gelegd. De bendeleden, allemaal jonger dan achttien en van bemoedigend gemengde etnische origine, hadden hun plan toegegeven om heel vreedzaam één of twee auto's op het voorterrein in de fik te steken. De spectaculaire vlammenzee met bijbehorend vuurwerk was volkomen onverwacht en hoewel ze er erg van hadden genoten, was het dus niet hun schuld.

'Help me die kleine etters te vervolgen,' vroeg haar collega. 'Jij en Gaëlle kunnen de meisjes nemen. Ik ken er twee. Hun maatschappelijk werkers zijn al hier en de politie probeert de ouders te vinden.'

De zaak haalde het landelijke nieuws. De bendeleden hadden stuk voor stuk al meerdere waarschuwingen en eerdere veroordelingen achter de rug: tasjesroof, autodiefstal, dealen op school, inbraak en vandalisme. Ze waren allemaal al van de lokale scholen getrapt en kregen nu les via een speciaal project in een opleidingskamp dat werd geleid door ex-legerofficieren. De rechter kreeg dus niet veel tijd om na te denken over haar eigenaardige situatie of het aanzoek van de componist. Maar het zat haar niet lekker en eigenlijk wist ze niet eens meer precies wat ze nu eigenlijk had toegezegd in overweging te willen nemen. Wat ze nog het ergste vond was het duistere gevoel dat ze een professionele grens had overschreden en nu op het punt stond iets onaanvaardbaars te doen. Was zij niets anders dan het uitverkoren slachtoffer van een invloedrijke, charismatische gek? Ze zette haar bril af. De tekst die voor haar lag werd wazig en ze zag de componist weer voor zich zoals ze hem het laatst had gezien, dodelijk vermoeid, volhardend, gepassioneerd. Waarom had hij zijn dochter uitgesloten van enige kennis van het Geloof? Had hij dan misschien toch zijn twijfels over het credo dat hij met zoveel overtuiging predikte? Als *er ooit iets met mij zou gebeuren, zorg dan voor mijn dochter. Ze bewondert je enorm. Ze wil rechten studeren en leren dansen. Ze wil net zo worden als jij. Ik maak me zorgen om haar, Dominique. Het zou me zoveel rust geven te weten dat jij over haar zou waken.* En dat had ze beloofd, zonder een moment te aarzelen, omdat de zorg voor één zo'n rank, tenger meisje zoiets kleins leek vergeleken met de immensiteit van een duizenden jaren oud, geheim geloof, waarvan de aard haar verstand volkomen te boven ging. Want als ik het Geloof onbevooroordeeld zou bestuderen, zou ik waarschijnlijk niets anders te zien krijgen dan een spel valse kaarten, een soort tarotkaarten, speciaal bewerkt om de goedgelovigen en de zwakken onder ons te bedriegen. Zou ik zien wat ik altijd zie – leugens en waanvoorstellingen? Het Geloof bestuderen? Als een serieuze taak? Dat kan ik niet, dat kan ik niet. De enige bewijzen die ik kan accepteren zijn de bewijzen die ik krijg van mijn eigen zintuiglijke vermogens, en die vertellen me dat er geen andere wereld bestaat dan deze, geen bovennatuurlijke patronen en geen lotsbestemming die in de sterren staat geschreven. Ik zou het eerst moeten zien, voordat ik het kon geloven. Indien ik in zijn handen niet zie het teken der nagels en mijn hand niet steek in zijn zijde, zal ik geenszins geloven. Zalig zijn zij die niet gezien hebben en toch geloven. Maar dan nog; zou ik mezelf er ooit toe kunnen zetten in iets te geloven wat zo irrationeel, mystiek en bovennatuurlijk is? En zou ik voldoende fanatiek kunnen worden om iemand anders ervan te overtuigen? Dit is belachelijk. Mijn werk is nu al zwaar genoeg.

Dominique Carpentier had niet langer een duidelijk aanvalsplan tegen de componist. Hij moest wel krankzinnig zijn als hij dacht de sektenjaagster ertoe te kunnen overhalen de titulair leider te worden van nota bene de sekte die haar de meeste problemen had gegeven. Aan de andere kant was het Geloof de enige sekte gebleken die haar interesse had weten te wekken, juist omdat hij niet bedrieglijk of corrupt was. De angstaanjagend vrijpostige manier waarop de componist haar deelgenoot maakte van zijn overtuigingen bevestigde één ding: het Geloof stroomde als een wilde rivier parallel aan de gedisciplineerde kanalen van het orthodoxe monotheïsme, christendom, jodendom en islam. Het Geloof was de duistere zijde van het conventionele geloof, de Donkere Begeleider in eigen persoon. Hoe kon zij de componist ooit op andere gedachten brengen? Hij had het grootste deel van zijn leven al aan het Geloof geschonken. Dit was het probleem waarmee de rechter worstelde gedurende de dagen en nachten die volgden op haar wilde rit naar Zwitserland. Maar zij had beloofd binnen een week antwoord te geven op zijn vraag en ze was vast van plan zich aan die belofte te houden.

'Waar denk je aan?' wilde Gaëlle weten.

'Ik voerde in gedachten hele discussies met de componist,'

zei de rechter, terwijl zij haar bril weer opzette. Gaëlle wilde iets zeggen, bedacht zich en beet op haar tong.

Woensdagmiddag werd een van de jeugdige delinquenten opeens gewelddadig en vernielde een stoel en een waterkoeler in het kantoor van haar collega. Hij werd overmeesterd door twee gendarmes en in handboeien afgevoerd, met een kap over zijn hoofd om te voorkomen dat hij hen zou bijten.

'Het zijn de drugs,' zei Gaëlle, terwijl zij kalmpjes de kartonnen bekertjes begon op te rapen die op het tapijt dreven. 'Die arme knul zit waarschijnlijk in de ontwenningsfase. En ze worden niet in de gevangenis vastgehouden, dus zijn bevoorrading ligt stil.'

De rechter keek afkeurend op bij het horen van deze wereldwijsheid. Waar ze ook keek, overal haalden onaangepaste menselijke wezens in eeuwigdurend protest naar alles en iedereen uit, tot wanhoop gedreven door verlangens en begeerte. De rechter trok een streep over het schrijfblok op haar bureau.

'Ik ga naar huis, Gaëlle, om naar iets ongelooflijk onnozels te kijken op tv.'

Maar de wereld hield niet op bij haar voordeur. Ze lag net, met haar blote benen uitgestrekt voor zich op de bank en een groot glas appelsap in haar hand, toen haar mobieltje, dat ze op trillen had gezet, over het glas van haar rieten tafeltje begon te wiebelen en op de koude witte vloertegels aan gruzelementen dreigde te vallen. Als het Schweigen is, zet ik dat rotding uit. Maar het was de stem van Marie-T.

'Jammer dat ik u vorige week ben misgelopen op het chateau. Ik had echt gehoopt u daar te zien. Ik heb twee boodschappen achtergelaten en een e-mail gestuurd. Hebt u die gekregen? U hebt het zeker verschrikkelijk druk? U hebt het natuurlijk altijd druk. In de krant staat u genoemd als een van de rechters die zich bezighoudt met de brand in de Renaultshowroom. Dat is zeker wel heel erg? Een van die jongens is pas dertien. Kan ik morgen bij u langskomen? We nemen aanstaande vrijdag de middagvlucht naar Londen om voorbereidingen te treffen voor het concert. U komt toch ook naar

Londen? Friedrich denkt in elk geval dat u komt. Hij laat zich er niet van afbrengen. Hij zegt steeds maar dat u echt moet komen en dat hij u kaartjes heeft gestuurd. U komt toch wel? Het is in het weekend. Mag ik u morgen op een lunch trakteren? Zelf alstublieft ja.'

De rechter glimlachte. Ze vond het niet erg dat het meisje haar belde en moest lachen om haar koppige enthousiasme. Ze kreeg hier de kans om iemand blij te maken en het gulle, edelmoedige gebaar van het inwilligen van een wens maakte haar blij. Ze was het een heerlijk gevoel gaan vinden om te worden gevleid en bewonderd en belangrijk te zijn voor iemand anders. Opeens veranderde de bewondering van dit kind voor haar in iets heel groots, een kostbare parel, en zij sloot haar handen om het geschenk.

'Natuurlijk, kom maar om een uur of twaalf.' Toen nam de rechter een risico. 'Is Friedrich bij jou?'

'Nee. Hij is al bij het orkest in Londen. Het is het London Philharmonic, niet zijn eigen orkest, dus hij heeft massa's repetities. Ik kom alleen.' Er klonk iets van schrik in haar stem. 'Verwachtte u hem? U vindt het toch niet erg dat ik alleen kom?'

De rechter ontspande zich.

'Doe niet zo gek. Ik verheug me erop je te zien.'

Gaëlle stond in de hoge hal, met alle goden en sterren hoog boven haar hoofd, toen Marie-T de trap op kwam. De rechter zag de twee jonge vrouwen elkaar de hand schudden. Ze leken afkomstig te zijn uit totaal verschillende kosmologische systemen: Gaëlle had van zichzelf een kloon van Isis gemaakt in een mini-jurkje met brede schouders en een vriendelijke, strakke blik, en Marie-T speelde de rol van Persephone, kortstondig bevrijd uit Pluto's duisternis, stralend in haar geborduurde lentegroen. Maar de wereld onder hun voeten had het eerste vleugje herfst reeds geproefd. De hemel boven de Allées en de middeleeuwse straten verduisterde en even later zorgde een kille zoute wind dat ze allemaal naar hun jasjes grepen. Toen de draaideuren achter hen wegdraaiden stoof er een dun laagje wit zand over de tegels en dwarrelden de eerste blaadjes van de platanen, nog groen maar klaar om van kleur te veranderen, tegen de traptreden. Een vochtige mist bedekte de bergen van de Languedoc; buiten eten was uitgesloten.

Terwijl zij luisterde naar Marie-T's vrolijke optimisme voor de wijnoogst – het oogsten van de muskaat was op het domaine al achter de rug – betrapte de rechter zich erop dat zij het soort vragen stelde die uit de mond van een bezorgde ouder heel normaal en gewoon zouden hebben geklonken. Wanneer doe je eindexamen? Dit jaar of volgend jaar? Je moet wel rekening houden met de toelatingseisen voor universiteiten. Tenzij je al hebt besloten dat je het domaine Laval wilt gaan leiden. In dat geval lijkt een cursus management en boekhouding me van essentieel belang. Hoe denkt je broer erover?

Ze bespraken de verschillende voors en tegens van studies als rechten, talen, filosofie, wat de rechter eerst had gestudeerd in Parijs; psychoanalyse, wat de componist bijzonder fascineerde en waarover hij tientallen boeken bezat, inclusief *De Complete Psychologische Werken van Sigmund Freud* – of misschien toch een meer praktische opleiding aan de economische faculteit.

'Ik heb geen gevoel voor muziek. Maar dat lijkt Friedrich niet erg te vinden. Maman had het ook niet. We zijn dol op zijn muziek. Maar we zijn amateurs. Friedrich zegt dat het gewoon een gave is. Je hoort het wel, of je hoort het niet.'

De rechter knikte. En terwijl ze dit deed realiseerde ze zich dat het Geloof, mysterieus, geheim, onzichtbaar, in een hoger register was geschreven dan waar zij normaal gesproken naar luisterde. En toch en toch, was de rechter niet rouwig om de leugenaars die bedrieglijk, onbetrouwbaar en roofzuchtig waren. De mensen die haar oprecht verdriet deden waren de gepassioneerde gelovigen, volledig overtuigd van hun eigen vermetele religies. Met boeven kan ik uit de voeten, maar niet met overtuigde fanatici. En ik heb geen geduld met romantische obsessies, de producten van eigenzinnige wensvervulling. En is dat hoe ik Friedrich Grosz heb beoordeeld? Heb ik hem voorgesteld als een personage in een van zijn eigen onbegrijpelijke opera's? Een man van wie de motieven voor mij helemaal duister zijn?

Marie-T babbelde er vrolijk op los over een jongeman die haar mee uit had gevraagd. Moest ze ja zeggen? Wat vond madame Carpentier?

'Ik vind dat je me Dominique moet noemen. En ik weet het niet. Vind je hem aardig?'

De twee vrouwen zaten voor hun lege borden en keken elkaar aan, terwijl ze intussen heel verschillende paden door het bos volgden. Vind je hem aardig? Jawel. Heel erg zelfs. Hij heeft me zijn volle aandacht gegeven. Zijn er nog belangrijker dingen? Wil ik dat hij me in zijn armen neemt en tegen me blijft praten? Opeens vulde de aanwezigheid van de componist de lege plek in haar, zijn witte haar en de hitte die uitstraalde van zijn reusachtige lichaam. Ze zag zijn getekende gezicht, eerst woedend, dan weer glimlachend, hoorde zijn stem, opgewekt, geamuseerd, die haar vertelde dat haar haar losraakte, die dreigde haar naar het toilet te volgen, haar plaagde in een regenbui en haar warm hield tegen de ijskoude duisternis. Ze richtte haar blik op zijn dochter, die met haar halsketting speelde en, aarzelend over haar gevoelens, aan haar mouwen zat te plukken.

'O, ik weet niet goed wat ik voel of wat ik wil.'

Toen ze haar gezichtje naar de rechter ophief, keek Dominique Carpentier recht in de intense, griezelig blauwe aanwezigheid van de componist. Nou, misschien dat jij niet weet wat je wilt, ma petite chérie, maar ik wel. Ik verlang met heel mijn hart naar je vader en als dat betekent dat ik er de een of andere gestoorde cultus bij op de koop toe moet nemen die al duizenden jaren geleden had moeten ophouden te bestaan, dan moet dat maar.

Ze nam de handen van zijn dochter in de hare.

'Je moet heel goed luisteren naar wat je voelt. Wat je werkelijk voelt, niet naar wat je behoort te denken of te willen. En laat je niet beïnvloeden door andere mensen. Wat wil je werkelijk? Diep vanbinnen?'

Marie-T bloosde verschrikt. De rechter keek haar lachend aan.

'Dan moet je dat doen,' zei ze.

Op de avond van vrijdag 22 september, de avond voordat zij naar Londen zou vliegen, merkte de rechter in de struiken achter haar een vreemd, ritselend geluid op. Ze liep op het koelste tijdstip van de dag door haar tuin om de sproeiers te controleren voordat ze de computer ging instellen om de struiken en de bomen te besproeien. De koude miezerregen van de afgelopen paar dagen was amper in de droge, rode aarde doorgedrongen. Ze bleef even staan luisteren. Een wilde kat misschien? De wind ging liggen. Daar hoorde ze het opnieuw, een flauw geruis, gevolgd door een gedempt geritsel, alsof er ergens een vuurtje ontstond. Het was nog steeds verboden een vuurtje te stoken in de buitenlucht en er golden strenge regels voor barbecues aan de rand van de heide. Tegen het einde van de middag was de hitte weer even teruggekeerd en de witte nevel boven zee zorgde voor een vreemde, gelige gloed naarmate het licht langzaam wegebde. De rechter keek vanuit de tuin van haar kleine villa uit over de heuvels, zoekend naar een dun rookpluimpje, het eerste teken van brand. Het is toch al veel te laat in het jaar om nog bang te zijn voor heidebranden? Ze zag niets.

Maar toen het donker begon te worden overviel haar een eigenaardig onbehaaglijk gevoel. Ze pakte haar rugzak in voor de reis en koos met zorg haar kleren uit. Zelfs midden in de zomer was het in Londen kil en herfstig geweest. De uitpuilende dossiers over het Geloof lagen opengeslagen op haar eettafel. Ze bladerde door de bladzijden vol aantekeningen, rapporten, autopsies en bleef even zitten kijken naar Schweigens handtekening en zijn ruwe vertalingen van de eerste Zwitserse rapporten uit 1994. Het meeste materiaal kende ze uit haar hoofd. Nu keek ze nog eens goed naar de astronomische rapporten van een Engelse professor die werkzaam was aan de Universiteit van Manchester en die verantwoordelijk was voor een netwerk van radiotelescopen dat bekendstond als de Merlin Array. Schweigen had geen middel onbeproefd gelaten. De oorspronkelijke rapporten waren bijgewerkt, net als de grote Lovell-telescoop zelf, die boven de vlakte van Cheshire uittorende. De schotel was opnieuw ingesteld en werd opnieuw bekleed met gegalvaniseerde stalen platen. In antwoord op haar vraag over de Auriga-steen was de professor zo vriendelijk geweest haar terug te schrijven. Ja, de steen was bekend bij moderne astronomen, die het grootste respect hadden voor de Oudheid. En wist zij wel dat de Crab Nebula in Taurus, een supernova die was ontstaan uit de explosie van een reuzenster, al in 1054 was waargenomen en beschreven door Chinese astronomen? Ik neem aan dat u op de hoogte bent van ons werk op het gebied van het gravitationele microlenseffect, dat ons in staat stelt voorwerpen waar te nemen zoals neutronensterren en zwarte gaten die geen licht afgeven. Wij hebben geen idee wat de Donkere Aanwezigheid die Almaaz begeleidt in wezen is, maar dankzij onze studies naar massadistributie binnen de melkwegstelsels die wij registreren en observeren, zullen wij uiteindelijk over voldoende informatie beschikken om ons aan een hypothese te wagen.

Ze legde de brief neer. Astronomie beeldt het drama uit van het meten. En wij willen per se de oneindigheid meten. Ooit zullen wij in staat zijn elk onsje gas, licht en stof te wegen. Ze beet op haar lip en legde de documenten weg. Maar wat we niet kunnen meten is het effect van die minimale afstand tussen oplopende kwinten, of een gloeiende handpalm tegen mijn wang. Toen hoorde ze weer de stem van de componist, heel geduldig tegenover haar ongeloof. Wij maken deel uit van alles wat is. Dit is de stem van onze eigen ziel die over oneindige afstanden tot ons spreekt. Het Geloof is een manier om in deze wereld te leven, en een deur naar het leven dat ons nog wacht. Ze sloeg het dossier dicht en bleef nog even zitten luisteren naar de duisternis buiten.

En toen hoorde ze het opnieuw: een vaag geritsel en een knappend geluid, heel dichtbij. De rechter stond op en deed alle buitenlichten aan. Ze zag niets. Opeens dook ze in het tweede dossier, zoekend naar een rapport, een adres, een bepaald nummer. Wat is de code voor Duitsland? 0049. Juist.

'Herr Bardewig? Guten Abend. Verzeihen Sie... Habe Ich Sie gestört? U spreekt met Dominique Carpentier, de Franse rechter die afgelopen maart bij u heeft geïnformeerd naar het boek van uw vader. Herinnert u zich mij nog?'

'Natuurlijk. *Das Buch des Glaubens*. Met die prachtige band. Maakt u goede vorderingen met uw onderzoek?'

De rechter hoorde haar eigen stem, bevend van spanning.

'Het spijt me u dit te moeten vragen en ik begrijp hoe pijnlijk het moet zijn – maar u hebt mij verteld dat uw vader zelf een eind aan zijn leven heeft gemaakt, maar niet hoe. *Hoe is uw vader gestorven?'*

Aan de andere kant van de lijn viel een diepe stilte. De rechter hield haar adem in. Toen klonk de stem van de drukker weer in haar oor.

'Hij is omgekomen in het vuur. Wij denken dat hij opzettelijk brand heeft gesticht in zijn oude pakhuis aan de andere kant van de rivier en dat hij zichzelf in de vlammen heeft gestort. Hij heeft een soort industrieel fosfor gebruikt dat door de politie is getraceerd. Zo denken wij dat hij is gestorven. Hij heeft geen enkele hint, geen enkele aanwijzing gegeven dat hij van plan was ons te verlaten. Zijn lichaam is volledig verbrand. Wij hadden niets om te begraven. Er was niets meer van hem over dan as en stof. Daarom hebben wij een kleine urn met as begraven die wij uit de restanten van de brand bij elkaar hebben geschraapt.'

Het bleef weer een hele tijd stil.

Toen zei de drukker: 'Bent u daar nog, madame?'

'Ja,' fluisterde de rechter, 'dank u wel.'

Het werd avond in de glibberige straten. Ze liep met haar zwarte rugzak om haar schouders over de natte trottoirs en telde het aantal mensen die ze voor zich had in de rij wachtenden voor een taxi. De koffie aan boord van de Gatwick Express was niet te drinken, maar ze had geen tijd meer voor een fatsoenlijke maaltijd voor het concert. De stad haastte zich naar zijn verschillende bestemmingen, theaters, restaurants, bioscopen, clubs, huis. Ze regelde niets voor de nacht, boekte geen hotelkamer en liet haar mobieltje uit. Laat maar komen. Wat het ook is, laat maar komen. De taxichauffeur wilde een praatje maken. Ze kon hem amper verstaan. Wat gaat u zien in de Albert Hall? De Proms zijn al afgelopen. Een opera? Ze doen geen opera's in de Albert Hall. Het is een opera die wordt uitgevoerd als een concert. Nou, dat zou niks voor mij zijn. Voor mij ook niet, dacht de rechter, terwijl ze naar de grijze kou keek die bezit nam van de witte pleinen en de verlichte torens, die schitterden in de vochtige atmosfeer. Het is net alsof ik vooruit ben gegaan in de tijd, het najaar in, het donker in.

De Albert Hall leek op een gigantische bakstenen taart met meerdere gedecoreerde lagen. Ze zag de naam van de componist op elk aanplakbiljet en zijn gezicht op de programma's die je binnen kon kopen. Ze was te vroeg om de zaal al in te mogen en ze hoorde het gesnerp en gepiep van het orkest dat ruiste en ritselde als een reusachtige zwarte vogel. Ze liet haar rugzak achter bij de garderobe en liep toen om het gebouw heen, op zoek naar de artiesteningang. Twee leden van het gevolg van de componist stonden buiten te roken. De rechter herkende hen van het feest op het domaine, maar wist niet hoe zij heetten. Zij herkenden haar onmiddellijk.

'Ah! Voilà! Madame Carpentier!'

'Komt u naar het concert? De tenor is geweldig.'

Ze hoorde de zangers hun toonladders zingen, van hoog naar laag, waarna twee lange noten een ogenblik werden vastgehouden, alvorens weg te sterven.

'Is Friedrich hier?'

'Ja. Hij heeft zich opgesloten in het kantoor. Hij kreeg opeens een dringend telefoontje uit Zwitserland.'

Ze liep toch maar naar binnen. Het was druk in de gangen, niet alleen met leden van het orkest, maar ook van het koor, van wie sommigen, bruisend van energie en allemaal gekleed in zwarte overhemden, als een soort fascistische jeugdbeweging, zich door de gangen haastten en haar opzij duwden. Waar was het kantoor? Ze hield iemand van de technische staf aan en vroeg in het Engels: 'De dirigent? Monsieur Friedrich Grosz? Waar is het kantoor?'

Een klein rond raampje in de deur bevatte enigszins vervormend glas, maar niettemin zag zij hem als een gier over een tafel gebogen zitten. Zijn schouders waren gespannen en zijn grote hand, die plat op het houten tafelblad lag, lag doodstil, als een uitgestrekte klauw. Ze voelde aan de deur: die zat op slot. Ze tikte op het glas. Hij hoorde het niet. Ze bleef even naar zijn ongekamde witte haar staan kijken en opeens viel het haar op dat hij zijn witte strikje had afgedaan. Het ding lag verfrommeld en verfomfaaid op de dikke, veelgebruikte partituur. Ik sta nog geen drie meter bij hem vandaan en hij weet niet dat ik er ben.

Ze begon opnieuw de situatie te rationaliseren. Hij is een drukbezet man die op het punt staat een belangrijk concert te dirigeren. Misschien is het wel een heel dringend telefoontje. Misschien is een van de zangers ziek geworden. Marie-T heeft hem vast verteld dat ik zou komen. Hij weet waar ik zit. Hij zal mijn aanwezigheid als antwoord opvatten, het antwoord waarop hij heeft gewacht en dat ik hem heb beloofd. En dus draaide zij zich om van de deur en zocht haar plaats op in de rood met gouden grote zaal van de Albert Hall.

Het concert was uitverkocht. Een ongeduldige rij mensen die op teruggebrachte kaartjes hoopte liep van het loket helemaal om het gebouw heen. Sommige mensen droegen avondkleding, andere kwamen opdagen in jeans, smoezelige jasjes, natte regenjassen en schuifelden langs haar heen naar hun plaatsen. Een holle echo weerkaatste de gedempte geluiden van stemmen, etenswaren die nog snel even werden verorberd, programmaboekjes, verfrommelde kranten. De rechter vond de informele sfeer wel grappig. De concertzaal was zo groot als een voetbalstadion en het publiek leek zich te hebben voorbereid op een uitvoering in de buitenlucht. En toch had het allemaal iets feestelijks en aandachtigs. Iedereen had zich al voorgenomen de muziek prachtig te vinden en ervan te genieten. Ze keek om zich heen of ze Marie-T ergens zag. Waar is ze? Ze weet waar ik zit. Ze heeft mijn stoelnummer gezien toen ze mijn kaartje bekeek.

En plotseling zag ze het meisje. Haar groene jurkje viel op

tussen alle donkere kostuums en haar blonde hoofd stak boven de menigte uit. Ze zag dat de dochter van de componist naar haar zocht. Maar net toen ze wilde zwaaien, herkende ze de kleine, grijze man die naast haar stond: professor Hamid, in avondkostuum met wit strikje en zijden sjaal, elegant en parmantig, met twee programmaboekjes onder zijn arm. Hij zocht de stallesplaatsen af, op zoek naar haar gezicht. De rechter wendde verschrikt haar gezicht af. Hamid, de bewaarder van de stenen. En het was nu wel duidelijk; hij is niet zomaar een expert op het gebied van Egyptische astronomie, hij moet ook lid zijn van het Geloof. De rechter vond haar eigen plotselinge rilling van afkeer onverklaarbaar en vreemd. Het is het nietweten. Ik ben er zo aan gewend alle kaarten in handen te hebben, altijd meer te weten dan de hulpeloze mensen die ik voor me heb. Ik vermoedde het al, maar ik wist het niet zeker. En zelfs nu kan ik er nog niet helemaal zeker van zijn. Ik weet niet wat ik weet.

De koorleden kwamen in een lange rij binnen en namen hun plaatsen in op de stoelen op de verhoging boven het orkest. De koepelvormige zaal ruiste en fluisterde. De rechter zag meteen dat Johann Weiß er niet was. Een jonge vrouw met kort haar nam zijn plaats als eerste viool in en nam een warm applaus in ontvangst. Waar is hij? Maar natuurlijk, dit is niet het gebruikelijke orkest van de componist. En toch – klopte er iets niet. Ze wierp een snelle blik over haar schouder. Marie-T was in het programma verdiept en Hamid bestudeerde de vergulde versieringen op de boxen boven hem. Niemand anders leek zich ergens zorgen om te maken. Toen merkte zij hoe een gevoel van hooggespannen verwachting zich door het auditorium verspreidde en zag zij de wilde witte haardos en brede schouders van de componist achter de zangers aan komen: twee dames in zijden avondjurken en de heren in rokkostuum. Het publiek barstte los in een daverend applaus.

Is het mogelijk om ongeduldig te worden van Beethoven? Kokend van ergernis speelde de rechter met haar programma. Hoelang gaat dit duren? Ze vestigde haar blik op de handen van de componist, zijn vingers om het dirigeerstokje. Ze keek naar de spanning in zijn rug, zijn witte haar dat omlaag viel toen hij zich bukte om de hand van de eerste violiste te kussen. Toen hij zich omdraaide om de blazers te verwelkomen, schrok ze van de diepe groeven van verdriet en stress op zijn wangen. Ze kon niet zijn hele gezicht zien. Opeens draaide hij zich helemaal om en maakte een buiging voor het publiek. Te midden van het donderende welkomstapplaus bespeurde ze de gekooide blik van een dier dat zijn laatste krachten verzamelt en zich klaarmaakt om te springen.

Het hele eerste bedrijf was een kwelling voor haar kalmte, haar gebruikelijke zelfbeheersing. Ze wilde zijn gezicht weer zien. Beethoven dwong haar te luisteren naar zijn enige opera, de enige van de vele die hij probeerde te schrijven en waarvan het succes middelmatig was en pas heel laat was gekomen. Maar de rechter kon er amper naar luisteren. Het hele ding werd in het Duits gezongen. Ze sloot zich af voor een taal die ze heel goed kende en deed haar best om stil te zitten. Ze had de korte inhoud in het programma wel doorgelezen, maar omdat de zangers doodstil in de schijnwerpers en voor hun muziekstandaards stonden, lukte het haar niet het verhaal te volgen.

Een gevangenis, een kerker, een tiran, zijn cipier, de dochter Marzelline, die verliefd is op een als jongen verklede vrouw, de hoofdpersoon Fidelio, die op zoek is naar haar echtgenoot, die ergens gevangen wordt gehouden door de schurk. Alle elementen van een opera samengevat in een statisch tableau van pure muziek. De rechter, verveeld en chagrijnig, wist zichzelf maar met moeite in bedwang te houden. Dit was een onnodige inleiding tot het werkelijke doel van deze avond: haar confrontatie met de componist. De enkele momenten waarop de zangers uit hun rol leken te vallen en spraken in plaats van zongen, brachten haar volledig in verwarring. Net als de gefascineerde en eerbiedige aandacht van de duizenden mensen om haar heen. Het was alsof ze in een kerk zat vol mensen van wie ze het geloof niet deelde. Ze balde haar vuisten en concentreerde zich alleen maar op de man van wie ze hield. Ze had geen idee wat hij stond te doen voor die ongelijkwaardige motor van lawaai en beweging. Hij leek aan onzichtbare touwtjes te trekken, alsof hij midden in een storm een schip met volle zeilen in bedwang moest houden. Ze zag dat hij de teksten meesprak met de zangers; hij kende de opera uit zijn hoofd. Noch de hoofdrolspelers, noch de leden van het koor verloren hem ook maar een seconde uit het oog. Hij was het middelpunt van het reusachtige wiel dat om hem heen draaide. Ze kon niet wachten tot het concert was afgelopen en beet op haar lip.

In de pauze kwam Marie-T haar opzoeken.

'Is het niet geweldig? Ik ben zo blij dat je er bent. Ken je professor Hamid van het British Museum? Hij is een vriend van Friedrich.'

Professor Hamid bracht haar vingers naar zijn lippen. Zijn gezicht, strak en ernstig, bracht haar nog verder uit haar evenwicht; zijn hele persoonlijkheid ademde geheime kennis uit.

'Zeer vereerd, madame.'

'Ja, wij kennen elkaar.' Haar koele ogen namen hem argwanend op. Toen was het moment weer voorbij. De rechter zakte weer in haar stoel voor het tweede bedrijf. Ze voelde zich nu echt niet meer op haar gemak. Er was geen enkele reden waarom Hamid hier niet zou zijn, maar zijn aanwezigheid maakte haar heel erg onrustig. Waarom? Ze begreep haar eigen onrust niet.

Het tweede bedrijf van *Fidelio*, is, zelfs in een statische concertuitvoering, onweerstaanbaar dramatisch. En de zangers gingen helemaal op in hun rol. Florestan, die in het donkerste hoekje van zijn gevangeniscel op de dood wacht, beeldt zich in dat zijn vrouw hem in de gedaante van een engel komt bevrijden waarop, in een van de meest uitzonderlijke overgangen van kleine naar grote terts, onderdrukking het veld moet ruimen voor bevrijding en wanhoop verandert in hoop. Zelfs de rechter, in al haar desinteresse en agitatie, hoorde het moment en de belofte: *Ein Engel – der führt mich zur Freiheit ins himmlische Reich*. Een engel voert mij naar de vrijheid in het hemelse rijk. De productie maakte geen gebruik van kostuums, decors en rekwisieten, op één na. Toen de tiran Pizarro oprees om zijn slachtoffer neer te steken, reikte de sopraan in haar kleine, met flonkerende steentjes bezette avondtasje en haalde voor het hele publiek duidelijk zichtbaar een pistool tevoorschijn dat zij op zijn borst richtte. De hele Albert Hall hield de adem in. Het dramatische moment werd versterkt door de plotselinge klank van de trompetten van rechtvaardigheid en verlossing. Leonore wierp haar pistool weg, greep de tenor bij zijn fluwelen revers en kondigde met een machtige uithaal het moment van universele verlossing aan:

> Es schlägt der Rache Stunde!
> Du sollst gerettet sein!
> Het uur van de wraak is aangebroken!
> Je zult worden behouden!

En het koor, dat zich eindelijk helemaal kon laten gaan, bracht iets meer dan tien minuten lang een bulderende lofzang op vreugde, rechtvaardigheid en liefde ten gehore. De climax trof de rechter als even onwaarschijnlijk als meeslepend. Toch werd ook zij meegesleurd in een explosie van vreugde.

De componist nodigde het orkest uit om op te staan en op het moment dat hij zich naar de zaal omdraaide om het oorverdovende applaus in ontvangst te nemen, zag ze zijn gezicht zoekend het publiek in kijken, zoekend naar haar. De rechter was, net als de rest van het publiek, gaan staan. Maar hij had haar al gezien en zijn gezicht, gespannen, getekend, donker, lichtte op van blijdschap en opluchting. Eindelijk kon ze hem goed zien, ook al was hij buiten haar bereik, zijn armen triomfantelijk geheven, zijn gezicht als herboren van zekerheid en vreugde.

17

JODRELL BANK

'WIJ LOGEREN IN HET DORCHESTER. Professor Hamid is al vooruitgegaan. Friedrich heeft een kamer voor je gereserveerd. Het is verschrikkelijk duur. Maar je mag niet zelf betalen. Hij zegt dat het orkest het betaalt. Vlug! Taxi!'

En zo werd ze aan Marie-T's arm meegesleept, de regenachtige avond in. Ze hoorde het ruisen van het verkeer over de natte straten en zag de mismoedig afhangende bomen omlaag zakken naar de duisternis. De geüniformeerde portier van het hotel wilde haar bagage dragen en leek het vreemd te vinden dat ze die niet had.

'Dit is de sleutel van de suite. Wanneer je hem in het slot schuift gaan meteen alle lichten aan. Ken je dat systeem? Het kan zijn dat de professor er al is. 502. Ik ga even iets te eten en champagne regelen. We hebben hier al eerder gelogeerd. Ik ken iedereen bij de bar.'

De rechter nam de lift. Toen ze uit de lift op het dikke, donkere tapijt stapte, merkte ze onmiddellijk dat er iemand stond te wachten. De lange grijze jas en sjaal kwamen haar bekend voor, evenals de koppige stoppelkin en de donshaartjes op zijn gladgeschoren hoofd. Schweigen.

'André! Wat doe jij hier?' Ze greep hem geschrokken bij zijn arm. Maar haar stalker weigerde zich gewonnen te geven.

'Luister naar me, Dominique. Nu even niets zeggen. Er heeft weer een massale zelfmoord plaatsgevonden. Weer in Zwitserland. In dat chateau waar ik je vorige week heb gevonden.'

'Wanneer?'

'Gisteravond.'

'Hoe?'

'Dat weten we nog niet. Waarschijnlijk vergif. Maar de laatste moet het gebouw in brand hebben gestoken. Er is niet veel meer van over en de meeste lichamen zijn onherkenbaar verbrand. Identificatie zal moeten plaatsvinden aan de hand van DNA en gebitsgegevens.'

'Hoeveel?'

Maar ze wist het antwoord al. Negen. Er hadden twaalf borden in de vaatwasser gestaan. De componist, Marie-T en de professor waren hier. Het dertiende bord was voor haar bestemd geweest. Negen. Er waren negen lichamen verbrand.

'Hoe weet je dat?'

'Het is mijn onderzoek. Ik weet het.'

'Nou, reken maar dat de Zwitsers er nu een puinhoop van gaan maken. Voor zover ik weet waren er geen Franse burgers bij dit vertrek. Alleen Zwitsers en Duitsers.'

'Wat doe je hier, André?'

Hij pakte haar schouders en schudde haar door elkaar tot haar bril scheef op haar neus stond en haar haarklem van schildpad los begon te raken.

'Ik wilde me ervan verzekeren dat jij niet een van die doden was,' riep hij.

Ze worstelde zich los.

'Je bent gek.'

'Jij ook!'

'Stoor ik?' Professor Hamid, hoffelijk, zelfverzekerd, nog steeds gekleed in zijn camel jas, stond in de deuropening. Achter hem bevonden zich de schemerige kamers, comfortabel en luxueus, in een aaneenschakeling van kristal en spiegels. Hij deed een stap opzij. Schweigen, die om onverklaarbare redenen bekend leek te zijn met de indeling van de suite, liep naar binnen en duwde de rechter voor zich uit.

'Monsieur Schweigen?' De professor reikte hem de hand. André negeerde hem en liep de zitkamer door om de televisie uit te zetten, die in flikkerende gele letters Mr. Friedrich Grosz en familie welkom heette in het Dorchester. Hamid nam plaats op een enorme, goudkleurige bank die hem omhulde als een troon.

'Welnu, ik neem aan dat u allebei op de hoogte bent van het recente Zwitserse vertrek. Een tragische kwestie, die wij helaas niet hebben kunnen voorkomen. Gelukkig zijn er bij deze afschuwelijke catastrofe geen andere doden of gewonden gevallen. En waren er geen kinderen bij betrokken. Ik wil u allebei iets geven, en dat moet ik snel doen, voordat Marie-T terugkomt met haar flessen champagne.'

Hij haalde de Gids, *Das Buch des Glaubens,* onder de kussens vandaan en gaf het aan Dominique Carpentier, die haar zwarte rugzak op de grond liet vallen en het geschenk met beide handen aanpakte.

'Dit is van Friedrich Grosz, madame. Hij geeft het u in bewaring. En als u mij komt opzoeken, en ik hoop van harte dat u dat zult doen, weet ik zeker dat ik u kan leren elk woord te lezen.'

Hij keek naar Schweigen, die elk voorwerp in de kamer stond te bestuderen alsof hij alles in zijn geheugen probeerde te prenten, alvorens te proberen alles op te noemen in een quizprogramma.

'Monsieur Schweigen? Dit is voor u.' En hij haalde een klein kaliber pistool uit zijn binnenzak. De rechter en Schweigen verstijfden. Zij drukte het enorme boek tegen haar borst.

'Schrikt u niet. Het is niet geladen. Dit is het wapen dat is gebruikt om professor Anton Laval en zijn zuster Marie-Cécile dood te schieten. Ik zal, zodra het u schikt, in uw bijzijn een gedetailleerde verklaring over hun dood aan de Britse politie afleggen. Uw aanwezigheid als leider van het politieonderzoek in de laatste zaak en uw bekendheid met de gebeurtenissen van 1994 zullen een grote hulp zijn voor de autoriteiten hier en voor mijzelf. Ik hoef u niet uit te leggen dat onze vriend monsieur Grosz niets van dit alles weet en mocht u hem nog zien dan zou ik u zeer dankbaar zijn als u hem niets vertelt. Nog niet tenminste. Wij hebben allemaal zo onze eigen methodes om iemand te overtuigen en ik weet zeker dat hij de mijne nooit zou goedkeuren.'

De professor zweeg even, wikkelde het pistool zorgvuldig in een witte zakdoek, en gaf het aan Schweigen. Toen leunde hij naar voren en koos met uiterste zorgvuldigheid zijn woorden.

'Zoals u ongetwijfeld al hebt begrepen, ben ook ik lid van het Geloof, maar ik kan niet geloven in een God die de dood verlangt van allen die Hem dienen. En ondanks de geloften van geheimhouding en gehoorzaamheid die ik heb afgelegd, kan ik dat vertrouwen niet nakomen. Friedrich Grosz is een man met een sterk geloof en hij zal tot het allerlaatst trouw blijven aan zijn woord, *maar de gids mag zijn volk niet overleven.* Hij moet hen volgen, zoals zij hem altijd hebben gevolgd. Hij is naar de voet van die grote telescoop op de vlakte van Cheshire gegaan, de plek waar wij voor het allereerst getuige zijn geweest van de tastbare aanwezigheid van de Donkere Begeleider. U moet hem gaan zoeken, en hem als het mogelijk is redden. Hij heeft mij dit gegeven. Het is voor u.'

De rechter scheurde de enveloppe met het logo van het hotel open. Het handschrift van de componist liep bibberig omhoog, naar de rand van het papier en alle woorden vloeiden in elkaar over. *Volg mij, Dominique – volg mij naar het Koninkrijk.* De rechter stond als aan de grond genageld, met een duistere blik in haar ogen. Schweigen pakte het vel papier uit haar hand, las die ene, ondoorgrondelijke zin en bleef er verbijsterd naar staan kijken. De professor leunde achterover op de gouden bank, alsof zijn aandeel in de kwestie achter de rug was en keek hen aan als een onbezorgde gastheer van wie de gasten zich niet lijken te kunnen ontspannen tussen het luxueuze meubilair.

'Ik ga met je mee,' zei Schweigen en hij sleurde haar bij de professor vandaan, die nu vriendelijk zat te knikken, alsof iedereen zijn instemming had betuigd met de gewichtige onthullingen die hij zojuist had gedaan aangaande het wezen van God. De deur vloog open en daar kwam Marie-T, met vier hoge glazen en een in een witte doek gewikkelde fles champagne, de kamer binnengerend.

'Daar ben ik al. En er is nog een hele karrenvracht met lekkernijen en nog meer flessen in aantocht. O? Wat is er aan de hand?' Ze zag Schweigen en kromp ineen van schrik. 'Wat is er gebeurd?' riep ze uit. 'Vertel me wat er is gebeurd. Waar is Friedrich?'

De straatverlichting scheen oranjegeel over de kaart die de rechter over haar knieën had uitgespreid. Het was bijna vier uur in de ochtend, maar nog aardedonker. Ze hadden de M6 achter zich gelaten en waren nu verdwaald in een klein dorp, Holmes Chapel genaamd. Twee rotondes hadden hen weer teruggebracht in de hoofdstraat. Jodrell Bank stond overal aangegeven, maar was nergens te vinden. In elk geval regende het niet meer en achter de slapende huizen glansde een heldere halve maan hen tegemoet boven de zachtjes wiegende bomen. De grote eiken en kastanjebomen, die zich over de weg heen verstrengelden, doemden als een soort druipende, los in de lucht hangende tenten boven hen op. Schweigen was aan het eind van zijn Latijn. Hij kon niet meer helder nadenken. Hij had nog nooit eerder in een auto met het stuur links aan de linkerkant van de weg gereden, kon niets zien bij het inhalen en bleef ervan overtuigd dat zijn geliefde rechter volledig gestoord was.

'Hoe weet je nu dat hij hier is? Er is hier in de wijde omtrek helemaal niets te bekennen. Wat als Hamid heeft gelogen? Waarschijnlijk is hij teruggegaan naar Lübeck. Of naar Berlijn. Of weet ik veel.'

'Naar huis? Zonder zijn dochter? Nooit.' Haar stem beefde een beetje en de tranen liepen over haar gezicht. 'André, luister goed. Ik weet waarover ik het heb. De mensen van het Geloof zijn vertrokken. Er is niemand meer over. En hij heeft de Gids aan mij gegeven. Ik weet zeker dat hij de plek uitkiest die het dichtst bij Almaaz ligt. Hamid heeft gelijk.'

'Almaaz is een ster, Dominique. Miljarden lichtjaren hiervandaan.'

De rechter gaf het op.

'Ga hier eens naar links.'

Ze reden een hobbelige landweg op. De vlakte ging over in een lichte rimpeling in het landschap en ze reden onder een negentiende-eeuws viaduct door. De rechter tuurde naar buiten. Doorrijden, blijf deze weg volgen. Ze passeerden het zoveelste bord met een afbeelding van de radiotelescoop.

'Links, links, links!' gilde de rechter.

En toen zagen ze de schotel, indrukwekkend in de nacht, een reusachtige witte cirkel, met een lichte uitholling, tientallen meters hoog, verticaal op zijn ankerplaats, met een soort lange slurf die recht omhoog in de richting van de nachtelijke hemel wees. Zowel Schweigen als de rechter was met stomheid geslagen. Het reusachtige, spookachtige bouwwerk torende hoog boven de bomen uit. Geen huizen of lichten verstoorden de witte aanwezigheid die zijn volmaakte gezicht naar de hemel ophief. Toen zij dichterbij kwamen, zagen ze dat de schotel werd ondersteund door twee gigantische wachttorens, zo hoog als hoogspanningsmasten, en een netwerk van ijzeren steunbalken, die een tweede gewelfde massa vormden onder de massieve, parabolische schotel. Ver onder de schotel liep een kleine kudde zwart-witte koeien te grazen in het donkere gras. De reusachtige vorm doemde onheilspellend boven de velden op, bleekwit als een eenhoorn in de maneschijn, met een grote hoorn die luisterde naar de sterren.

'Er is iets aan de hand,' zei Schweigen en loodste de auto door de openstaande hekken. Waarom was er geen beveiliging? Wat zijn dat voor lichten? De rechter greep zich vast aan het dashboard. Ze werden aangehouden door een politieman in een knalgele, reflecterende jas.

'Het spijt me, meneer. U mag niet verder. Er is een ongeluk gebeurd.'

Door de groene gaashekken konden ze nog de vlammen onder de bomen zien, alsof daar een vreugdevuur van enige omvang langzaam lag uit te doven. Toen de motor van de auto eenmaal zweeg hoorde de rechter weer datzelfde losse ritselen en ruisen dat ze in haar tuin had gehoord, vergezeld van een vreemd, regelmatig gezoem van de reusachtige schotel boven hen. Met een open mond van afgrijzen zat ze naast Schweigen, die nog steeds probeerde zijn Engelse collega te verstaan.

Terwijl de tranen vrijelijk over haar wangen stroomden, stapte de rechter wankelend uit. Boven haar bewoog de gigantische schotel heel langzaam, vergezeld door het zacht brommende geluid van de motoren die de rails aandreven waarop hij draaide, om de kolossale, oneindige stroom dansende sterren te volgen, ver, ver terug in de tijd, eindeloos ver van deze groene wereld.

'Ik ben bang dat iemand zich aan de voet van de schotel in brand heeft gestoken. Vreemde zaak. God mag weten wat hij heeft gebruikt. Ze zagen het vanuit de controlekamer gebeuren. Het lichaam brandde als een fakkel.'

'As en stof,' huilde de rechter. 'Niets zal er overblijven, niets dan as en stof.'

En toen stortte ze in en beukte met haar vuisten tegen Schweigens borst. Hij had geen idee hoe hij haar moest troosten en keek naar haar gezicht, doodsbleek en verwrongen van onbeheerst verdriet, nat van de tranen. De koeien lieten zich in deze laatste momenten van de nacht niet storen door de blauwe gloed van de politiewagens en de brandweer en bleven stug doorgrazen, terwijl hun lange staarten achter hen in het natte gras hingen.

'Zij is toch zeker niet de weduwe, sir?' mompelde de politieagent.

'Zeker niet.' Schweigen aarzelde. Zijn Engels liet hem in de steek. 'Nee, zij is niet zijn vrouw. Zij is zijn rechter.'

'In orde, sir. Ik zal iemand naar u toe sturen om met u te praten.'

Vervolgens ging de man in opperste verwarring bij zijn auto staan.

Schweigen wiegde haar in zijn armen. Hij was een eerlijk mens. In zijn binnenzak brandde een stukje van de waarheid.

'Dominique, luister. Ik begrijp hier net zo weinig van als jij.

Maar hij was niet van plan om vannacht te sterven. Hij kan niet hebben geweten dat de laatste leden van het Geloof bezig waren een nieuw vertrek te organiseren. Je hebt gehoord wat Hamid zei – de gids mag zijn volk niet overleven. De componist heeft er niet voor gekozen om op dezelfde manier te sterven als zij. Maar hij moest hen volgen. Kijk. Deze heb ik in het hotel gevonden. Twee tickets voor de ochtendvlucht naar Lübeck. Een ervan staat op jouw naam. Hij was van plan om naar huis te gaan en hij wilde jou meenemen.'

De rechter richtte zich op, haar gezicht spookachtig bleek in zwaailichten van de politiewagens.

'Wil hij mij meenemen? Dat kan ik niet doen. Wat bedoel je? Ik ga niet.' Haar stem klonk woedend. Uit niets bleek dat ze hem had begrepen.

Schweigen probeerde verder maar niets meer uit te leggen. De lichten waren in tegenspraak met de griezelige stilte van de grote, witte schotel. Hij hoorde hoe de vogels zich voorzichtig begonnen te roeren in de lange, grillige bomenrij. Zelfs de stemmen rond het afgebakende terrein klonken zacht en gedempt. Schweigen deed nog één poging en sprak namens de componist, die hen hier had achtergelaten, verloren en gestrand, onder de grote witte schotel, midden in de bedauwde, vlakke Engelse velden.

'Hij hield van je. Hij verlangde naar je. Hij hield net zoveel van je als ik.'

Op 12 juni 2001 ratificeerde de Assemblée Générale het wetsontwerp dat een sekte in exacte filosofische en wettelijke termen definieerde. De sekten konden niet langer in Frankrijk opereren, niet binnen de zeshoek en ook niet overzee. Dominique Carpentier zag met stille voldoening hoe deze wet werd aangenomen in de wetgeving van de Franse staat. Overeenkomstig de bepalingen in het testament van de componist werd zij Marie-T's wettige voogd, zodat zij een groot deel van haar tijd doorbracht op het domaine Laval, om Marie-T te helpen met het studeren voor haar filosofie- en literatuurexamens. De eindexamens doemden dreigend voor hen op. De rechter ontdekte weer haar passie voor Racine. Ze lazen samen *Andromaque* en verbaasden zich over de emotionele excessen die naar voren kwamen uit al die rijmende coupletten en satijnen korsetten. Wanneer zij op het domaine verbleef, maakte de rechter altijd gebruik van de slaapkamer van Marie-Cécile Laval, maar ze veranderde er niets. Ze verplaatste geen voorwerpen en verving geen behang, spreien, siervoorwerpen of foto's.

Elke twee maanden vloog de rechter naar Londen voor een bezoekje aan professor Hamid, die in afwachting van zijn hoorzitting op borgtocht was vrijgelaten. Het Engelse hof besloot dat hij geen gevaar vormde voor de samenleving. De rechter bestookte zijn verdediging met documenten en suggesties. Niemand kon besluiten waar de voorlopige hoorzitting diende te worden gehouden. Zijn uitermate gedetailleerde verklaring beschreef twee moorden, voorafgaand aan de massazelfmoorden, één in Frankrijk en één in Zwitserland. Maar niemand ondernam stappen om een uitleveringsproces in gang te zetten. De rechter besloot het papierwerk uit te stellen, om hem de kans te geven zijn monografie over de recente opgravingen van oude astrologische monumenten in Nineveh af te maken. Het *Boek van het Geloof* bleef achter slot en grendel in haar kantoor. Ze haalde het boek nooit uit de versterkte stalen kluis en in dat opzicht werd ze de bewaker en de bewaarder van het boek.

NAWOORD

Over het algemeen wordt een werk van fictie niet gevolgd door uitleg en dankbetuigingen, maar hier zijn enkele woorden toch op hun plaats. Mijn Franssprekende lezers zal het zijn opgevallen dat ik de verkorte spelling van Marie-Thérèse heb verengelst. In het Frans zou haar naam worden geschreven als Marité, of Marithé. Voor een Engelsman, die geen Frans gewend is, zou het lijken alsof hier sprake was van een heel nieuw personage in het verhaal. Met het oog op de duidelijkheid heb ik haar naam dus consequent gespeld als Marie-T.

Een bedankje aan het team dat dit boek heeft verwezenlijkt: mijn agent Andrew Gordon bij David Higham, mijn redacteur en uitgever Alexandra Pringle, en haar collega's bij Bloomsbury, met name Erica James en Alexa von Hirschberg. In het bijzonder zou ik Mary Tomlinson willen bedanken, voor haar scherpzinnige aandacht voor details in de tekst.

Romanschrijvers hebben hulp nodig bij hun bedenksels. Dank aan de volgende vrienden en collega's: monsieur en madame Agneau, Myriam Buades, Lucie Barthès, Ghyslène Chantre, Simone Chiffre, David Evans, Richard Holmes, Anne Jacobs, Peter Lambert, Jenny Newman, Michèle Roberts, Sandrine Sire, Rose Tremain, en al mijn vroegere en huidige buren in het dorp St.-Martial. Jacqueline Martel creëerde de tuin van het domaine Laval. Françoise Brutzkus-Gélinet, Avocat à la Cour d'Appel de Paris, adviseerde mij over de Franse wetgeving en ik ben haar en haar collega's heel dankbaar. Dr. Tim O'Brien van Jodrell Bank heeft mij veel van zijn tijd en astronomische kennis geschonken en voor zijn kennis van het Hebreeuws ben ik professor Philip Alexander dankbaar van de faculteit Godsdienst en Theologie van de Universiteit van Manchester. Mijn eerste lezers zijn Janet Thomas en Sheila Duncker en hen bedank ik voor hun kritische hulp, suggesties en bemoedigende woorden. Janet Thomas is een van de andere schrijvers die mij aan de gang houden wanneer ik het moeilijk heb. Claude Chatelard heeft bijzonder nauwgezet mijn Frans gecorrigeerd en Lisbeth Lambert het Duits, waarvoor ik hun heel erg dankbaar ben. Alle resterende fouten zijn vanzelfsprekend uitsluitend van mijzelf.

Ik heb me de gebruikelijke geografische vrijheden veroorloofd waarvan iedere schrijver zich bedient, zodat niemand het kantoor van de rechter in Montpellier zal kunnen vinden, het domaine Laval, het huis in Lübeck, of het Hôtel Belvédère op de hellingen van Sète. Wat mij betreft zijn alle personages en sektes die ik heb beschreven volledig fictief, maar de Donkere Begeleider bestaat echt en tegen de tijd dat u dit boek leest, is de eclips al begonnen.

Patricia Duncker
Aberystwyth, 2009